Mémoires d'Outre-Tombe Livres I à V

CHATEAUBRIAND

Mémoires d'Outre-Tombe Livres I à V

CHRONOLOGIE
PRÉSENTATION
NOTES
DOSSIER
BIBLIOGRAPHIE

par Nicolas Perot

GF Flammarion

SOMMAIRE

Mémoires d'Outre-Tombe
Livres I à V

CHRONOLOGIE	REPÈRES HISTORIQUES ET CULTURELS	VIE ET ŒUVRES DE CHATEAUBRIAND
1768		(4 septembre) Naissance à Saint-Malo.
1768-1771		En nourrice à Plancouët.
1774	(10 mai) Mort de Louis XV. Début du règne de Louis XVI.	
1777-1781		Collège de Dol.
1778	Guerre d'Indépendance américaine jusqu'en 1783. (30 mai) Mort de Voltaire. (2 juillet) Mort de Rousseau.	
1781-1782		Collège de Rennes.
1783	Beaumarchais, *Le Mariage de Figaro*.	Séjour à Brest. Collège de Dinan.
1784	(30 juillet) Mort de Diderot.	
1784-1786		Séjour à Combourg.

Année	Vie de Chateaubriand	Événements
1786	Sous-lieutenant au régiment de Navarre à Cambrai. (6 septembre) Mort de M. de Chateaubriand.	
1787	(19 février) Présentation au roi. Garnison à Dieppe. Séjours près de Fougères et à Paris.	Bernardin de Saint-Pierre, *Paul et Virginie.*
1789		(5 mai) Ouverture des états généraux. (14 juillet) Prise de la Bastille. (6 octobre) Le roi est ramené à Paris. M.-J. Chénier, *Charles IX.*
1790	Première œuvre publiée, dans l'*Almanach des Muses : L'Amour de la campagne.*	(12 juillet) Constitution civile du clergé.
1791	(avril) Départ pour les États-Unis.	(février) Organisation de l'armée des Princes. (20 juin) Fuite du roi à Varennes, rattrapé le 21. (1er octobre) Assemblée législative.
1792	(2 janvier) Retour en France. (20 février) Mariage avec Céleste Buisson de La Vigne. (juillet) Émigre et rejoint l'armée des Princes. (septembre-octobre) Siège de Thionville. Chateaubriand, blessé, est licencié.	(20 avril) Déclaration de guerre. (10 août) Prise des Tuileries. Chute de la royauté. (2-3 septembre) Massacres de septembre. (20 septembre) Bataille de Valmy. Première séance de la Convention.
1793		(21 janvier) Exécution de Louis XVI. (à partir de septembre) La Terreur.

CHRONOLOGIE	REPÈRES HISTORIQUES ET CULTURELS	VIE ET ŒUVRES DE CHATEAUBRIAND
1793-1800		Séjour en Angleterre.
1794	(juin) Renforcement de la Terreur. (25 juillet) Exécution d'André Chénier. (27 juillet) Chute de Robespierre (9 thermidor).	(22 avril) Exécution de Malesherbes et de J.-B. de Chateaubriand.
1795	(22 août) Constitution de l'an III (Directoire).	
1796	Bonald, *Théorie du pouvoir*, Joseph de Maistre, *Considérations sur la France*.	
1796-1797	Campagne d'Italie (Arcole, Rivoli).	
1797		(18 mars) *Essai sur les Révolutions*.
1798		(31 mai) Mort de Mme de Chateaubriand.
1799	(9 novembre) Coup d'État du 18 brumaire. Consulat.	(26 juillet) Mort de Julie de Farcy.
1800	(14 mars) Élection du pape Pie VII. (printemps) Seconde campagne d'Italie (Marengo). Mme de Staël, *De la Littérature*.	(6 mai) Retour en France.

1801		(2 avril) *Atala*.
1802	(25 mars) Paix d'Amiens. (18 avril) Concordat.	(14 avril) *Génie du christianisme*.
1803		Secrétaire d'ambassade à Rome. (4 novembre) Mort de Pauline de Beaumont. Première idée des *Mémoires*.
1803-1805	3e coalition (Ulm, Trafalgar, Austerlitz).	
1804	(21 mars) Enlèvement et exécution du duc d'Enghien. (18 mai) Proclamation de l'Empire. Senancour, *Oberman*.	Chateaubriand démissionne de son nouveau poste dans le Valais après l'exécution du duc d'Enghien. (10 novembre) Mort de Lucile.
1806-1807	Campagne contre la Prusse et la Russie (Iéna, Eylau, Friedland).	(de juillet à juin) Voyage en Orient (Grèce, Turquie, Palestine, Espagne). (juillet) Ordre d'exil. Installation à La Vallée-aux-Loups (acheté le 22 août).
1807	Mme de Staël, *Corinne*.	
1808	Campagne d'Espagne.	
1809	Bataille de Wagram. Occupation de Vienne.	(27 mars) *Les Martyrs*. (31 mars) Exécution d'Armand de Chateaubriand.
1810	Mme de Staël, *De l'Allemagne*.	

CHRONOLOGIE

	REPÈRES HISTORIQUES ET CULTURELS	VIE ET ŒUVRES DE CHATEAUBRIAND
1811		Élection à l'Académie française au fauteuil de M.-J. Chénier. *Itinéraire de Paris à Jérusalem.* (4 octobre) Commence la rédaction des *Mémoires de ma vie.*
1812	Campagne de Russie.	
1813	Campagne d'Allemagne.	
1814	Campagne de France. (31 mars) Entrée des Alliés à Paris. (4 avril) Abdication de Napoléon. (3 mai) Entrée de Louis XVIII à Paris. (4 juin) Proclamation de la Charte. Restauration.	(5 avril) *De Buonaparte et des Bourbons.*
1815	(mars-juin) Les Cent-Jours. (18 juin) Waterloo. (juillet) Retour du roi à Paris. Ministère Talleyrand-Fouché. (août) Élection de la *Chambre introuvable* (à majorité ultra-royaliste). (septembre) Ministère Richelieu.	(20 mars) Suit Louis XVIII à Gand. Ministre de l'Intérieur. (juillet-août) Retour à Paris. Chateaubriand est nommé ministre d'État et pair de France.

1816	(5 septembre) Dissolution de la Chambre introuvable et élections favorables aux constitutionnels. Constant, *Adolphe*. Rossini, *Le Barbier de Séville*.	*La Monarchie selon la Charte*. L'ouvrage est saisi et Chateaubriand est rayé de la liste des ministres d'État.
1817	Mort de Mme de Staël. Lamennais, *Essai sur l'indifférence en matière de religion*.	Mise en vente de La Vallée-aux-Loups (vendue en juillet 1818). (juillet-octobre) Séjour à Montboissier.
1818	(décembre) Ministère Decazes (modéré).	Fonde *Le Conservateur* (qui sera supprimé en 1820).
1819		Fondation de l'Infirmerie Marie-Thérèse.
1820	(14 février) Assassinat du duc de Berry. Second ministère Richelieu (ultra modéré). Lamartine, *Méditations poétiques*.	
1821	(décembre) Ministère Villèle (ultra). (17 mars) Mort de Fontanes.	(janvier-avril) Ambassadeur à Berlin.
1822	Hugo, *Odes et Ballades*. Delacroix, *Dante et Virgile aux Enfers*.	(avril-septembre) Ambassadeur à Londres. (12 octobre-13 décembre) Chateaubriand est ministre plénipotentiaire au congrès de Vérone réuni pour traiter les affaires d'Espagne. (28 décembre) Ministre des Affaires étrangères.

CHRONOLOGIE	REPÈRES HISTORIQUES ET CULTURELS	VIE ET ŒUVRES DE CHATEAUBRIAND
1823	Expédition d'Espagne.	(6 juin) Chateaubriand est renvoyé du ministère. Il passe dans l'opposition (*Journal des Débats*).
1824	Élection de la *Chambre retrouvée* (ultra). (16 septembre) Mort de Louis XVIII. Début du règne de Charles X. Mort de Joubert.	
1825	(25 mai) Sacre de Charles X. Thierry, *Histoire de la Conquête de l'Angleterre par les Normands*.	
1826	Vigny, *Poèmes antiques et modernes*.	Achèvement des *Mémoires de ma vie* (livres I-III). Installation à l'Infirmerie Marie-Thérèse (rue d'Enfer).
1826-1831		Édition des *Œuvres complètes* chez Ladvocat (1re édition des *Natchez*).
1827	Hugo, *Cromwell*.	
1828	Ministère Martignac (modéré). (10 février) Mort du pape Léon XII et conclave (élection de Pie VIII).	

1828-1829		(septembre-mai) Ambassadeur à Rome.
1829	(août) Ministère Polignac. Dumas, *Henri III et sa cour*. Balzac, *Les Chouans*.	
1830	(mai-juillet) Dissolution de la Chambre. Élections hostiles aux *ultra*. (25 juillet) Ordonnances Polignac qui déclenchent la Révolution de 1830. (2 août) Abdication de Charles X. (7 août) Avènement de Louis-Philippe (Monarchie de Juillet). Mort de Constant. Hugo, *Hernani*. Stendhal, *Le Rouge et le Noir*. Lamartine, *Harmonies poétiques et religieuses*. Berlioz, *Symphonie fantastique*.	(10 août) Grand discours de démission à la Chambre des pairs.
1831	Meyerbeer, *Robert le Diable*.	(mai-octobre) Voyage en Suisse. *Études historiques*.
1832	(octobre) Ministère Soult (Guizot). Encyclique de Grégoire XVI *Mirari vos* (contre le catholicisme libéral).	(juin) Arrestation suite à l'équipée de la duchesse de Berry. (1er août) *Préface testamentaire*. (août-novembre) Voyage en Suisse. Rédaction ou révision des livres I à XII des *Mémoires*. (29 décembre) *Mémoire sur la Captivité de Mme la duchesse de Berry*.

CHRONOLOGIE	REPÈRES HISTORIQUES ET CULTURELS	VIE ET ŒUVRES DE CHATEAUBRIAND
1833	Musset, *Les Caprices de Marianne*. Balzac, *Eugénie Grandet*.	(février) Procès en cours d'assises pour son soutien à la duchesse de Berry. (mai et septembre) Voyages à Prague pour défendre la duchesse de Berry auprès de Charles X. Rédaction de la 4e partie des *Mémoires*.
1834	Musset, *Lorenzaccio*, *On ne badine pas avec l'amour*.	Lectures des *Mémoires* dans le salon de Mme Récamier.
1835	Musset, *Les Nuits*.	Rédaction du récit des Cent-Jours (livre XXIII).
1836	(6 novembre) Mort de Charles X en exil à Gorizia. Fondation du quotidien *La Presse* (dir. Émile de Girardin).	Constitution de la société pour l'acquisition et la publication des *Mémoires d'Outre-Tombe*.
1838	Publication, par Chateaubriand, des *Carnets* de Joubert. Hugo, *Ruy Blas*.	(28 avril) *Congrès de Vérone*. (juillet) Voyage dans le Midi. Installation rue du Bac.

1839		Achève la rédaction des 2e et 3e parties des *Mémoires*.
1841		(16 novembre) Achèvement des *Mémoires*.
1844		*La Vie de Rancé*. Accord entre Émile de Girardin et la société propriétaire des *Mémoires*.
1845-1847		Révisions des *Mémoires*.
1846	Mort de Senancour.	
1847		(8 février) Mort de Mme de Chateaubriand.
1848	(22 février) Manifestations populaires à Paris. Révolution de 1848. (24 février) Abdication de Louis-Philippe. Deuxième République. (23-26 juin) Insurrection parisienne.	(4 juillet) Mort de Chateaubriand. (21 octobre 1848-3 juillet 1850) Publication en feuilleton des *Mémoires d'Outre-Tombe* dans *La Presse*.

Présentation

On considère de nos jours les *Mémoires d'Outre-Tombe* comme le chef-d'œuvre de Chateaubriand, et véritablement ils le sont. Et c'est même par les *Mémoires* que Chateaubriand mérite d'être considéré comme un des plus grands auteurs de son siècle. Pourtant, pendant cinquante ans, jusqu'à sa mort, l'immense prestige de Chateaubriand auprès de la génération romantique n'a tenu qu'à ses trois premières œuvres : *Atala*, *René* et le *Génie du christianisme*. Quand Victor Hugo écrit sur ses cahiers d'écolier « Chateaubriand ou rien », les *Mémoires* n'en sont qu'à un stade embryonnaire ; et quand ils paraissent, après la mort de leur auteur, les critiques fusent, l'incompréhension est presque totale. Sainte-Beuve, concluant son *Chateaubriand et son groupe littéraire* par des notes sur les *Mémoires* qui viennent de paraître, exprime un jugement indécis :

En refaisant *René* dans les *Mémoires d'Outre-Tombe*, Chateaubriand a travaillé plus qu'il ne voulait se l'avouer, pour les générations d'après *Olympio*, et il a réussi en effet à se rajeunir à leurs yeux. Il m'est arrivé d'écrire en 1831 : « Une bien forte part de la gloire de Chateaubriand plonge déjà dans l'ombre… On commence à croire que, sans cette tour solitaire de *René*, qui s'en détache et monte dans la nue, l'édifice entier de Chateaubriand se discernerait confusément à distance. » Si cela était vrai en 1831, qu'était-ce donc en 1848 ? Les *Mémoires d'Outre-Tombe* ont rendu aux générations nouvelles un Chateaubriand vigoureux, heurté, osant tout, ayant beaucoup de leurs défauts, mais par cela même plus sensible à leurs yeux et très présent. Il y en a parmi les jeunes qui se sont remis à le respecter et à l'admirer, précisément par ce côté des *Mémoires* qui a choqué si fort les anciens amis et la belle société [1].

---

1. Sainte-Beuve, *Chateaubriand et son groupe littéraire sous l'Empire*, éd. M Allem, Garnier, 1948, t. II, p. 357-358.

Les *Mémoires* touchent encore trop à l'auteur pour échapper aux jugements sur sa personne – nombreux sont ceux qui stigmatisent son égoïsme et sa vanité, Sainte-Beuve ne s'en prive pas lui-même. Plus profondément, le public n'est pas prêt à comprendre le nouveau Chateaubriand que pressent malgré tout Sainte-Beuve. Ces deux raisons suffisent sans doute à expliquer le paradoxe du premier insuccès des *Mémoires d'Outre-Tombe*. L'éditeur Hetzel, un des rares à les apprécier, écrit en 1859 :

> Il ne mourra de Chateaubriand que la mode de son temps. Les *Mémoires d'Outre-Tombe*, mal publiés, mal lus, mal jugés sont une œuvre à se lécher le museau [1].

RENÉ ET LES MÉMOIRES : DE LA FICTION À LA RÉALITÉ

Pour les premiers lecteurs des *Mémoires d'Outre-Tombe*, Chateaubriand est d'abord l'auteur de *René*, qui a mis à la mode le mal du siècle, le ton pathétique et le style poétique. Jules Hetzel a raison de parler de mode. Cette mode-là, celle de *René*, nous n'y sommes plus sensibles. L'auteur des *Mémoires d'Outre-Tombe* non plus. N'écrit-il pas, à propos de son roman de 1802 :

> Si *René* n'existait pas, je ne l'écrirais plus ; s'il m'était possible de le détruire, je le détruirais. Une famille de René poètes et de René prosateurs a pullulé : on n'a plus entendu que des phrases lamentables et décousues ; il n'a plus été question que de vents et d'orages, que de maux inconnus livrés aux nuages et à la nuit [2].

En fait, Chateaubriand est en avance sur son temps et sur son public. Les *Mémoires* effacent en quelque sorte *René*, en particulier leurs cinq premiers livres – ceux que l'on trouvera ici – qui racontent les vingt-deux premières années de Chateau-

1. Cité par Jean-Claude Berchet, préface aux *Mémoires d'Outre-Tombe*, Garnier, 1989, t. I, p. LXXI
2 *Mémoires d'Outre-Tombe*, XIII, 10, Gallimard, Bibliothèque de la Pléiade, 1950, t I, p. 462.

briand, jusqu'à son départ en Amérique (avril 1791).
René raconte aussi, en la romançant, la jeunesse de
Chateaubriand. Amélie est sa sœur Lucile, le château paternel est Combourg, le couvent au bord de
la mer celui de la Victoire à Saint-Malo, etc. Il y a
dans les *Mémoires*, et plus particulièrement dans le
livre III, un effet de révélation de l'original de *René*
et les contemporains se sont sans doute trouvés
gênés de constater que Chateaubriand a purement et
simplement puisé dans sa propre vie pour trouver
l'inspiration – jusqu'à la tentative de suicide, mais
sans la problématique de l'inceste qui parcourt le
roman et sans la scène de sacrilège de la prise de
voile d'Amélie, concessions au goût un peu scandaleux de la fin du XVIIIe siècle. C'est justement ce
parallèle thématique qui nous invite à sonder l'écart
entre les deux œuvres et à mieux comprendre le projet des *Mémoires d'Outre-Tombe*. Les *Mémoires* ne
sont pas un second *René*, celui de la vieillesse, que
Chateaubriand projeta un moment d'écrire. Elles
s'en distinguent trop par le genre, par le style et par
l'attitude humaine qu'elles révèlent.

Un roman et une autobiographie ne fonctionnent
pas de la même manière. Un roman n'est réussi que
s'il permet l'identification du lecteur et du personnage romanesque – et c'est bien ainsi que les
contemporains de Chateaubriand ont lu *René* :
« Une famille de René poètes et de René prosateurs
a pullulé. » Cette identification n'est pas absolument
impossible avec une biographie historique, mais elle
se heurte au caractère non fictif du personnage dont
on raconte la vie : l'imagination est bridée par la réalité des faits et des sentiments. Par ailleurs, l'autobiographie présente une situation particulière d'*autorité de l'auteur* : personnage, narrateur et auteur
sont une seule et même personne ; l'auteur ne donne
à connaître de lui que ce qu'il veut, rien n'est laissé
à l'imagination du lecteur que ce qu'il souhaite ; il
juge ses actes, ses sentiments, et même sa personne
avec le recul que lui a apporté la vie et ces jugements sont, pour le lecteur privé de tout autre

source, irréfutables. Cette situation double est cependant aussi perçue comme un risque pour l'objectivité du récit. Là n'est pas l'important, comme on le verra. Une idée maintes fois exprimée par Chateaubriand est que ses *Mémoires* donnent la clef de son œuvre littéraire. On lira, dans le chapitre du dossier consacré à l'autobiographie, le prologue des *Mémoires de ma Vie* (1826). Une phrase capitale en est reprise dans le texte définitif :

> La plupart de mes sentiments sont demeurés au fond de mon âme, ou ne se sont montrés dans mes ouvrages que comme appliqués à des êtres imaginaires (I, 1).

Les *Mémoires* font bien plus que donner l'original de *René*, elles expliquent comment toutes les créations fictives de Chateaubriand sont des projections autobiographiques, de son moi, de ses fantasmes. Velléda, c'est sa sylphide, Eudore, c'est bien lui (*Les Martyrs*). Elles expliquent la sensibilité et le fonds imaginaire de l'auteur. Elles montrent l'interpénétration de la réalité et de la fiction dans la vie même de Chateaubriand, espèce de roman à lui tout seul[1]. En rapportant à son *moi* les sentiments jusque-là *appliqués à des êtres imaginaires*, elles constituent une somme unificatrice de la production de Chateaubriand. C'est une des grandes originalités des *Mémoires d'Outre-Tombe*.

L'ÉPAISSEUR DE TEMPS

Le récit, dans l'autobiographie, passe aussi par la médiation explicite de la mémoire de l'auteur : les mémoires sont un exercice de la mémoire, comme le dit Bassompierre. Or, la remémoration du passé chez Chateaubriand n'est pas heureuse et c'est cette distance et cette mélancolie qui interdisent l'identification romanesque, alors que *René*, avec la même matière, n'avait pas cette dimension de réminis-

---

1 Berlioz dira : « Ma vie est un roman qui m'intéresse beaucoup. »

cence. Une des particularités des *Mémoires d'Outre-Tombe*, parmi d'autres autobiographies, réside dans l'utilisation du temps qui y est faite. Le lecteur des premiers livres remarque immédiatement que l'ouvrage se présente avec une double temporalité, la date des événements racontés, la date de rédaction : *La Vallée-aux-Loups, 4 octobre 1811*; *Montboissier, juillet 1817*; *Berlin, mars 1821*. À ce temps de la rédaction appartiennent des prologues : celui, très célèbre, de la grive de Montboissier, qu'on trouvera en tête du livre troisième ; un autre, à la fois poétique et satirique, daté de Berlin où Chateaubriand est ambassadeur, en tête du livre quatrième. Ces pages, avec le temps, vont devenir elles-mêmes des souvenirs : comme la rédaction des *Mémoires* s'étale sur une trentaine d'années, de 1811 à 1841, il arrive que Chateaubriand lui-même se souvienne, en écrivant, d'avoir écrit sur les mêmes événements ou sur le même lieu. C'est ainsi que le récit de l'ambassade à Berlin (livre XXVI) se souvient du prologue du livre quatrième et, dans ce prologue, Chateaubriand sait bien que, quelques années plus tard, il écrira le récit de son ambassade à Berlin. Il arrive qu'il écrive le récit des événements au moment où il les vit : c'est le cas de la quatrième partie (après 1830) – mais là, Chateaubriand ne le dit pas ; c'est le cas de l'ambassade à Rome (1828-1829) : Chateaubriand y adopte, exceptionnellement, la forme du journal par lettres. La complexité temporelle des *Mémoires* est donc poussée jusqu'au vertige. Mais elle va encore plus loin que le simple contrepoint *passé du souvenir/présent de la rédaction* : elle intègre le plan du *passé de la rédaction* et celui de l'*avenir de la rédaction*, mais encore celui de l'avenir de la lecture, *le temps outre-tombe* :

L'avenir au-delà de la tombe, dit-il dans une lettre à Ampère du 18 juillet 1831, est la jeunesse des hommes à cheveux blancs ; je veux user de cette seconde jeunesse un peu mieux que je n'ai fait de la première.

Il y a là, bien plus qu'un banal appel à la postérité, l'idée d'une œuvre vivante qui assure la présence réelle de Chateaubriand mieux qu'il ne le faisait dans sa vie.

Cette virtuosité temporelle est-elle pur jeu ? Non. Les mémoires sont un exercice de la mémoire et une mise en scène du temps. L'auteur veut nous en faire toucher du doigt l'épaisseur, qui est proprement un vertige. C'est exactement en cela que la grive de Montboissier préfigure la *Recherche du temps perdu*. La matière des *Mémoires d'Outre-Tombe* a beau être la même que celle de *René*, le plaisir de la description, l'élaboration stylistique ont évolué, mais le traitement d'ensemble est radicalement différent. L'enjeu principal des *Mémoires* n'est pas un personnage, il n'est même pas l'homme Chateaubriand, il est le discours lui-même déroulé dans le temps, et sa *musique*, qui résulte du jeu de ses échos comme de l'harmonie de sa phrase. Cette musicalité, prenons-y garde, n'est pas la musique d'un style bien cadencé, elle n'est pas non plus l'harmonie d'un bonheur retrouvé, elle résulte d'un jeu d'architecture commandé par l'imaginaire :

Mais à d'autres moments le tourbillon s'apaise, les souvenirs s'ordonnent, les années se répondent, l'existence se met à retentir. De son creux s'exhale une sorte de soupir : « Il sort de notre vie un gémissement indéfinissable : les années sont une complainte longue, triste et à même refrain [1]. » C'est un gémissement de cette sorte qui sortait déjà des profondeurs de la forêt ou de la cathédrale. Mélodie du vide, résonance et lamento de l'être de ce qui n'est pas ou plus. Comme l'espace, le temps est pour Chateaubriand un creux qui chante. Son gémissement signale les grandes réussites d'existence. Les vies authentiques – Rancé, Napoléon à sa manière, Chateaubriand bien sûr – sont celles à l'intérieur desquelles nous pouvons percevoir ces autoréverbérations de vide, ou ces « harmonies d'immensité » [2].

D'autant plus que la réminiscence telle qu'elle nous est présentée dans la page de la grive de Mont-

---

1. *Mémoires d'Outre-Tombe*, XLIII, 6, t. II, p. 891.
2. J.-P. Richard, *Paysage de Chateaubriand*, Seuil, 1967, p 110-111.

boissier n'est pas heureuse. Le narrateur de la *Recherche du temps perdu* est pris d'extase quand il mange la madeleine, ou quand il foule le pavé de l'hôtel de Guermantes. La « magie » éveillée par la grive est douloureuse : fuite du temps, imminence de la mort, mais aussi mauvais souvenirs :

> La tristesse que j'éprouve actuellement vient de la connaissance des choses appréciées et jugées. Le chant de l'oiseau dans les bois de Combourg m'entretenait d'une félicité que je croyais atteindre ; le même chant dans le parc de Montboissier me rappelait des jours perdus à la poursuite de cette félicité insaisissable. Je n'ai plus rien à apprendre, j'ai marché plus vite qu'un autre, et j'ai fait le tour de la vie. Les heures fuient et m'entraînent ; je n'ai pas même la certitude de pouvoir achever ces *Mémoires*. Dans combien de lieux ai-je déjà commencé à les écrire, et dans quel lieu les finirai-je ? Combien de temps me promènerai-je au bord des bois ? Mettons à profit le peu d'instants qui me restent ; hâtons-nous de peindre ma jeunesse, tandis que j'y touche encore : le navigateur, abandonnant pour jamais un rivage enchanté, écrit son journal à la vue de la terre qui s'éloigne et qui va bientôt disparaître (III, 1).

La jeunesse, rivage enchanté ? Chateaubriand parle pourtant de *jours perdus*. Ce rivage, il le voit de loin, reprenant une superbe image qui clôt déjà le récit de *René* et couronne également le splendide final du livre V. De même que René est assoiffé de voyages et ressent, à peine parti, la nostalgie du retour, Chateaubriand éprouve cette pure nostalgie du passé ; mais cette fois-ci tout retour est impossible, car le temps est à sens unique. Tout pas en avant l'entraîne vers la mort, comme il se plaît à le rappeler sans cesse, mais tout pas en avant revêt aussi le passé d'un prestige accru. Le passé n'a de charme que parce qu'il est passé. Cette dialectique *nostalgie du passé/nécessité du passé* est une constante de l'imaginaire de Chateaubriand dès le *Génie du christianisme*. Ce qui rend le rivage *enchanté*, ce ne sont pas ses charmes intrinsèques, mais bien l'éloignement, c'est-à-dire le souvenir, la remémoration. D'où le plaisir manifeste

qu'éprouve Chateaubriand à écrire ses mémoires.
André Vial a noté que les seules réminiscences heureuses sont celles de l'écriture, s'accomplissant *dans
l'ordre de la création littéraire* :

> Heures liées dans la joie, où l'être se sublime en l'artiste
> créateur, qui, de la représentation même du changement
> arrêté sous la forme belle où le contemplera l'avenir, appa-
> raît tel qu'en lui-même enfin l'éternité le change [1].

D'où le caractère mêlé, alternant jubilation et
mélancolie, le désespoir atténué en mélancolie par
la distance temporelle et la tendresse que l'auteur
éprouve pour ses jeunes années. C'est ce sentiment
distant et ému à la fois, souvent traduit par l'humour
et l'ironie, qui fait un des grands charmes des
Mémoires et qui désorienta sans doute les premiers
lecteurs, et en désoriente encore certains, habitués à
une image compassée de Chateaubriand.

Mémoires personnels et mémoires historiques

Il y a plusieurs genres de mémoires : les
mémoires historiques qui racontent les événements
publics auxquels l'auteur a pris part ; les confessions, qui dévoilent non seulement la vie privée,
mais aussi l'intériorité cachée, dans une logique de
transparence [2]. Quand il projette dès 1803 d'écrire
ses mémoires, Chateaubriand rejette le modèle qui
s'impose alors à tous, qu'on l'encense ou le blâme :
les *Confessions* de Rousseau, dont la première partie était parue en 1781 et la seconde en 1782. Tel est
en tout cas le projet qu'il expose à Joubert, dans une
lettre citée dans les *Mémoires d'Outre-Tombe* :

> Soyez tranquille ; ce ne seront point des confessions
> pénibles pour mes amis : si je suis quelque chose dans l'ave-
> nir, mes amis y auront un nom aussi beau que respectable.

---

1. A. Vial, *Chateaubriand et le Temps perdu*, Julliard, 1963, p. 58
2. Pour plus de détails, on se reportera au dossier, p. 287-301

Je n'entretiendrai pas non plus la postérité du détail de mes
faiblesses ; je ne dirai de moi que ce qui est convenable à ma
dignité d'homme et, j'ose le dire, à l'élévation de mon cœur.
Il ne faut présenter au monde que ce qui est beau ; ce n'est
pas mentir à Dieu que de ne découvrir de sa vie que ce qui
peut porter nos pareils à des sentiments nobles et généreux.
Ce n'est pas, qu'au fond, j'aie rien à cacher ; je n'ai ni fait
chasser une servante pour un ruban volé, ni abandonné mon
ami mourant dans une rue, ni déshonoré la femme qui m'a
recueilli, ni mis mes bâtards aux Enfants-Trouvés ; mais j'ai
eu mes faiblesses, mes abattements de cœur ; un gémissement
sur moi suffira pour faire comprendre au monde ces misères
communes, faites pour être laissées derrière le voile. Que
gagnerait la société à la reproduction de ces plaies que l'on
retrouve partout ? On ne manque pas d'exemples, quand on
veut triompher de la pauvre nature humaine [1].

Dans *René*, le père Souël mettait déjà le héros
en garde contre la logique fallacieuse et complai-
sante de l'aveu :

Mais quelle honte de ne pouvoir songer au seul malheur
réel de votre vie, sans être forcé de rougir ! [...] je crains que,
par une épouvantable justice, un aveu sorti du sein de la
tombe n'ait troublé votre âme à son tour. Que faites-vous seul
au fond des forêts où vous consumez vos jours, négligeant
tous vos devoirs ? Des saints, me direz-vous, se sont ensevelis dans les déserts ? Ils y étaient avec leurs larmes, et
employaient à éteindre leurs passions le temps que vous per-
dez peut-être à allumer les vôtres [2].

La leçon est comprise. C'est peut-être encore une
différence de *René* aux *Mémoires d'Outre-Tombe*.
Sous la forme romanesque, *René* avoue sans doute
davantage que les *Mémoires*. Ceux-ci, cependant,
entrent exceptionnellement dans la logique de
l'aveu. Le chapitre du suicide est introduit comme
le plus pénible des aveux de Rousseau :

Me voici arrivé à un moment où j'ai besoin de quelque
force pour confesser ma faiblesse (III, 14).

---

1. *Mémoires d'Outre-Tombe*, XV, 7, t. I, p. 525-526.
2. *Atala. René. Les Aventures du dernier Abencérage*,
GF-Flammarion, 1996, p. 195-196.

Qu'est-ce que la Sylphide sinon un déguisement élégant de pulsions qui n'ont pas à être précisées ? Surtout quand on considère où Chateaubriand a puisé l'inspiration pour donner vie à ce personnage (Voir le dossier, p. 303-315). Chateaubriand n'a d'ailleurs pas toujours suivi la ligne tracée dans la lettre à Joubert :

> Dans ce plan que je me traçais, commente-t-il, j'oubliais ma famille, mon enfance, ma jeunesse, mes voyages et mon exil : ce sont pourtant les récits où je me suis plu davantage.

Et l'ultime *Avant-Propos* confirme ce plaisir :

> Si telle partie de ce travail m'a plus attaché que telle autre, c'est ce qui regarde ma jeunesse, le coin le plus ignoré de ma vie. Là, j'ai eu à réveiller un monde qui n'était connu que de moi…

Les *Confessions* de Rousseau sont certes des aveux, mais ce sont aussi les premiers récits d'enfance de la littérature. Les livres I à III des *Mémoires d'Outre-Tombe*, consacrés à l'enfance et à la jeunesse, sont les premiers écrits, les plus connus aussi, et les moins historiques.

Pour ces livres, nous sommes obligés de croire Chateaubriand. On a souvent mis en cause sa bonne foi. Dans l'ensemble, on a eu tort ; les érudits ont pu vérifier bien des assertions : la naissance au cours d'une tempête par exemple. De toute façon, l'exactitude n'est pas la qualité qu'on attend d'un ouvrage littéraire.

Il ne dit jamais la vérité, écrit André Suarès. Mais quoi ? l'art n'est-il pas qu'illusion ? Et la vérité importe-t-elle si fort à l'artiste ?

Il n'est pas question de la vérité, au sens des savants. Il s'agit d'être vrai avec soi-même, vrai avec sa propre émotion, vrai avec son expérience. En art, ce qu'on fait, c'est ce qu'on est.

La fiction de l'art est une réalité supérieure. La vie de l'imagination n'est pas une vie de mensonge. C'est pourquoi il n'y aura pas de grand artiste, sans l'amour et le respect de la vérité intérieure. Ce qu'on appelle la sincérité et la pureté de l'émotion. Celui qui n'est pas sincère avec ses propres passions, ne parle que par ouï-dire, il ne peint que sur le dessin d'autrui. Que sera-ce, s'il est l'unique objet de ses peintures, comme Chateaubriand [1] ?

Sainte-Beuve, décidément grand critique malgré ses petites perfidies, le disait déjà dans une note de son *Chateaubriand* :

> Non pas, encore une fois, que ces *Mémoires* ne soient sincères, mais ils sont surtout poétiques et n'ont que ce genre de sincérité-là, – *une vérité d'artiste*. Or l'artiste ici rend son émotion, son impression telle qu'il l'a au moment où il écrit, non pas toujours telle qu'il l'a eue dans le moment qu'il raconte [2].

Cependant, nous ferions erreur si nous ne privilégiions que ces aspects les plus « modernes », car les *Mémoires d'Outre-Tombe* sont aussi des mémoires historiques et une de leurs grandes originalités est de combiner ces deux projets. Quand Chateaubriand en 1826 a achevé les *Mémoires de ma vie*, il élargit son projet à l'Histoire, projetant en même temps une *Histoire de France* qui ne sera jamais écrite. Même dans la première partie des *Mémoires*, où Chateaubriand ne joue aucun rôle politique, une grande partie du livre IV est consacrée à un tableau de Paris à la veille de la Révolution ; le livre V aux débuts de la Révolution, d'abord à Rennes, puis à Paris. Dans ces chapitres, le personnage Chateaubriand disparaît et n'est qu'un témoin des événements. Et même dans les trois premiers livres, Chateaubriand se plaît à faire l'historique de sa famille – introduction traditionnelle des mémoires classiques –, mais aussi de Saint-Malo, de Combourg, de Dieppe, de la forêt de Brocéliande, accumulant les noms et les références historiographiques. Cet aspect déroute aujourd'hui, où la séparation entre Histoire et littérature est plus stricte. Il y a de l'érudit dans Chateaubriand : la plupart de ses ouvrages, *Essai sur les Révolutions* ou *Génie du christianisme*, *Itinéraire*,

---

1. A. Suarès, *Portraits et Préférences*, Gallimard, rééd 1991, p. 42-43.
2. Sainte-Beuve, *Chateaubriand et son groupe littéraire sous l'Empire*, t. I, p. 89.

Martyrs accumulent la documentation. Il y a toujours chez lui l'ambition non seulement de faire partie de l'Histoire – son activité pendant la Restauration montre assez ses ambitions ministérielles – mais aussi d'écrire son interprétation de l'Histoire. Et il y est parfois parvenu : son récit de l'exécution du duc d'Enghien, ses jugements sur la Restauration ont marqué l'historiographie du XIXᵉ siècle. Il est l'un des premiers à livrer une analyse de la Révolution française (au livre V), qui montre la même intelligence que les *Considérations sur la Révolution française* de son amie Mme de Staël (parues après la mort de celle-ci, en 1818). Sa description de la société bretonne, du Paris des années 1780 est une source non négligeable pour les historiens.

Les *Mémoires d'Outre-Tombe* sont ainsi un témoignage historique de premier ordre. Témoignage irremplaçable également d'un parti de vaincus : petite noblesse bretonne – milieu d'origine de Chateaubriand – âpre au gain et sourcilleuse sur ses privilèges ; émigré dans une épopée sans gloire ; ministre et soutien d'une Restauration sans popularité à l'époque comme dans nos livres d'histoire. Le passé de Chateaubriand est indissolublement lié à celui de ces groupes, mais aussi à une histoire plus générale qui rejoint son enracinement dans le temps présent et futur : passé individuel et passé collectif s'entretissent, remontant avant la naissance de l'auteur, bercé dans l'histoire de sa famille, puis dans les rêveries gothiques et antiques ; l'*Avenir du Monde* est la vaste conclusion que Chateaubriand a tant tenu à mettre à la fin de ses *Mémoires*, pour ses lecteurs d'outre-tombe, en pendant du *Génie du christianisme* de 1802. Chateaubriand a « prolongé imaginairement aux deux bouts, dans le passé et dans le futur [1] », ces deux versants des *Mémoires*, édifiant de lui une statue monumentale et proposant au monde une grandiose perspective :

---

1. A. Vial, *op. cit.*, p. 30.

Si j'étais destiné à vivre, je représenterais dans ma personne, représentée dans mes mémoires, les principes, les idées,
les événements, les catastrophes, l'épopée de mon temps,
d'autant plus que j'ai vu finir et commencer un monde, et que
les caractères opposés de cette fin et de ce commencement
se trouvent mêlés dans mes opinions. Je me suis rencontré
entre deux siècles comme au confluent de deux fleuves ; j'ai
plongé dans leurs eaux troublées, m'éloignant à regret du
vieux rivage où j'étais né, et nageant avec espérance vers la
rive inconnue où vont aborder les générations nouvelles [1].

L'articulation de l'individuel et du collectif, du
passé et du présent, est parfaitement expliquée dans
ce texte admirable. Non que Chateaubriand se considère comme un personnage central – « Que le passé
d'un homme est étroit et court à côté du vaste présent des peuples et de leur avenir immense ! » écrit-
il en reprenant la plume en 1813 (III, 5) –, mais il
est en quelque sorte le héros *épique* de son temps
parce qu'il en symbolise les attaches et les aspects
contradictoires. Ses *Mémoires* sont la vraie *épopée*
qu'il n'a pas réussi à écrire, ni dans *Les Natchez*,
ni dans *Les Martyrs*. Et dans ce dessein grandiose,
la petite et mélancolique réminiscence de Montboissier, cette image récurrente du bateau quittant
le vieux rivage, se trouve transfigurée en une nage
exultante, car un autre rivage, en face, lui est indi-
qué, une destination lui est donnée : l'avenir, les
générations nouvelles. Chateaubriand est vraiment
en avance sur son temps.

CHATEAUBRIAND OU LE GÉNIE D'UN STYLE

Épopée, musique, vérité d'artiste, plaisir d'écri-
ture, toutes ces dimensions indiquent assez dans
quelle entreprise littéraire Chateaubriand s'est lancé.
S'il est quelque chose sur laquelle les *Mémoires*
d'Outre-Tombe ont toujours fait l'unanimité, c'est
sur leur qualité littéraire. C'est sans doute là qu'est

---

1. « Préface testamentaire », in *Mémoires d'Outre-Tombe*, t. I, p. 1046.

le vrai des *Mémoires*, leur profondeur. Non pas dans une beauté extérieure clinquante qui serait celle d'*Atala* ou même de *René*, mais dans la parfaite adéquation entre le sujet et le style, entre le moi qui se peint et le moi qui parle, quels que soient ses défauts humains. Longtemps, on a considéré Chateaubriand comme un modèle de style littéraire. On prônait sa lecture pour former le style et il tint longtemps sa place parmi les classiques scolaires pour cette raison, au même titre que Bossuet ou Vauvenargues. Tout ce que l'on vient de voir montre que les *Mémoires d'Outre-Tombe* sont autrement plus profonds qu'un simple exercice de style. André Suarès conclut son portrait d'humeur en faveur de cette *vérité d'artiste*-là, fermant définitivement *René* au profit des *Mémoires* :

> Peut-être l'ennui sans borne de Chateaubriand s'explique-t-il par la résolution qu'il avait prise d'écrire des livres sublimes. [...] Il n'est éloquence, il n'est couleur, il n'est imagination qui tienne. La fausseté finit toujours par se trahir dans le faux style. René est ridicule autant qu'il est admirable. [...] Admirable quand il est vrai, quand il nie, quand il méprise, quand il déchire, quand il se plaint, quand il se peint, enfin quand il est lui-même. Si on lui ôtait ses *Mémoires*, il n'en resterait rien. Mais les *Mémoires* sont une étonnante réussite. C'est la beauté de René, qu'il lui arrive d'écrire comme Chateaubriand. Il a inventé la grande phrase de la prose poétique, avec ses résonances d'émotion et ses échos pour tous les sens ; la période pleine d'images et de parfums, où les objets de la nature ont trouvé le modelé et la ligne ; où les pensées, rendues sensibles, ont, comme des formes vivantes, leur nombre, leur harmonie et leur couleur [1].

Chateaubriand est l'introducteur d'une poétique nouvelle dont les néo-classiques se firent les pourfendeurs dès la parution d'*Atala*. Il est bien en cela le grand initiateur du Romantisme. Au-delà de toute perspective d'histoire littéraire, il est toujours et avant tout *l'enchanteur* – surnom donné par Pauline de Beaumont et Joubert. Nous finirons en exposant les

---

1. A. Suarès, *op. cit.*, p. 40.

traits les plus caractéristiques de ce fameux style de Chateaubriand tels que les a étudiés Jean Mourot [1].

Un des aspects les plus évidents du style de Chateaubriand est l'amour des mots, complaisance que Marie-Joseph Chénier stigmatisait déjà (voir le dossier p. 333) archaïsmes antiquisants (*diazome, arène, vénusté*) ou moyenâgeux (*quant et lui, baller, ouïr*), termes techniques (*syndérèse, débouquer*, etc.), noms de tissus, de plantes, etc.), mots rares, néologismes, mots très longs ou très brefs, noms propres exotiques, mots et citations étrangers, etc. Mais cette complaisance va bien plus loin que le simple plaisir de jeter des taches de couleur, comme Chénier en accuse l'auteur d'*Atala*. Les mots donnent une impression de *volume* (selon l'expression de Jean Mourot) parce qu'ils sont intégrés dans des ensembles eux-mêmes volumineux : longues phrases progressives où quelques termes-clefs font coïncider miraculeusement leur sens avec leur son et leur place dans le rythme oratoire. Chateaubriand a la manie de la pointe finale (Sainte-Beuve l'avait relevé) qui résonne longuement et ouvre sur l'infini :

> Comme moi il voyait fuir quelque vaisseau (*ad horizontis undas*), et son oreille était bercée ainsi que la mienne de l'unisonance des vagues (III, 16).

Rythme progressif du dernier membre : 4-4-5-8, s'élargissant sur ce néologisme sonore, *unisonance*, qui ouvre sur l'infini de l'espace marin.

Chateaubriand privilégie les finales consonantiques, celles qui laissent ouvert le son (*vagues*). Il y a certes chez lui le clinquant des sonorités graves et éclatantes du *tombeau* et de l'*immense*. Mais Jean Mourot a aussi noté que l'assonance la plus représentée chez Chateaubriand n'est pas celle des *a*, des *o*, ou des nasales, mais celle des *é* et *è*, plus fines :

---

1. *Le Génie d'un style. Chateaubriand. Rythme et sonorité dans les Mémoires d'Outre-Tombe*, A. Colin, 1960.

Elle me cherche à minuit,
au tra*ve*rs des jardins d'oran*ge*r,
dans les galeries d'un pa*lais baigné* des flots de la *mer*,
au rivage embau*mé* de Naples ou de *Me*ssine,
sous un *ciel* d'amour que l'astre d'Endymion *pénètre* de sa
lumi*ère* [1] (III, 10).

Il n'y a, dans cet exemple de prose assonancée,
qu'un procédé poétique somme toute assez banal,
mais qui impose une certaine teinte :

> On saisit là un de ces éléments ténus, trop intermittents
> pour être aperçus d'abord dans la trame du langage, mais
> assez constants pour agir subtilement à la longue, même dans
> la sourde articulation de la lecture *in petto*, et qui font l'in-
> dividualité d'un style [2].

Ainsi, bien plus qu'au choix des sonorités ou au
choix des mots, l'impression de volume sonore du
style de Chateaubriand tient-elle surtout à sa maîtrise du rythme : distribution des accents, disposition des membres de phrases, allitérations et asso-
nances, accumulations. Les procédés utilisés ne
sont pas novateurs, Chateaubriand ne faisant
qu'exploiter les schémas d'une prose poétique que
d'autres ont inventée avant lui. Mais certains traits
n'appartiennent qu'à lui dans l'art de ménager la
grande respiration de la phrase. Jean Mourot a
compté que le schéma le plus typique de la phrase
chez Chateaubriand est le suivant : protase
brève/apodose étirée :

> Tout le vain bruit qui s'est depuis attaché à mon nom,
> n'aurait pas donné à madame de Chateaubriand un seul ins-
> tant de l'orgueil qu'elle éprouvait comme chrétienne et
> comme mère, en voyant son fils prêt à participer au grand
> mystère de la religion (I, 6).

À un élan bref succède une longue retombée,
elle-même structurée en sections de plus en plus
larges.

---

1. Nous soulignons.
2. J. Mourot, *op. cit.*, p. 235.

Égaré sur les rives hyperboréennes,
les années de discorde qui ont écrasé tant de générations avec
tant de bruit, seraient tombées en silence sur ma tête ;
la société eût renouvelé sa face, moi absent (V, 15).

Ce caractère progressif (11-32, 11-22-10 si l'on tient compte de la virgule après *bruit*) est caractéristique du volume sonore de Chateaubriand. Le schéma dégressif, plus sec, existe aussi cependant chez lui, comme pour attester sa virtuosité, et le dernier membre de la citation que l'on vient de donner le montre parfaitement (11,3). On a voulu voir dans ce schéma dégressif une caractéristique du dernier Chateaubriand et il est vrai que c'est dans la *Vie de Rancé* qu'il est le plus présent. Ce qui est sûr, c'est que Chateaubriand l'utilise par effet de contraste, d'humour ou d'ironie :

Douze gentilshommes furent choisis pour porter cette pièce au Roi :
à leur arrivée à Paris,
on les coffra à la Bastille (V, 3).

(14-8-8). Isolée de son contexte, n'a-t-on pas dans cette phrase une véritable petite comptine ? Le sourire de Chateaubriand est encore souligné par un mot, presque vulgaire : *coffrer*.

Ces indications sont bien rapides et l'on ne peut que renvoyer le lecteur à l'ouvrage de Jean Mourot et à son propre travail sur le texte. Le dossier sur la réécriture permettra d'étudier de près, par l'examen des variantes, l'élaboration stylistique de Chateaubriand dans les *Mémoires d'Outre-Tombe*. C'est bien par la magie de ce style que toute la richesse humaine des *Mémoires d'Outre-Tombe* acquiert une vie étonnante, passant de la page de grand souffle à l'épigramme, voire à la comptine, assurant au lecteur souvent surpris un plaisir toujours renouvelé, réalisant dans son unité poétique cette conciliation des contraires voulue par Chateaubriand : *la jeunesse des hommes aux cheveux blancs*.

Nicolas PEROT.

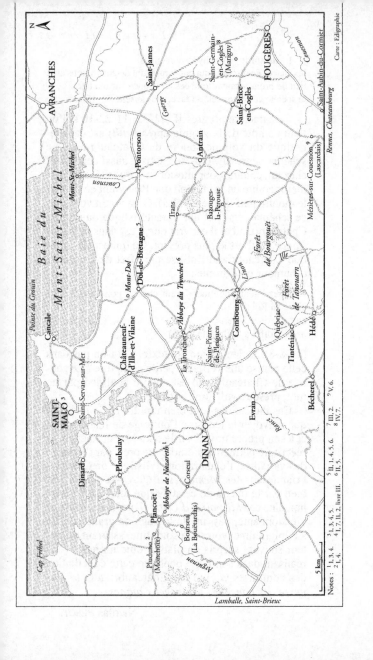

N

Cap Fréhel

Baie du
Mont-Saint-Michel

Pointe du Grouin

AVRANCHES

SAINT-
MALO [3]

Dinard

Saint-Servan-sur-Mer

Cancale

Mont-St-Michel

Couesnon

Saint-James

Guerge

Pontorson

Antrain

Saint-Germain-
en-Coglès [8]
(Marigny)

Saint-Brice-
en-Coglès

FOUGÈRES

Saint-Aubin-du-Cormier

Couesnon

Ploubalay

Abbaye de Nazareth [1]

Corseul

Plancoët

Bourseul
(La Bouëtardais)

Arguenon

Pluduno [2]
(Monchoix)

DINAN

Evran

Bécherel

Rance

Mézières-sur-Couesnon [9]
(Lascardais)

Rennes, Chateaubourg

Châteauneuf-
d'Ille-et-Vilaine

Mont-Dol

Dol-de-Bretagne [5]

Trans

Bazouges-
la-Pérouse

Le Tronchet

Abbaye du Tronchet [6]

Saint-Pierre-
de-Plesguen

Combourg [4]

Quédriac

Tinténiac

Forêt
de Bourgouët

Ille

Linon

Forêt
de Tanouarn

Hédé

5 km

Notes : 1, 1, 3.   3 1, 3, 4, 5.   5 II, 1, 4, 5, 6.   7 III, 2.   9 V, 6.
2, 1, 4.   4 I, 7, II, 2, livre III.   6 II, 5.   8 IV, 7.

Lamballe, Saint-Brieuc

Carte : Edigraphie

Les Chateaubriand [1]

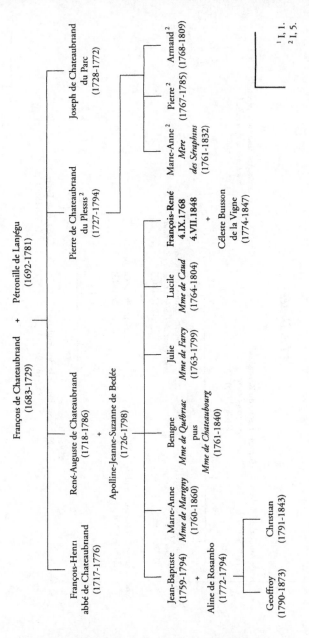

[1] I, 1.
[2] I, 5.

Les Bedée [1]

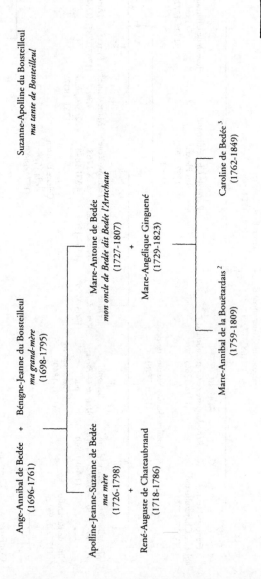

Ange-Annibal de Bedée + Bénigne-Jeanne du Boisteilleul
(1696-1761)   *ma grand-mère*
                       (1698-1795)

Suzanne-Apolline du Boisteilleul
ma tante de Boisteilleul

Apolline-Jeanne-Suzanne de Bedée
ma mère
(1726-1798)
+
René-Auguste de Chateaubriand
(1718-1786)

Marie-Antoine de Bedée
mon oncle de Bedée dit Bedée l'Artichaut
(1727-1807)
+
Marie-Angélique Ginguené
(1729-1823)

Marie-Annibal de la Bouëtardais [2]
(1759-1809)

Caroline de Bedée [3]
(1762-1849)

[1] I, 4.
[2] X, 6.
[3] XI, 6.

Les Malesherbes [1]

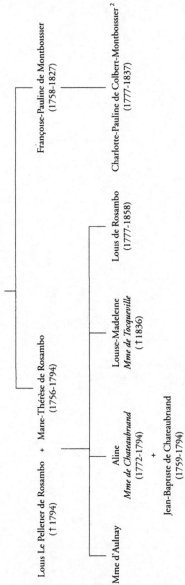

Guillaume-Chrétien de Lamoignon de Malesherbes
(1721-1794)

Marie-Thérèse de Rosambo
(1756-1794)

Françoise-Pauline de Montboissier
(1758-1827)

Louis Le Pelletier de Rosambo +
(† 1794)

Charlotte-Pauline de Colbert-Montboissier [2]
(1777-1837)

Mme d'Aulnay

Aline
Mme de Chateaubriand
(1772-1794)
+
Jean-Baptiste de Chateaubriand
(1759-1794)

Louise-Madelene
Mme de Tocqueville
(† 1836)

Louis de Rosambo
(1777-1858)

[1] IV, 13.
[2] III, 1.

Mémoires d'Outre-Tombe
Livres I à V

Avant-propos [1]

Paris, le 14 avril 1846.

Revu le 28 juillet 1846.

Sicut nubes... quasi naves... velut umbra [2]

Job.

Comme il m'est impossible de prévoir le moment de ma fin, comme à mon âge les jours accordés à l'homme ne sont que des jours de grâce ou plutôt de rigueur, je vais m'expliquer.

Le 4 septembre prochain, j'aurai atteint ma soixante-dix-huitième année : il est bien temps que je quitte un monde qui me quitte et que je ne regrette pas.

Les *Mémoires* à la tête desquels on lira cet avant-propos suivent, dans leurs divisions, les divisions naturelles de mes carrières.

La triste nécessité qui m'a toujours tenu le pied sur la gorge, m'a forcé de vendre mes *Mémoires*. Personne ne peut savoir ce que j'ai souffert d'avoir été obligé d'hypothéquer ma tombe ; mais je devais ce dernier sacrifice à mes serments et à l'unité de ma conduite [3]. Par un attachement

---

1. Cet avant-propos désabusé remplaça en 1846 la « Préface testamentaire » mise au point en 1833, qui était plus longue, mais il en reprend bien des passages.
2. « Ainsi que des nuages, comme des navires, telle une ombre... » : Montage de plusieurs versets du livre de Job (30-15, 9-26 et 14-2).
3 Chateaubriand, par fidélité à la monarchie légitime, avait refusé de se rallier à Louis-Philippe et avait démissionné de la chambre des Pairs en 1830, se privant ainsi de tout revenu.

peut-être pusillanime, je regardais ces *Mémoires* comme des confidents dont je ne m'aurais pas voulu séparer ; mon dessein était de les laisser à madame de Chateaubriand ; elle les eût fait connaître à sa volonté, ou les aurait supprimés, ce que je désirerais plus que jamais aujourd'hui.

Ah ! si, avant de quitter la terre, j'avais pu trouver quelqu'un d'assez riche, d'assez confiant pour racheter les actions de la Société [1], et n'étant pas, comme cette Société, dans la nécessité de mettre l'ouvrage sous presse sitôt que tintera mon glas ! Quelques-uns des actionnaires sont mes amis ; plusieurs sont des personnes obligeantes qui ont cherché à m'être utiles ; mais enfin les actions se seront peut-être vendues ; elles auront été transmises à des tiers que je ne connais pas et dont les affaires de famille doivent passer en première ligne ; à ceux-ci, il est naturel que mes jours, en se prolongeant, deviennent sinon une importunité, du moins un dommage. Enfin, si j'étais encore maître de ces *Mémoires*, ou je les garderais en manuscrit ou j'en retarderais l'apparition de cinquante années.

Ces *Mémoires* ont été composés à différentes dates et en différents pays. De là, des prologues obligés qui peignent les lieux que j'avais sous les yeux, les sentiments qui m'occupaient au moment où se renoue le fil de ma narration. Les formes changeantes de ma vie sont ainsi entrées les unes dans les autres : il m'est arrivé que, dans mes instants de prospérité, j'ai eu à parler de mes temps de misère ; dans mes jours de tribulations, à retracer mes jours de bonheur. Ma jeunesse pénétrant dans ma vieillesse, la gravité de mes années d'expérience attristant mes années légères, les rayons de mon soleil, depuis son aurore jusqu'à son couchant, se croisant et se confondant, ont produit dans mes récits une sorte de confusion, ou, si l'on veut, une sorte d'unité indéfinissable ; mon berceau a de ma tombe, ma tombe a de mon berceau : mes souffrances deviennent des plaisirs, mes plaisirs des douleurs, et je ne sais plus, en achevant de lire ces *Mémoires*, s'ils sont d'une tête brune ou chenue.

J'ignore si ce mélange, auquel je ne puis apporter remède, plaira ou déplaira ; il est le fruit des inconstances

---

1. Il s'agit de la société à qui Chateaubriand avait vendu les droits sur ses *Mémoires*.

de mon sort : les tempêtes ne m'ont laissé souvent de table pour écrire que l'écueil de mon naufrage.

On m'a pressé de faire paraître de mon vivant quelques morceaux de ces *Mémoires*; je préfère parler du fond de mon cercueil ; ma narration sera alors accompagnée de ces voix qui ont quelque chose de sacré, parce qu'elles sortent du sépulcre [1]. Si j'ai assez souffert en ce monde pour être dans l'autre une ombre heureuse, un rayon échappé des Champs-Élysées répandra sur mes derniers tableaux une lumière protectrice : la vie me sied mal ; la mort m'ira peut-être mieux.

Ces *Mémoires* ont été l'objet de ma prédilection : saint Bonaventure [2] obtint du ciel la permission de continuer les siens après sa mort ; je n'espère pas une telle faveur, mais je désirerais ressusciter à l'heure des fantômes, pour corriger au moins les épreuves. Au surplus, quand l'Éternité m'aura de ses deux mains bouché les oreilles, dans la poudreuse famille des sourds, je n'entendrai plus personne.

Si telle partie de ce travail m'a plus attaché que telle autre, c'est ce qui regarde ma jeunesse, le coin le plus ignoré de ma vie. Là, j'ai eu à réveiller un monde qui n'était connu que de moi ; je n'ai rencontré, en errant dans cette société évanouie, que des souvenirs et le silence ; de toutes les personnes que j'ai connues, combien en existe-t-il aujourd'hui ?

Les habitants de Saint-Malo s'adressèrent à moi le 25 août 1828, par l'entremise de leur maire, au sujet d'un bassin à flot qu'ils désiraient établir [3]. Je m'empressai de répondre, sollicitant, en échange de bienveillance, une concession de quelques pieds de terre, pour mon tombeau, sur le Grand-Bé*. Cela souffrit des difficultés, à cause de

---

1 Le thème funéraire est très présent dans l'imaginaire de Chateaubriand et de son époque. Le *Génie du christianisme* comprend un livre entier consacré aux tombeaux. C'est un motif important du sentiment religieux. Chateaubriand y mêle parfois une pointe d'humour noir.

2. Franciscain, Docteur de l'Église (1221-1274).

3 Chateaubriand était alors ministre. Les premiers pourparlers avec la municipalité eurent lieu dès 1823 et les dernières autorisations du ministère de la Guerre ne furent obtenues qu'en 1836

* Ilôt situé dans la rade de Saint-Malo. [Les astérisques renvoient aux notes de Chateaubriand.]

l'opposition du génie militaire. Je reçus enfin, le 27 octobre 1831, une lettre du maire, M. Hovius. Il me disait : « Le lieu de repos que vous désirez au bord de la mer, à quelques pas de votre berceau, sera préparé par la piété filiale des Malouins. Une pensée triste se mêle pourtant à ce soin. Ah ! puisse le monument rester longtemps vide ! mais l'honneur et la gloire survivent à tout ce qui passe sur la terre. » Je cite avec reconnaissance ces belles paroles de M. Hovius : il n'y a de trop que le mot gloire.

Je reposerai donc au bord de la mer que j'ai tant aimée. Si je décède hors de France, je souhaite que mon corps ne soit rapporté dans ma patrie qu'après cinquante ans révolus d'une première inhumation. Qu'on sauve mes restes d'une sacrilège autopsie ; qu'on s'épargne le soin de chercher dans mon cerveau glacé et dans mon cœur éteint le mystère de mon être. La mort ne révèle point les secrets de la vie. Un cadavre courant la poste me fait horreur ; des os blanchis et légers se transportent facilement : ils seront moins fatigués dans ce dernier voyage que quand je les traînais çà et là chargés de mes ennuis.

Sicut nubes... quasi naves . velut umbra

Job

LIVRE PREMIER

1

La Vallée-aux-Loups, près d'Aulnay, ce 4 octobre 1811.

Il y a quatre ans qu'à mon retour de la Terre-Sainte, j'achetai près du hameau d'Aulnay, dans le voisinage de Sceaux et de Châtenay, une maison de jardinier, cachée parmi les collines couvertes de bois. Le terrain inégal et sablonneux dépendant de cette maison, n'était qu'un ver-ger sauvage au bout duquel se trouvait une ravine et un taillis de châtaigniers [1]. Cet étroit espace me parut propre

_____

1. Chateaubriand se prend ici pour un berger de Virgile. La Vallée-aux-Loups est une belle maison, que Chateaubriand agrémenta d'un portique

à renfermer mes longues espérances ; *spatio brevi spem longam reseces* [1]. Les arbres que j'y ai plantés prospèrent, ils sont encore si petits que je leur donne de l'ombre quand je me place entre eux et le soleil. Un jour, en me rendant cette ombre, ils protégeront mes vieux ans comme j'ai protégé leur jeunesse. Je les ai choisis autant que je l'ai pu des divers climats où j'ai erré, ils rappellent mes voyages et nourrissent au fond de mon cœur d'autres illusions.

Si jamais les Bourbons remontent sur le trône, je ne leur demanderai, en récompense de ma fidélité, que de me rendre assez riche pour joindre à mon héritage la lisière des bois qui l'environnent : l'ambition m'est venue ; je voudrais accroître ma promenade de quelques arpents : tout chevalier errant que je suis, j'ai les goûts sédentaires d'un moine : depuis que j'habite cette retraite, je ne crois pas avoir mis trois fois les pieds hors de mon enclos. Mes pins, mes sapins, mes mélèzes, mes cèdres tenant jamais [2] ce qu'ils promettent, la Vallée-aux-Loups deviendra une véritable chartreuse. Lorsque Voltaire naquit à Châtenay, le 20 février 1694 [3], quel était l'aspect du coteau où se devait retirer, en 1807, l'auteur du *Génie du christianisme* ?

Ce lieu me plaît : il a remplacé pour moi les champs paternels ; je l'ai payé du produit de mes rêves et de mes veilles ; c'est au grand désert d'*Atala* que je dois le petit désert d'Aulnay ; et pour me créer ce refuge, je n'ai pas, comme le colon américain, dépouillé l'Indien des Florides.

à caryatides et de fenêtres néo-gothiques, au milieu d'un grand parc qu'il planta soigneusement lui-même. Le domaine fut vendu en 1818, faute d'argent. Sis sur la commune de Châtenay-Malabry, il a été, de nos jours, racheté par le Conseil général des Hauts-de-Seine et abrite actuellement la Maison de Chateaubriand.

1. Horace, *Odes*, I, 11, v. 6-7 : « Renferme dans un espace étroit tes longues espérances » (cette traduction de Chateaubriand commet un contresens sur le verbe *resecare* ; il faudrait traduire : « À une vie déjà si courte il faut retrancher les longs espoirs »)

2. Un jour.

3. Erreur courante à l'époque : Voltaire est né à Paris le 21 novembre 1694. Chateaubriand prend plaisir à rapprocher ainsi le pourfendeur de l'« infâme » qu'était Voltaire et le chantre du christianisme qu'il était lui-même.

Je suis attaché à mes arbres ; je leur ai adressé des élégies, des sonnets, des odes. Il n'y a pas un seul d'entre eux que je n'aie soigné de mes propres mains, que je n'aie délivré du ver attaché à sa racine, de la chenille collée à sa feuille ; je les connais tous par leurs noms, comme mes enfants ; c'est ma famille, je n'en ai pas d'autre, j'espère mourir au milieu d'elle.

Ici, j'ai écrit *Les Martyrs*, *Les Abencerages*, l'*Itinéraire* et *Moïse* ; que ferai-je maintenant dans les soirées de cet automne ? Ce 4 octobre 1811, anniversaire de ma fête [1] et de mon entrée à Jérusalem, me tente à commencer l'histoire de ma vie. L'homme qui ne donne aujourd'hui l'empire du monde à la France que pour la fouler à ses pieds, cet homme, dont j'admire le génie et dont j'abhorre le despotisme, cet homme m'enveloppe de sa tyrannie comme d'une autre solitude [2] ; mais s'il écrase le présent, le passé le brave, et je reste libre dans tout ce qui a précédé sa gloire.

La plupart de mes sentiments sont demeurés au fond de mon âme, ou ne se sont montrés dans mes ouvrages que comme appliqués à des êtres imaginaires. Aujourd'hui que je regrette encore mes chimères sans les poursuivre, je veux remonter le penchant de mes belles années : ces *Mémoires* seront un temple de la mort élevé à la clarté de mes souvenirs.

De la naissance de mon père et des épreuves de sa première position, se forma en lui un des caractères les plus sombres qui aient été. Or, ce caractère a influé sur mes idées en effrayant mon enfance, contristant ma jeunesse et décidant du genre de mon éducation.

Je suis né gentilhomme. Selon moi, j'ai profité du hasard de mon berceau, j'ai gardé cet amour plus ferme de la liberté qui appartient principalement à l'aristocratie dont la dernière heure est sonnée. L'aristocratie a trois âges successifs : l'âge des supériorités, l'âge des privilèges, l'âge

---

1. La Saint-François d'Assise : voir *Itinéraire de Paris à Jérusalem*, GF-Flammarion, 1968, p. 240, et *Mémoires*, XLII, 7.
2. Napoléon. Chateaubriand, qui avait rompu avec Napoléon après l'exécution du duc d'Enghien en 1804, avait écrit en 1807, dans le *Mercure de France*, un article dirigé contre lui. Cet article lui avait valu l'ordre de s'éloigner de Paris. C'est alors qu'il s'était installé à la Vallée-aux-Loups.

des vanités : sortie du premier, elle dégénère dans le second et s'éteint dans le dernier.

On peut s'enquérir de ma famille, si l'envie en prend jamais, dans le dictionnaire de Moréri, dans les diverses histoires de Bretagne de d'Argentré, de dom Lobineau, de dom Morice, dans l'*Histoire généalogique de plusieurs maisons illustres de Bretagne* du P. Dupaz, dans Toussaint Saint-Luc, Le Borgne, et enfin dans l'*Histoire des grands officiers de la Couronne* du P. Anselme *.

Les preuves de ma descendance furent faites entre les mains de Chérin, pour l'admission de ma sœur Lucile comme chanoinesse au chapitre de l'Argentière, d'où elle devait passer à celui de Remiremont ; elles furent reproduites pour ma présentation à Louis XVI, reproduites pour mon affiliation à l'ordre de Malte, et reproduites, une dernière fois, quand mon frère fut présenté au même infortuné Louis XVI [1].

Mon nom s'est d'abord écrit *Brien*, ensuite *Briant* et *Briand*, par l'invasion de l'orthographe française. Guillaume le Breton dit *Castrum-Briani* [2]. Il n'y a pas un nom en France qui ne présente ces variations de lettres. Quelle est l'orthographe de du Guesclin ?

Les *Brien* vers le commencement du onzième siècle communiquèrent leur nom à un château considérable de Bretagne, et ce château devint le chef-lieu de la baronnie de Chateaubriand. Les armes des Chateaubriand étaient d'abord des pommes de pin avec la devise : *Je sème l'or.* Geoffroy, baron de Chateaubriand, passa avec Saint Louis en Terre-Sainte. Fait prisonnier à la bataille de la Massoure, il revint, et sa femme Sybille mourut de joie et de surprise en le revoyant. Saint Louis, pour récompenser ses services, lui concéda à lui et à ses héritiers, en échange de ses anciennes armoiries, un écu de gueules, semé de fleurs de lys d'or : *Cui et ejus haeredibus*, atteste un cartulaire du

---

* Cette généalogie est résumée dans l'*Histoire généalogique et héraldique des Pairs de France des grands dignitaires de la Couronne*, par M. le chevalier de Courcelles.

1. Voir *infra*, III, 2 et IV, 9.

2. Guillaume Le Breton (v. 1165-v. 1226), chapelain de Philippe Auguste, écrivit une épopée latine relatant ses hauts faits.

prieuré de Bérée, *sanctus Ludovicus tum Francorum rex, propter ejus probitatem in armis, flores lilii auri, loco pomorum pini auri, contulit* [1].

Les Chateaubriand se partagèrent dès leur origine en trois branches : la première, dite *barons de Chateaubriand*, souche des deux autres et qui commença l'an 1000 dans la personne de Thiern, fils de Brien, petit-fils d'Alain III, comte ou chef de Bretagne ; la seconde, surnommée *seigneurs des Roches Baritaut*, ou du *Lion d'Angers* ; la troisième paraissant sous le titre de *sires de Beaufort*.

Lorsque la lignée des sires de Beaufort vint à s'éteindre dans la personne de dame Renée, un Christophe II, branche collatérale de cette lignée, eut en partage la terre de la Guérande en Morbihan. À cette époque, vers le milieu du dix-septième siècle, une grande confusion s'était répandue dans l'ordre de la noblesse ; des titres et des noms avaient été usurpés. Louis XIV prescrivit une enquête, afin de remettre chacun dans son droit. Christophe fut maintenu, sur preuve de sa noblesse d'ancienne extraction, dans son titre et dans la possession de ses armes, par arrêt de la Chambre établie à Rennes pour la réformation de la noblesse de Bretagne. Cet arrêt fut rendu le 16 septembre 1669 ; en voici le texte :

« Arrêt de la Chambre établie par le Roi (Louis XIV) pour la réformation de la noblesse en la province de Bretagne, rendu le 16 septembre 1669 : Entre le procureur général du Roi et M. Christophe de Chateaubriand, sieur de la Guérande ; lequel déclare ledit Christophe issu d'ancienne extraction noble, lui permet de prendre la qualité de chevalier, et le maintient dans le droit de porter pour armes de gueules semé de fleurs de lys d'or sans nombre, et ce après production par lui faite de ses titres authentiques, desquels il appert, etc., etc., ledit Arrêt signé Malescot. »

Cet arrêt constate que Christophe de Chateaubriand de la Guérande descendait directement des Chateaubriand, sires de Beaufort ; les sires de Beaufort se rattachaient par documents historiques aux premiers barons de Chateau-

---

1. « À lui et à ses héritiers, saint Louis, alors roi des Français, concéda pour sa valeur dans les armes, des fleurs de lys d'or au lieu des pommes de pin d'or. »

briand. Les Chateaubriand de Villeneuve, du Plessis et de
Combourg étaient cadets des Chateaubriand de la Guérande, comme il est prouvé par la descendance d'Amaury,
frère de Michel, lequel Michel était fils de ce Christophe
de la Guérande maintenu dans son extraction par l'arrêt
ci-dessus rapporté de la réformation de la noblesse, du
16 septembre 1669.

Après ma présentation à Louis XVI, mon frère songea
à augmenter ma fortune de cadet en me nantissant de
quelques-uns de ces bénéfices appelés *bénéfices simples* [1].
Il n'y avait qu'un seul moyen praticable à cet effet, puisque
j'étais laïque et militaire, c'était de m'agréger à l'ordre de
Malte. Mon frère envoya mes preuves à Malte, et bientôt
après il présenta requête en mon nom, au chapitre du grand-
prieuré d'Aquitaine, tenu à Poitiers, aux fins qu'il fût
nommé des commissaires pour prononcer d'urgence.
M. Pontois était alors archiviste, vice-chancelier et généa-
logiste de l'ordre de Malte, au Prieuré [2].

Le président du chapitre était Louis-Joseph des Escotais,
bailli, grand-prieur d'Aquitaine, ayant avec lui le bailli de
Frelon, le chevalier de La Laurencie, le chevalier de Murat,
le chevalier de Lanjamet, le chevalier de La Bourdonnaye-
Montluc et le chevalier du Bouëtiez. La requête fut admise
les 9, 10 et 11 septembre 1789. Il est dit, dans les termes
d'admission du *Mémorial*, que je méritais *à plus d'un titre*
la grâce que je sollicitais, et que des *considérations du plus
grand poids* me rendaient digne de la satisfaction que je
réclamais.

Et tout cela avait lieu après la prise de la Bastille, à la

---

1. Un *bénéfice* est une charge ecclésiastique dotée d'un revenu. Un bénéfice *simple* n'a pas charge d'âme et peut être possédé par un clerc tonsuré,
qui n'a d'autre obligation que de dire son bréviaire et de faire bon usage
de son revenu.
2. L'ordre de Malte, héritier des grands ordres militaires croisés (chevaliers de Saint-Jean-de-Jérusalem), avait des *chevaliers* répandus dans toute
l'Europe catholique (surtout en Italie et en France). Ces chevaliers dépen-
daient de *prieurés* régionaux qui s'assemblaient régulièrement en *chapitres*. Pour y entrer, il fallait prouver quatre quartiers de noblesse et recevoir les ordres mineurs (la tonsure ou *cléricature* que Chateaubriand reçoit
en 1789, voir V, 5). L'ordre, toujours prestigieux, n'avait cependant plus
de fonction militaire propre et les chevaliers étaient libres de faire ce qu'ils
voulaient. C'était une situation fort appréciée des cadets de famille.

veille des scènes du 6 octobre 1789 et de la translation de la famille royale à Paris ! Et, dans la séance du 7 août de cette année 1789, l'Assemblée nationale avait aboli les titres de noblesse [1] ! Comment les chevaliers et les examinateurs de mes preuves trouvaient-ils aussi que je méritais *à plus d'un titre la grâce que je sollicitais*, etc., moi qui n'étais qu'un chétif sous-lieutenant d'infanterie, inconnu, sans crédit, sans faveur et sans fortune ?

Le fils aîné de mon frère (j'ajoute ceci en 1831 à mon texte primitif écrit en 1811), le comte Louis de Chateaubriand, a épousé mademoiselle d'Orglandes, dont il a eu cinq filles et un garçon, celui-ci nommé Geoffroy. Christian [2], frère cadet de Louis, arrière-petit-fils et filleul de M. de Malesherbes, et lui ressemblant d'une manière frappante, servit avec distinction en Espagne comme capitaine dans les dragons de la garde, en 1823. Il s'est fait jésuite à Rome. Les jésuites suppléent à la solitude à mesure que celle-ci s'efface de la terre. Christian vient de mourir à Chieri, près Turin : vieux et malade, je le devais devancer ; mais ses vertus l'appelaient au ciel avant moi, qui ai encore bien des fautes à pleurer.

Dans la division du patrimoine de la famille, Christian avait eu la terre de Malesherbes, et Louis la terre de Combourg. Christian ne regardant pas le partage égal comme légitime, voulut, en quittant le monde, se dépouiller des biens qui ne lui appartenaient pas et les rendre à son frère aîné [3].

---

1. Dans la nuit du 4 au 5 août 1789, l'Assemblée nationale vota la suppression des privilèges ; les titres de noblesse ne furent abolis que le 19 juin 1790.
2. Louis de Chateaubriand (1790-1873), colonel de chasseurs sous la Restauration, se retira en 1830. Il avait épousé en 1811 Zélie d'Orglandes. Geoffroy, son fils (1828-1889), eut deux filles : Sybille de Durfort et Marie-Louise de La Tour du Pin, qui restèrent propriétaires de Combourg. Christian de Chateaubriand (1791-1843) fut capitaine de dragons pendant la guerre d'Espagne, puis entra chez les jésuites. Chateaubriand lui consacre un chapitre des *Mémoires* (XXXI, 14).
3. Le droit d'aînesse fut supprimé le 15 mars 1790. Jusque-là, l'aîné recevait, outre la quotité disponible, la moitié ou les deux tiers de la succession. Les cadets étaient souvent contraints à faire carrière dans l'Église ou dans l'armée. Certains économistes étaient favorables au droit d'aînesse, pour éviter le morcellement des propriétés. Napoléon tenta de le

À la vue de mes parchemins, il ne tiendrait qu'à moi, si j'héritais de l'infatuation de mon père et de mon frère, de me croire cadet des ducs de Bretagne, venant de Thiern, petit-fils d'Alain III.

Cesdits Chateaubriand auraient mêlé deux fois leur sang au sang des souverains d'Angleterre, Geoffroy IV de Chateaubriand ayant épousé en secondes noces Agnès de Laval, petite-fille du comte d'Anjou et de Mathilde, fille de Henri Ier; Marguerite de Lusignan, veuve du roi d'Angleterre et petite-fille de Louis le Gros, s'étant mariée à Geoffroy V, douzième baron de Chateaubriand. Sur la race royale d'Espagne, on trouverait Brien, frère puîné du neuvième baron de Chateaubriand, qui se serait uni à Jeanne, fille d'Alphonse, roi d'Aragon. Il faudrait croire encore, quant aux grandes familles de France, qu'Édouard de Rohan prit à femme Marguerite de Chateaubriand; il faudrait croire encore qu'un Croï épousa Charlotte de Chateaubriand. Tinteniac, vainqueur au combat des Trente, du Guesclin le connétable, auraient eu des alliances avec nous dans les trois branches. Tiphaine du Guesclin, petite-fille du frère de Bertrand, cède à Brien de Chateaubriand, son cousin et son héritier, la propriété du Plessis-Bertrand. Dans les traités, des Chateaubriand sont donnés pour caution de la paix aux rois de France, à Clisson, au baron de Vitré. Les ducs de Bretagne envoient à des Chateaubriand copie de leurs assises. Les Chateaubriand deviennent grands officiers de la couronne, et des *illustres* dans la cour de Nantes; ils reçoivent des commissions pour veiller à la sûreté de leur province contre les Anglais. Brien Ier se trouve à la bataille d'Hastings : il était fils d'Eudon, comte de Penthièvre. Guy de Chateaubriand est du nombre des seigneurs qu'Arthur de Bretagne donna à son fils pour l'accompagner dans son ambassade de Rome, en 1309.

Je ne finirais pas si j'achevais ce dont je n'ai voulu faire qu'un court résumé : la note * à laquelle je me suis enfin

---

restaurer. Il fut l'objet d'un vaste débat parlementaire sous Charles X. Mais cette revendication légitimiste fut finalement rejetée par la chambre des Pairs le 8 avril 1826.

* Voyez cette note à la fin de ces *Mémoires*. [Pour ne pas l'alourdir inutilement, nous n'avons pas reproduit dans cette édition cette note à caractère historique.]

résolu, en considération de mes deux neveux, qui ne font pas sans doute aussi bon marché que moi de ces vieilles misères, remplacera ce que j'omets dans ce texte. Toutefois, on passe aujourd'hui un peu la borne ; il devient d'usage de déclarer que l'on est de race corvéable, qu'on a l'honneur d'être fils d'un homme attaché à la glèbe. Ces déclarations sont-elles aussi fières que philosophiques ? N'est-ce pas se ranger du parti du plus fort ? Les marquis, les comtes, les barons de maintenant, n'ayant ni privilèges ni sillons, les trois quarts mourant de faim, se dénigrant les uns les autres, ne voulant pas se reconnaître, se contestant mutuellement leur naissance ; ces nobles, à qui l'on nie leur propre nom, ou à qui on ne l'accorde que sous bénéfice d'inventaire, peuvent-ils inspirer quelque crainte ? Au reste, qu'on me pardonne d'avoir été contraint de m'abaisser à ces puériles récitations, afin de rendre compte de la passion dominante de mon père, passion qui fit le nœud du drame de ma jeunesse. Quant à moi, je ne me glorifie ni ne me plains de l'ancienne ou de la nouvelle société. Si, dans la première, j'étais le chevalier ou le vicomte de Chateaubriand, dans la seconde je suis François de Chateaubriand ; je préfère mon nom à mon titre.

Monsieur mon père aurait volontiers, comme un grand terrier [1] du Moyen Âge, appelé Dieu *le Gentilhomme de là-haut*, et surnommé Nicodème (le Nicodème de l'Évangile) *un saint gentilhomme*. Maintenant, en passant par mon géniteur, arrivons de Christophe, seigneur suzerain de la Guérande, et descendant en ligne directe des barons de Chateaubriand, jusqu'à moi, François, seigneur sans vassaux et sans argent de la Vallée-aux-Loups.

En remontant la lignée des Chateaubriand, composée de trois branches, les deux premières étant faillies, la troisième, celle des sires de Beaufort, prolongée par un rameau (les Chateaubriand de la Guérande), s'appauvrit, effet inévitable de la loi du pays : les aînés nobles emportaient les deux tiers des biens, en vertu de la coutume de Bretagne ; les cadets divisaient entre eux tous un seul tiers de l'héritage paternel. La décomposition du chétif estoc [2] de ceux-ci s'opé-

---

1. Terrien (archaïsme).
2. Lignée, par extension : biens de la lignée (confusion avec *estoir* ? Chateaubriand ne maîtrise pas toujours ses archaïsmes).

rait avec d'autant plus de rapidité, qu'ils se mariaient; et comme la même distribution des deux tiers au tiers existait aussi pour leurs enfants, ces cadets des cadets arrivaient promptement au partage d'un pigeon, d'un lapin, d'une canardière et d'un chien de chasse, bien qu'ils fussent toujours *chevaliers hauts et puissants seigneurs* d'un colombier, d'une crapaudière et d'une garenne. On voit dans les anciennes familles nobles une quantité de cadets; on les suit pendant deux ou trois générations, puis ils disparaissent, redescendus peu à peu à la charrue ou absorbés par les classes ouvrières, sans qu'on sache ce qu'ils sont devenus.

Le chef de nom et d'armes de ma famille était, vers le commencement du dix-huitième siècle, Alexis de Chateaubriand, seigneur de la Guérande, fils de Michel, lequel Michel avait un frère, Amaury. Michel était fils de ce Christophe maintenu dans son extraction des sires de Beaufort et des barons de Chateaubriand par l'arrêt ci-dessus rappelé. Alexis de la Guérande était veuf; ivrogne décidé, il passait ses jours à boire, vivant dans le désordre avec ses servantes, et mettait les plus beaux titres de sa maison à couvrir des pots de beurre.

En même temps que ce chef de nom et d'armes, existait son cousin François, fils d'Amaury, puîné de Michel. François, né le 19 février 1683, possédait les petites seigneuries des Touches et de la Villeneuve. Il avait épousé, le 27 août 1713, Pétronille-Claude Lamour, dame de Lanjégu, dont il eut quatre fils : François-Henri, René (mon père), Pierre, seigneur du Plessis, et Joseph, seigneur du Parc. Mon grand'père, François, mourut le 28 mars 1729; ma grand'mère, je l'ai connue dans mon enfance, avait encore un beau regard qui souriait dans l'ombre de ses belles années. Elle habitait, au décès de son mari, le manoir de la Villeneuve[1], dans les environs de Dinan. Toute la fortune de mon aïeule ne dépassait pas 5 000 livres de rente, dont l'aîné de ses fils emportait les deux tiers, 3 332 livres; restaient 1 668 livres de rente pour les trois cadets, sur laquelle somme l'aîné prélevait encore le préciput[2].

---

1. La Villeneuve-en-Médréac, à 25 km au sud de Dinan.
2. Quotité disponible. Part de l'héritage hors partage et attribuée d'office à l'aîné.

Pour comble de malheur, ma grand'mère fut contrariée dans ses desseins par le caractère de ses fils : l'aîné, François-Henri, à qui le magnifique héritage de la seigneurie de la Villeneuve était dévolu, refusa de se marier et se fit prêtre ; mais au lieu de quêter les bénéfices que son nom lui aurait pu procurer, et avec lesquels il aurait soutenu ses frères, il ne sollicita rien par fierté et par insouciance. Il s'ensevelit dans une cure de campagne, et fut successivement recteur de Saint-Launeuc et de Merdrignac, dans le diocèse de Saint-Malo. Il avait la passion de la poésie ; j'ai vu bon nombre de ses vers. Le caractère joyeux de cette espèce de noble Rabelais, le culte que ce prêtre chrétien avait voué aux Muses dans un presbytère, excitaient la curiosité. Il donnait tout ce qu'il avait et mourut insolvable.

Le quatrième frère de mon père, Joseph, se rendit à Paris et s'enferma dans une bibliothèque : on lui envoyait tous les ans les 416 livres, son lopin de cadet. Il passa inconnu au milieu des livres ; il s'occupait de recherches historiques. Pendant sa vie qui fut courte, il écrivait chaque premier de janvier à sa mère, seul signe d'existence qu'il ait jamais donné. Singulière destinée ! Voilà mes deux oncles, l'un érudit et l'autre poète ; mon frère aîné faisait agréablement des vers ; une de mes sœurs, madame de Farcy, avait un vrai talent pour la poésie : une autre de mes sœurs, la comtesse Lucile, chanoinesse, pourrait être connue par quelques pages admirables ; moi, j'ai barbouillé force papier. Mon frère a péri sur l'échafaud, mes deux sœurs ont quitté une vie de douleur après avoir langui dans les prisons ; mes deux oncles ne laissèrent pas de quoi payer les quatre planches de leur cercueil ; les lettres ont causé mes joies et mes peines, et je ne désespère pas, Dieu aidant, de mourir à l'hôpital.

Ma grand'mère s'étant épuisée pour faire quelque chose de son fils aîné et de son fils cadet, ne pouvait plus rien pour les deux autres, René, mon père, et Pierre, mon oncle. Cette famille, qui avait *semé l'or*, selon sa devise, voyait de sa gentilhommière les riches abbayes qu'elle avait fondées et qui entombaient ses aïeux. Elle avait présidé les États de Bretagne, comme possédant une des neuf baronnies ; elle avait signé au traité des souverains, servi de caution à Clisson, et elle n'aurait pas eu le crédit d'obtenir une sous-lieutenance pour l'héritier de son nom.

Il restait à la pauvre noblesse bretonne une ressource, la marine royale : on essaya d'en profiter pour mon père ; mais il fallait d'abord se rendre à Brest, y vivre, payer les maîtres, acheter l'uniforme, les armes, les livres, les instruments de mathématiques : comment subvenir à tous ces frais ? Le brevet demandé au ministre de la Marine n'arriva point, faute de protecteur pour en solliciter l'expédition : la châtelaine de Villeneuve tomba malade de chagrin.

Alors mon père donna la première marque du caractère décidé que je lui ai connu. Il avait environ quinze ans : s'étant aperçu des inquiétudes de sa mère, il approcha du lit où elle était couchée et lui dit : « Je ne veux plus être un fardeau pour vous. » Sur ce, ma grand-mère se prit à pleurer (j'ai vingt fois entendu mon père raconter cette scène). « René », répondit-elle, « que veux-tu faire ? Laboure ton champ. – Il ne peut pas nous nourrir ; laissez-moi partir. – Eh bien, dit la mère, va donc où Dieu veut que tu ailles. » Elle embrassa l'enfant en sanglotant. Le soir même mon père quitta la ferme maternelle, arriva à Dinan, où une de nos parentes lui donna une lettre de recommandation pour un habitant de Saint-Malo. L'aventurier orphelin fut embarqué, comme volontaire, sur une goélette armée, qui mit à la voile quelques jours après.

La petite république malouine soutenait seule alors sur la mer l'honneur du pavillon français. La goélette rejoignit la flotte que le cardinal de Fleury envoyait au secours de Stanislas, assiégé dans Dantzick par les Russes [1]. Mon père mit pied à terre et se trouva au mémorable combat que quinze cents Français, commandés par le brave Breton, de Bréhan comte de Plélo, livrèrent, le 29 mai 1734, à quarante mille Moscovites, commandés par Munich. De Bréhan, diplomate, guerrier et poète, fut tué et mon père blessé deux fois. Il revint en France et se rembarqua. Naufragé sur les côtes de l'Espagne, des voleurs l'attaquèrent et le dépouillèrent dans les Galices ; il prit passage à Bayonne sur un vaisseau et surgit encore au toit paternel. Son cou-

---

1 Le cardinal de Fleury, Premier ministre de Louis XV, soutint assez mollement le roi Stanislas Leszczynski lors de la Guerre de Succession de Pologne (1733-1738). Il envoya un contingent de 2 040 hommes à Dantzig (actuelle Gdansk), assiégée par les Russes.

rage et son esprit d'ordre l'avaient fait connaître. Il passa aux îles [1] ; il s'enrichit dans la colonie et jeta les fondements de la nouvelle fortune de sa famille.

Ma grand'mère confia à son fils René, son fils Pierre, M. de Chateaubriand du Plessis, dont le fils, Armand de Chateaubriand, fut fusillé par ordre de Bonaparte, le vendredi saint de l'année 1810. Ce fut un des derniers gentilshommes français morts pour la cause de la monarchie * [2]. Mon père se chargea du sort de son frère, quoiqu'il eût contracté, par l'habitude de souffrir, une rigueur de caractère qu'il conserva toute sa vie ; le *Non ignara mali* [3] n'est pas toujours vrai : le malheur a ses duretés comme ses tendresses.

M. de Chateaubriand était grand et sec ; il avait le nez aquilin, les lèvres minces et pâles, les yeux enfoncés, petits et pers ou glauques [4], comme ceux des lions ou des anciens barbares. Je n'ai jamais vu un pareil regard : quand la colère y montait, la prunelle étincelante semblait se détacher et venir vous frapper comme une balle [5].

Une seule passion dominait mon père, celle de son nom. Son état habituel était une tristesse profonde que l'âge augmenta et un silence dont il ne sortait que par des emporte-

---

1. Les Antilles. René-Auguste fit d'abord des campagnes de pêche à Terre-Neuve, puis donna dans la traite des Noirs entre la Guinée et Saint-Domingue. À partir de 1758, il s'installa à Saint-Malo où il devint armateur, ses frères Pierre et Joseph prenant la relève en mer. Cette carrière dans la marine marchande permit en quelques années au père de Chateaubriand de passer de la misère à la seigneurie de Combourg, qu'il acheta alors, en 1761 seulement. Sur le père et l'enfance de Chateaubriand, consulter Georges Collas, *Un cadet de Bretagne au XVIIIᵉ siècle. René-Auguste de Chateaubriand, comte de Combourg (1718-1786)*, Paris, Nizet, 1949.
* Ceci était écrit en 1811. [Note de 1831, Genève.]
2. Voir I, 5 et p. 83, n. 1.
3. Virgile met ce vers dans la bouche de Didon accueillant Énée (*Énéide*, I, 630) : *Non ignara malis miseris succurrere disco* (« N'ayant pas ignoré le malheur, je sais porter secours aux malheureux »).
4. Pers : bleu foncé ; glauque : vert marin. L'hésitation entre les deux adjectifs vient du grec γλαυχῶπις (*glaucopis*, épithète homérique d'Athéna), que l'on traduit habituellement par *aux yeux pers*.
5. Célèbre portrait, dont les traits sont accentués par rapport aux premières rédactions et que Chateaubriand complétera par l'évocation du château de Combourg (III, 3).

ments. Avare dans l'espoir de rendre à sa famille son premier éclat, hautain aux États de Bretagne avec les gentilshommes, dur avec ses vassaux à Combourg, taciturne, des-
potique et menaçant dans son intérieur, ce qu'on sentait en
le voyant était la crainte. S'il eût vécu jusqu'à la Révolution
et s'il eût été plus jeune, il aurait joué un rôle important,
ou se serait fait massacrer dans son château. Il avait certainement du génie : je ne doute pas qu'à la tête des administrations ou des armées, il n'eût été un homme extraordinaire.

Ce fut en revenant d'Amérique qu'il songea à se marier.
Né le 23 septembre 1718, il épousa à trente-cinq ans, le
3 juillet 1753, Apolline-Jeanne-Suzanne de Bedée, née le
7 avril 1726, et fille de messire Ange-Annibal, comte de
Bedée, chevalier, seigneur de La Bouëtardais. Il s'établit
avec elle à Saint-Malo, dont l'un et l'autre étaient nés à sept
ou huit lieues, de sorte qu'ils apercevaient de leur demeure
l'horizon sous lequel ils étaient venus au monde. Mon
aïeule maternelle, Marie-Anne de Ravenel de Boisteilleul,
dame de Bedée, née à Rennes, le 16 octobre 1698, avait été
élevée à Saint-Cyr [1] dans les dernières années de madame
de Maintenon : son éducation s'était répandue sur ses filles.

Ma mère, douée de beaucoup d'esprit et d'une imagination prodigieuse, avait été formée à la lecture de Fénelon, de Racine, de madame de Sévigné, et nourrie des anecdotes de la cour de Louis XIV ; elle savait tout *Cyrus* [2] par
cœur. Apolline de Bedée, avec de grands traits, était noire,
petite et laide ; l'élégance de ses manières, l'allure vive de
son humeur, contrastaient avec la rigidité et le calme de
mon père. Aimant la société autant qu'il aimait la solitude,
aussi pétulante et animée qu'il était immobile et froid, elle
n'avait pas un goût qui ne fût opposé à ceux de son mari.
La contrariété qu'elle éprouva la rendit mélancolique, de
légère et gaie qu'elle était. Obligée de se taire quand elle
eût voulu parler, elle s'en dédommageait par une espèce de
tristesse bruyante entrecoupée de soupirs, qui interrom-

---

1. Célèbre maison d'éducation fondée par Mme de Maintenon en 1686,
Saint-Cyr n'accueille que des jeunes filles nobles et sans fortune. L'épouse
morganatique de Louis XIV y mourut en 1719.
2. Roman précieux de Madame de Scudéry (1607-1701), publié en dix
volumes de 1649 à 1653.

paient seuls la tristesse muette de mon père. Pour la piété, ma mère était un ange.

2

La Vallée-aux-Loups, le 31 décembre 1811.

Naissance de mes frères et sœurs.
Je viens au monde.

Ma mère accoucha à Saint-Malo d'un premier garçon qui mourut au berceau, et qui fut nommé Geoffroy, comme presque tous les aînés de ma famille. Ce fils fut suivi d'un autre et de deux filles qui ne vécurent que quelques mois [1].

Ces quatre enfants périrent d'un épanchement de sang au cerveau. Enfin, ma mère mit au monde un troisième garçon qu'on appela Jean-Baptiste : c'est lui qui, dans la suite, devint le petit-gendre de M. de Malesherbes [2]. Après Jean-Baptiste naquirent quatre filles : Marie-Anne, Bénigne, Julie et Lucile, toutes quatre d'une rare beauté, et dont les deux aînées ont seules survécu aux orages de la Révolution [3]. La beauté, frivolité sérieuse, reste quand toutes les autres sont passées. Je fus le dernier de ces dix enfants. Il est probable que mes quatre sœurs durent leur existence au désir de mon père d'avoir son nom assuré par l'arrivée d'un second garçon ; je résistais, j'avais aversion pour la vie.

Voici mon extrait de baptême :

« Extrait des registres de l'état civil de la commune de Saint-Malo pour l'année 1768.

---

1. Chateaubriand simplifie. Sont morts en bas âge les deux premiers enfants, le huitième et le neuvième. Six enfants survécurent. Voir arbre généalogique, p. 37.
2. Issu d'une grande famille parlementaire, Guillaume Chrétien de Lamoignon de Malesherbes (1721-1794) fut président au parlement de Paris, directeur de la Librairie en 1750 (où il protégea Rousseau et les Encyclopédistes), membre du conseil du Roi en 1787 (où il fit accorder un état civil aux protestants). Il se proposa pour défendre Louis XVI lors de son procès et fut guillotiné l'année suivante. Chateaubriand en parle beaucoup et avec une admiration inconditionnelle (livres IV et V).
3. Marie-Anne de Marigny mourut à cent ans et treize jours pour avoir pris froid à la fête de son centenaire.

« François-René de Chateaubriand, fils de René de Chateaubriand et de Pauline-Jeanne-Suzanne de Bedée, son épouse, né le 4 septembre 1768, baptisé le jour suivant par nous, Pierre-Henry Nouail, grand-vicaire de l'évêque de Saint-Malo. A été parrain Jean-Baptiste de Chateaubriand, son frère, et marraine Françoise-Gertrude de Contades, qui signent et le père. Ainsi signé au registre : Contades de Plouër, Jean-Baptiste de Chateaubriand, Brignon de Chateaubriand, de Chateaubriand et Nouail, vicaire général. »

On voit que je m'étais trompé dans mes ouvrages : je me fais naître le 4 octobre et non le 4 septembre ; mes prénoms sont : François-René, et non pas François-Auguste * [1].

La maison qu'habitaient alors mes parents est située dans une rue sombre et étroite de Saint-Malo, appelée la rue des Juifs : cette maison est aujourd'hui transformée en auberge [2]. La chambre où ma mère accoucha domine une partie déserte des murs de la ville, et à travers les fenêtres de cette chambre on aperçoit une mer qui s'étend à perte de vue, en se brisant sur des écueils. J'eus pour parrain, comme on le voit dans mon extrait de baptême, mon frère, et pour marraine la comtesse de Plouër, fille du maréchal de Contades [3]. J'étais presque mort quand je vins au jour. Le mugissement des vagues, soulevées par une bourrasque annonçant l'équinoxe d'automne, empêchait d'entendre mes cris : on m'a souvent conté ces détails [4] ; leur tristesse ne s'est jamais effacée de ma mémoire. Il n'y a pas de jour où, rêvant à ce que j'ai été, je ne revoie en pensée le rocher sur lequel je suis né, la chambre où ma mère m'infligea la vie, la tempête dont le bruit berça mon premier sommeil, le frère infortuné qui me donna un nom que j'ai presque toujours traîné dans le malheur. Le Ciel sembla réunir ces

---

* Vingt jours avant moi, le 15 août 1768, naissait dans une autre île, à l'autre extrémité de la France, l'homme qui a mis fin à l'ancienne société, Bonaparte.
1. Chateaubriand commence ici à tisser le parallèle entre Napoléon et lui-même, qu'il développe surtout dans la deuxième partie des *Mémoires*. Napoléon est né le 15 août 1769.
2. Actuellement n° 3 de la rue Chateaubriand.
3. Maréchal de France (1704-1795).
4. Détails exacts, semble-t-il.

diverses circonstances pour placer dans mon berceau une image de mes destinées [1].

3

Vallée-aux-Loups, janvier 1812.

Plancouët. – Vœu. – Combourg.
Plan de mon père pour mon éducation.
La Villeneuve. – Lucile.
Mesdemoiselles Couppart.
Mauvais écolier que je suis [2].

En sortant du sein de ma mère, je subis mon premier exil ; on me relégua à Plancouët, joli village situé entre Dinan, Saint-Malo et Lamballe [3]. L'unique frère de ma mère, le comte de Bedée, avait bâti près de ce village le château de Monchoix. Les biens de mon aïeule maternelle s'étendaient dans les environs jusqu'au bourg de Corseul, les *Curioso-lites* des *Commentaires* de César [4]. Ma grand'mère, veuve depuis longtemps, habitait avec sa sœur, mademoiselle de Boisteilleul, un hameau séparé de Plancouët par un pont, et qu'on appelait l'Abbaye, à cause d'une abbaye de béné-dictins, consacrée à Notre-Dame de Nazareth.

Ma nourrice se trouva stérile ; une autre pauvre chré-tienne me prit à son sein. Elle me voua à la patronne du hameau, Notre-Dame de Nazareth, et lui promit que je por-terais en son honneur, le bleu et le blanc jusqu'à l'âge de sept ans. Je n'avais vécu que quelques heures, et la pesan-teur du temps était déjà marquée sur mon front. Que ne

---

1. De manière moins spectaculaire, Rousseau exprime aussi, au début des *Confessions*, le malheur d'être né.
2 Sur l'enfance et l'éducation au XVIIIᵉ siècle, consulter Ph. Ariès, *L'En-fant et la vie familiale sous l'Ancien Régime*, Paris, Seuil, coll. « Points Histoire », 1975.
3. La mise en nourrice des nouveau-nés était de règle au XVIIIᵉ siècle.
4. *Guerre des Gaules*, III, 7 sq. Les Curiosolites habitent les environs de Dinan. Chateaubriand en parle aussi dans *Les Martyrs*, IX, in *Œuvres romanesques et voyages*, éd M. Regard, Gallimard, Bibliothèque de la Pléiade, 1969, p. 251.

me laissait-on mourir ? Il entrait dans les conseils de Dieu d'accorder au vœu de l'obscurité et de l'innocence la conservation des jours qu'une vaine renommée menaçait d'atteindre.

Ce vœu de la paysanne bretonne n'est plus de ce siècle : c'était toutefois une chose touchante que l'intervention d'une Mère divine placée entre l'enfant et le ciel, et partageant les sollicitudes de la mère terrestre.

Au bout de trois ans on me ramena à Saint-Malo ; il y en avait déjà sept que mon père avait recouvré la terre de Combourg. Il désirait rentrer dans les biens où ses ancêtres avaient passé ; ne pouvant traiter ni pour la seigneurie de Beaufort, échue à la famille de Goyon, ni pour la baronnie de Chateaubriand, tombée dans la maison de Condé, il tourna les yeux sur Combourg que Froissart écrit *Combour* : plusieurs branches de ma famille l'avaient possédé par des mariages avec les Coëtquen. Combourg défendait la Bretagne dans les marches normande et anglaise : Junken, évêque de Dol, le bâtit en 1016 ; la grande tour date de 1100. Le maréchal de Duras [1], qui tenait Combourg de sa femme, Maclovie de Coëtquen, née d'une Chateaubriand, s'arrangea avec mon père. Le marquis du Hallay, officier aux grenadiers à cheval de la garde royale, peut-être trop connu par sa bravoure [2], est le dernier des Coëtquen-Chateaubriand : M. du Hallay a un frère. Le même maréchal en qualité de notre allié, nous présenta dans la suite à Louis XVI, mon frère et moi.

Je fus destiné à la marine royale : l'éloignement pour la cour était naturel à tout Breton, et particulièrement à mon père. L'aristocratie de nos États fortifiait en lui ce sentiment.

Quand je fus rapporté à Saint-Malo, mon père était à Combourg, mon frère au collège de Saint-Brieuc ; mes quatre sœurs vivaient auprès de ma mère.

Toutes les affections de celle-ci s'étaient concentrées dans son fils aîné ; non qu'elle ne chérît ses autres enfants, mais elle témoignait une préférence aveugle au jeune comte

---

1. Maréchal de France (1715-1789)
2 Jean du Hallay-Coëtquen (1799-1867), gentilhomme de la Chambre du Roi sous la Restauration, était expert en duel

de Combourg. J'avais bien, il est vrai, comme garçon, comme le dernier venu, comme le chevalier (ainsi m'appelait-on), quelques privilèges sur mes sœurs ; mais en définitive, j'étais abandonné aux mains des gens[1]. Ma mère d'ailleurs, pleine d'esprit et de vertu, était préoccupée par les soins de la société et les devoirs de la religion. La comtesse de Plouër, ma marraine, était son intime amie ; elle voyait aussi les parents de Maupertuis[2] et de l'abbé Trublet. Elle aimait la politique, le bruit, le monde : car on faisait de la politique à Saint-Malo, comme les moines de Saba dans la ravine de Cédron[3] ; elle se jeta avec ardeur dans l'affaire La Chalotais[4]. Elle rapportait chez elle une humeur grondeuse, une imagination distraite, un esprit de parcimonie, qui nous empêchèrent d'abord de reconnaître ses admirables qualités. Avec de l'ordre, ses enfants étaient tenus sans ordre ; avec de la générosité, elle avait l'apparence de l'avarice ; avec de la douceur d'âme, elle grondait toujours : mon père était la terreur des domestiques, ma mère le fléau.

De ce caractère de mes parents sont nés les premiers sen-

---

1. Domestiques.
2. Grand mathématicien (1698-1759). L'abbé Trublet (1697-1770) est surtout connu par les pamphlets de Voltaire. Théoricien et publiciste, partisan des Modernes dans les années 1730, il se brouilla dans les années 1760 avec les Philosophes et fut un des chefs du parti dévot. Il était archidiacre de Saint-Malo.
3. Allusion à un passage de l'*Itinéraire de Paris à Jérusalem* (éd J. Mourot, GF-Flammarion, 1968, p. 252). Chateaubriand, allant de Bethléem à la mer Morte s'arrêta au couvent de Saint-Saba, dans la vallée du Cédron, où un moine lui parla de politique.
4. Procureur général au parlement de Rennes (1701-1785), il s'opposa au gouverneur d'alors, le duc d'Aiguillon, aux jésuites et au roi. Il fut emprisonné en 1765. L'affaire La Chalotais n'est qu'un exemple parmi d'autres de l'opposition des parlements, appuyés par la noblesse, au pouvoir royal. Les parlements étaient des cours de justice. Il y en avait douze : Paris, Toulouse, Grenoble, Bordeaux, Dijon, Rouen, Aix, Rennes, Pau, Metz, Douai et Besançon. Leurs membres, conseillers et présidents étaient propriétaires de leurs charges et donc indépendants du pouvoir royal. Les parlements, devant enregistrer les édits royaux, prirent de plus en plus d'importance politique au XVIIe et XVIIIe siècle en refusant souvent l'enregistrement et en s'érigeant en défenseurs des libertés publiques. Empêchant toute réforme de l'État, ne profitant qu'à une caste de privilégiés, mais bénéficiant de l'appui populaire, cette opposition parlementaire prépara amplement la Révolution, qui supprima parlements et noblesse.

timents de ma vie. Je m'attachais à la femme qui prit soin de moi, excellente créature appelée *la Villeneuve*, dont j'écris le nom avec un mouvement de reconnaissance et les larmes aux yeux. La Villeneuve était une espèce de surintendante de la maison, me portant dans ses bras, me donnant, à la dérobée, tout ce qu'elle pouvait trouver, essuyant mes pleurs, m'embrassant, me jetant dans un coin, me reprenant et marmottant toujours : « C'est celui-là, qui ne sera pas fier ! qui a bon cœur ! qui ne rebute point les pauvres gens ! Tiens, petit garçon ! » et elle me bourrait de vin et de sucre.

Mes sympathies d'enfant pour la Villeneuve furent bientôt dominées par une amitié plus digne.

Lucile, la quatrième de mes sœurs, avait deux ans de plus que moi. Cadette délaissée, sa parure ne se composait que de la dépouille de ses sœurs. Qu'on se figure une petite fille maigre, trop grande pour son âge, bras dégingandés, air timide, parlant avec difficulté et ne pouvant rien apprendre ; qu'on lui mette une robe empruntée à une autre taille que la sienne ; renfermez sa poitrine dans un corps [1] piqué dont les pointes lui faisaient des plaies aux côtés ; soutenez son cou par un collier de fer garni de velours brun [2] ; retroussez ses cheveux sur le haut de sa tête, rattachez-les avec une toque d'étoffe noire ; et vous verrez la misérable créature qui me frappa en rentrant sous le toit paternel. Personne n'aurait soupçonné dans la chétive Lucile, les talents et la beauté qui devaient un jour briller en elle.

Elle me fut livrée comme un jouet ; je n'abusai point de mon pouvoir ; au lieu de la soumettre à mes volontés, je devins son défenseur. On me conduisait tous les matins avec elle chez les sœurs Couppart, deux vieilles bossues habillées de noir, qui montraient à lire aux enfants. Lucile lisait fort mal ; je lisais encore plus mal. On la grondait ; je griffais les sœurs ; grandes plaintes portées à ma mère. Je commençais à passer pour un vaurien, un révolté, un paresseux, un âne enfin. Ces idées entraient dans la tête de mes parents : mon père disait que tous les chevaliers de Cha-

---

1 Corset.
2 Pour se tenir droite.

teaubriand avaient été des fouetteurs de lièvres, des ivrognes et des querelleurs. Ma mère soupirait et grognait en voyant le désordre de ma jaquette. Tout enfant que j'étais, le propos de mon père me révoltait ; quand ma mère couronnait ses remontrances par l'éloge de mon frère qu'elle appelait un Caton, un héros, je me sentais disposé à faire tout le mal qu'on semblait attendre de moi.

Mon maître d'écriture, M. Després, à perruque de matelot, n'était pas plus content de moi que mes parents ; il me faisait copier éternellement, d'après un exemple de sa façon, ces deux vers que j'ai pris en horreur, non à cause de la faute de langue qui s'y trouve :

> *C'est à vous, mon esprit, à qui je veux parler :*
> *Vous avez des défauts que je ne puis celer* [1].

Il accompagnait ses réprimandes de coups de poing qu'il me donnait dans le cou, en m'appelant *tête d'achôcre* ; voulait-il dire *achore* * ? Je ne sais pas ce que c'est qu'une tête d'achôcre, mais je la tiens pour effroyable [2].

Saint-Malo n'est qu'un rocher. S'élevant autrefois au milieu d'un marais salant, il devint une île par l'irruption de la mer qui, en 709, creusa le golfe et mit le mont Saint-Michel au milieu des flots. Aujourd'hui, le rocher de Saint-Malo ne tient à la terre ferme que par une chaussée appelée poétiquement le Sillon. Le Sillon est assailli d'un côté par la pleine mer, de l'autre est lavé par le flux qui tourne pour entrer dans le port. Une tempête le détruisit presque entièrement en 1730. Pendant les heures de reflux, le port reste à sec, et à la bordure est et nord de la mer, se découvre une grève du plus beau sable. On peut faire alors le tour de mon nid paternel. Auprès et au loin, sont semés des rochers, des forts, des îlots inhabités ; le Fort-Royal, la Conchée, Cézembre et le Grand-Bé, où sera mon tombeau ; j'avais bien choisi sans le savoir : *be*, en breton, signifie *tombe*.

---

1. Boileau, épître IX, *À mon esprit*, v. 1-2.

* Ἄχωρ, gourme.

2. Les *achores* sont une maladie de peau infantile, généralement appelée *gourme des enfants Tête d'achoire* signifiait, dans le pays malouin, « tête dure ».

Au bout du Sillon, planté d'un calvaire, on trouve une butte de sable au bord de la grande mer. Cette butte s'appelle la Hoguette ; elle est surmontée d'un vieux gibet : les piliers nous servaient à jouer aux quatre coins ; nous les disputions aux oiseaux de rivage. Ce n'était cependant pas sans une sorte de terreur que nous nous arrêtions dans ce lieu.

Là, se rencontrent aussi les *Miels*, dunes où pâturaient les moutons ; à droite sont des prairies au bas de Paramé, le chemin de poste [1] de Saint-Servan, le cimetière neuf, un calvaire et des moulins sur des buttes, comme ceux qui s'élèvent sur le tombeau d'Achille à l'entrée de l'Hellespont [2].

4

Vie de ma grand'mère maternelle et de sa sœur, à Plancouët.
Mon oncle le comte de Bedée, à Monchoix.
Relèvement du vœu de ma nourrice.

Je touchais à ma septième année ; ma mère me conduisit à Plancouët, afin d'être relevé du vœu de ma nourrice ; nous descendîmes chez ma grand'mère. Si j'ai vu le bonheur, c'était certainement dans cette maison.

Ma grand'mère occupait, dans la rue du Hameau de l'Abbaye, une maison dont les jardins descendaient en terrasse sur un vallon, au fond duquel on trouvait une fontaine entourée de saules. Madame de Bedée ne marchait plus, mais à cela près, elle n'avait aucun des inconvénients de son âge : c'était une agréable vieille, grasse [3], blanche, propre, l'air grand, les manières belles et nobles, portant des robes à plis à l'antique et une coiffe noire de dentelle, nouée sous le menton. Elle avait l'esprit orné, la conversation grave, l'humeur sérieuse. Elle était soignée par sa sœur, mademoiselle de Boisteilleul, qui ne lui ressemblait que par la bonté. Celle-ci était une petite personne maigre,

---

1. Route nationale
2. Allusion à un passage de l'*Itinéraire* (p. 209).
3. Attention : l'adjectif n'est pas péjoratif.

enjouée, causeuse, railleuse. Elle avait aimé un comte de
Trémignon, lequel comte ayant dû l'épouser, avait ensuite
violé sa promesse. Ma tante s'était consolée en célébrant
ses amours, car elle était poète. Je me souviens de lui avoir
souvent entendu chantonner en nasillant, lunettes sur le nez,
tandis qu'elle brodait pour sa sœur des manchettes à deux
rangs, un apologue qui commençait ainsi :

> Un épervier aimait une fauvette
> Et, ce dit-on, il en était aimé.

ce qui m'a paru toujours singulier pour un épervier. La
chanson finissait par ce refrain :

> Ah ! Trémignon, la fable est-elle obscure ?
> Ture lure [1].

Que de choses dans le monde finissent comme les
amours de ma tante, ture lure !

Ma grand'mère se reposait sur sa sœur des soins de la
maison. Elle dînait à onze heures du matin, faisait la sieste ;
à une heure elle se réveillait ; on la portait au bas des
terrasses du jardin, sous les saules de la fontaine, où elle
tricotait, entourée de sa sœur, de ses enfants et petits-enfants.
En ce temps-là, la vieillesse était une dignité ; aujourd'hui
elle est une charge. À quatre heures, on reportait ma grand'
mère dans son salon ; Pierre, le domestique, mettait une
table de jeu ; mademoiselle de Boisteilleul frappait avec les
pincettes contre la plaque de la cheminée, et quelques instants après, on voyait entrer trois autres vieilles filles qui
sortaient de la maison voisine à l'appel de ma tante. Ces
trois sœurs se nommaient les demoiselles Vildéneux ; filles
d'un pauvre gentilhomme, au lieu de partager son mince
héritage, elles en avaient joui en commun, ne s'étaient
jamais quittées, n'étaient jamais sorties de leur village paternel. Liées depuis leur enfance avec ma grand'mère, elles
logeaient à sa porte et venaient tous les jours, au signal
convenu dans la cheminée, faire la partie de quadrille [2] de
leur amie. Le jeu commençait ; les bonnes dames se que-

---

1. Au début des *Confessions* de Rousseau, on trouvera un passage analogue, à propos des chansons de la tante Suzon.
2. Le quadrille se joue à quatre personnes avec un jeu de quarante cartes.

rellaient : c'était le seul événement de leur vie, le seul moment où l'égalité de leur humeur fût altérée. À huit heures, le souper ramenait la sérénité. Souvent mon oncle de Bedée, avec son fils et ses trois filles, assistait au souper de l'aïeule. Celle-ci faisait mille récits du vieux temps ; mon oncle, à son tour, racontait la bataille de Fontenoy [1], où il s'était trouvé, et couronnait ses vanteries par des histoires un peu franches qui faisaient pâmer de rire les honnêtes demoiselles. À neuf heures, le souper fini, les domestiques entraient ; on se mettait à genoux, et mademoiselle de Bois-teilleul disait à haute voix la prière. À dix heures, tout dormait dans la maison, excepté ma grand'mère, qui se faisait faire la lecture par sa femme de chambre jusqu'à une heure du matin [2].

Cette société, que j'ai remarquée la première dans ma vie, est aussi la première qui ait disparu à mes yeux. J'ai vu la mort entrer sous ce toit de paix et de bénédiction, le rendre peu à peu solitaire, fermer une chambre et puis une autre qui ne se rouvrirait plus. J'ai vu ma grand'mère for-cée de renoncer à son quadrille, faute des *partners* accou-tumés ; j'ai vu diminuer le nombre de ces constantes amies, jusqu'au jour où mon aïeule tomba la dernière. Elle et sa sœur s'étaient promis de s'entre-appeler aussitôt que l'une aurait devancé l'autre ; elles se tinrent parole, et madame de Bedée ne survécut que peu de mois à mademoiselle de Boisteilleul. Je suis peut-être le seul homme au monde qui sache que ces personnes ont existé. Vingt fois, depuis cette époque, j'ai fait la même observation ; vingt fois des socié-tés se sont formées et dissoutes autour de moi. Cette

---

1. Fameuse bataille de la guerre de succession d'Autriche (1745). Le maré-chal de Saxe à la tête des troupes françaises y battit les Hollandais et les Anglais (« Messieurs les Anglais, tirez les premiers »)
2. Chez les paysans, le rythme des repas au XVIIIe siècle est à peu près celui que nous connaissons : *déjeuner* au lever du soleil, *dîner* à midi et *souper* au coucher du soleil Dans les villes, le lever est accompagné d'un bouillon, ou déjà au XVIIIe siècle, d'un café ou d'un chocolat ; le déjeuner (froid) a lieu vers 11 h. L'heure du dîner a tendance à reculer de plus en plus : de 14 h sous Louis XIV, elle passe à 16 h ou 18 h, voire plus tard encore sous Louis XVI. Le souper disparut pratiquement avec la Révo-lution. Chateaubriand confond les dénominations, mais cette confusion est fréquente à son époque, qui est une période de transition pour ces horaires.

impossibilité de durée et de longueur dans les liaisons humaines, cet oubli profond qui nous suit, cet invincible silence qui s'empare de notre tombe et s'étend de là sur notre maison, me ramènent sans cesse à la nécessité de l'isolement[1]. Toute main est bonne pour nous donner le verre d'eau dont nous pouvons avoir besoin dans la fièvre de la mort. Ah! qu'elle ne nous soit pas trop chère! car comment abandonner sans désespoir la main que l'on a couverte de baisers et que l'on voudrait tenir éternellement sur son cœur?

Le château du comte de Bedée[2] était situé à une lieue[3] de Plancouët, dans une position élevée et riante. Tout y respirait la joie; l'hilarité de mon oncle était inépuisable. Il avait trois filles, Caroline, Marie et Flore, et un fils, le comte de La Bouëtardais, conseiller au parlement, qui partageaient son épanouissement de cœur. Monchoix était rempli des cousins du voisinage; on faisait de la musique, on dansait, on chassait, on était en liesse du matin au soir. Ma tante, madame de Bedée, qui voyait mon oncle manger gaiement son fonds et son revenu, se fâchait assez justement; mais on ne l'écoutait pas, et sa mauvaise humeur augmentait la bonne humeur de sa famille; d'autant que ma tante était elle-même sujette à bien des manies: elle avait toujours un grand chien de chasse hargneux couché dans son giron, et à sa suite un sanglier privé qui remplissait le château de ses grognements. Quand j'arrivais de la maison paternelle, si sombre et si silencieuse, à cette maison de fêtes et de bruit, je me trouvais dans un véritable paradis. Ce contraste devint plus frappant, lorsque ma famille fut fixée à la campagne: passer de Combourg à Monchoix, c'était passer du désert dans le monde, du donjon d'un baron du Moyen Âge à la villa d'un prince romain.

Le jour de l'Ascension de l'année 1775, je partis de chez ma grand'mère, avec ma mère, ma tante de Boisteilleul, mon oncle de Bedée et ses enfants, ma nourrice et mon frère de lait, pour Notre-Dame de Nazareth. J'avais une

---

1. Comprendre: à l'isolement forcé.
2. Ce château de Monchoix fut bâti par l'oncle de Chateaubriand entre 1759 et 1767. Il existe toujours.
3. Une lieue = 4,5 km.

lévite [1] blanche, des souliers, des gants, un chapeau blancs,
et une ceinture de soie bleue. Nous montâmes à l'Abbaye
à dix heures du matin. Le couvent, placé au bord du chemin, s'envieillissait d'un quinconce d'ormes du temps de
Jean V de Bretagne. Du quinconce on entrait dans le cimetière : le chrétien ne parvenait à l'église qu'à travers la
région des sépulcres : c'est par la mort qu'on arrive à la présence de Dieu [2].

Déjà les religieux occupaient les stalles ; l'autel était illu-
miné d'une multitude de cierges ; des lampes descendaient
des différentes voûtes : il y a dans les édifices gothiques
des lointains et comme des horizons successifs. Les mas-
siers [3] me vinrent prendre à la porte, en cérémonie, et me
conduisirent dans le chœur. On y avait préparé trois sièges :
je me plaçai dans celui du milieu ; ma nourrice se mit à ma
gauche ; mon frère de lait à ma droite.

La messe commença : à l'offertoire [4], le célébrant se
tourna vers moi et lut des prières ; après quoi on m'ôta mes
habits blancs, qui furent attachés en *ex-voto* au-dessous d'une
image de la Vierge. On me revêtit d'un habit couleur violette. Le prieur prononça un discours sur l'efficacité des
vœux ; il rappela l'histoire du baron de Chateaubriand, passé
dans l'Orient avec Saint Louis ; il me dit que je visiterais
peut-être aussi, dans la Palestine, cette Vierge de Nazareth,
à qui je devais la vie par l'intercession des prières du pauvre,
toujours puissantes auprès de Dieu. Ce moine, qui me racontait l'histoire de ma famille, comme le grand-père de Dante
lui faisait l'histoire de ses aïeux, aurait pu aussi, comme Cac-
ciaguida, y joindre la prédiction de mon exil.

---

1. Redingote longue à la mode à la fin du XVIIIᵉ siècle. Peut-être Chateaubriand veut-il simplement dire *aube*. L'habit décrit est celui des communiants
2. Cette première impression liturgique contient bien des motifs du sentiment religieux mis à la mode par le *Génie du christianisme* : tombeaux,
gothique, nature, ancienneté, pureté de l'enfance, etc. Chateaubriand
arrange ses souvenirs en fonction de ces poncifs : l'église de l'abbaye n'est
pas gothique et il n'y aurait pas de quinconce d'ormes. Mais la déforma-
tion poétique est aussi à mettre au compte de la mémoire : on a là le premier souvenir d'enfance de Chateaubriand.
3. Suisse (huissier) portant une masse d'armes dans les cérémonies.
4. Dans le déroulement de la messe, moment de préparation des offrandes,
entre la liturgie de la parole et la liturgie eucharistique.

Tu proverai si come sà di sale
Il pane altrui, e com'è duro calle
Lo scendere e'l salir per l'altrui scale.
E quel che più ti graverà le spalle,
Sarà la compagnia malvagia e scempia,
Con la qual tu cadrai in questa valle;
Che tutta ingratta, tutta matta ed empia
Si farà contra te ....
....
Di sua bestialitate il suo processo
Sarà la pruova : sì ch'a te sia bello
Averti fatta parte, per te stesso.

« Tu sauras combien le pain d'autrui a le goût du sel, combien est dur le degré du monter et du descendre de l'escalier d'autrui. Et ce qui pèsera encore davantage sur tes épaules sera la compagnie mauvaise et hérétique avec laquelle tu tomberas et qui tout ingrate, toute folle, tout impie, se tournera contre toi... De sa stupidité sa conduite fera preuve ; tant qu'à toi il sera beau de t'être fait un parti de toi-même[1]. »

Depuis l'exhortation du bénédictin, j'ai toujours rêvé le pèlerinage de Jérusalem, et j'ai fini par l'accomplir.

J'ai été consacré à la religion, la dépouille de mon innocence a reposé sur ses autels : ce ne sont pas mes vêtements qu'il faudrait suspendre aujourd'hui à ses temples, ce sont mes misères.

On me ramena à Saint-Malo. Saint-Malo n'est point l'Aleth de la *Notitia imperii* : Aleth était mieux placée par les Romains dans le faubourg Saint-Servan, au port militaire appelé *Solidor*, à l'embouchure de la Rance. En face d'Aleth, était un rocher, *est in conspectu Tenedos*[2], non le refuge des perfides Grecs, mais la retraite de l'ermite Aaron, qui, l'an 507, établit dans cette île sa demeure ; c'est la date de la victoire de Clovis sur Alaric ; l'un fonda un petit couvent, l'autre une grande monarchie, édifices également tombés.

---

1. Dante, *Divine Comédie*, « Le Paradis », chant XVII, v. 58-69.
2. Virgile, *Énéide*, II, 21. *On voit en face Ténédos*, l'île située en face de Troie, où les Grecs se cachèrent lorsqu'ils firent semblant d'abandonner le siège.

Malo, en latin *Maclovius, Macutus, Machutes,* devenu
en 541 évêque d'Aleth, attiré qu'il fut par la renommée
d'Aaron, le visita. Chapelain de l'oratoire de cet ermite,
après la mort du saint, il éleva une église cénobiale [1], *in
praedio Machutis.* Ce nom de Malo se communiqua à l'île,
et ensuite à la ville, *Maclovium, Maclopolis.*

De saint Malo, premier évêque d'Aleth, au bienheureux
Jean surnommé *de la Grille,* sacré en 1140 [2] et qui fit élever la cathédrale, on compte quarante-cinq évêques. Aleth
ayant été presque entièrement détruit en 1172, Jean de la
Grille transféra le siège épiscopal de la ville romaine dans
la ville bretonne qui croissait sur le rocher d'Aaron.

Saint-Malo eut beaucoup à souffrir dans les guerres qui
survinrent entre les rois de France et d'Angleterre.

Le comte de Richemont, depuis Henri VII d'Angleterre,
en qui se terminèrent les démêlés de la Rose blanche et de
la Rose rouge, fut conduit à Saint-Malo [3]. Livré par le duc
de Bretagne aux ambassadeurs de Richard, ceux-ci l'em-
menaient à Londres pour le faire mourir. Échappé à ses
gardes, il se réfugia dans la cathédrale, *Asylum quod in ea
urbe est inviolatissimum* [4] : ce droit d'asile Minihi [5] remontait aux Druides, premiers prêtres de l'île d'Aaron [6].

Un évêque de Saint-Malo fut l'un des trois favoris (les
deux autres étaient Arthur de Montauban et Jean Hingaut)

---

1. De *cénobites*, moines des premiers temps, vivant en communauté.
2. Les évêques sont sacrés ou consacrés. Le sacre des rois de France s'inspire de la consécration épiscopale.
3. La guerre des Deux-Roses opposa entre 1455 et 1485 deux familles
prétendant également au trône d'Angleterre : les Lancastre (la rose rouge)
et les York (la rose blanche). Henri VII Tudor, d'abord comte de Rich-
mond (orthographe francisée), descendant des Lancastre, battit le dernier
roi de la dynastie des York Richard III, qui avait lui-même usurpé le trône
à ses propres neveux. Ces événements font l'objet de la pièce de Shakespeare, *Richard III,* dont Chateaubriand se souvient manifestement ici,
mais aussi de la pièce, alors célèbre, de Casimir Delavigne qui en est ins-
pirée, *Les Enfants d'Édouard* (1832).
4. « Asile qui, dans cette ville, est tout particulièrement inviolable. »
5. Mot breton désignant des lieux d'asile importants.
6. Chateaubriand, dans le *Génie du christianisme,* établit constamment
une continuité de tradition entre religion des Druides et christianisme, imitant en cela la démarche des Pères de l'Église. Il renverse ainsi un thème
cher à la propagande anti-chrétienne du XVIIIᵉ siècle qui prétendait que le
christianisme n'avait fait que copier le paganisme.

qui perdirent l'infortuné Gilles de Bretagne : c'est ce qu'on voit dans l'*Histoire lamentable de Gilles, seigneur de Chateaubriand et de Chantocé, prince du sang de France et de Bretagne, étranglé en prison par les ministres du favori, le 24 avril 1450.*

Il y a une belle capitulation [1] entre Henri IV et Saint-Malo : la ville traite de puissance à puissance, protège ceux qui se sont réfugiés dans ses murs, et demeure libre, par une ordonnance de Philibert de La Guiche, grand-maître de l'artillerie de France, de faire fondre cent pièces de canon. Rien ne ressemblait davantage à Venise (au soleil et aux arts près) que cette petite république malouine, par sa religion, ses richesses et sa chevalerie de mer. Elle appuya l'expédition de Charles Quint en Afrique et secourut Louis XIII devant La Rochelle. Elle promenait son pavillon sur tous les flots, entretenait des relations avec Moka, Surate, Pondichéry, et une compagnie formée dans son sein explorait la mer du Sud.

À compter du règne de Henri IV, ma ville natale se distingua par son dévouement et sa fidélité à la France. Les Anglais la bombardèrent en 1693 ; ils y lancèrent, le 29 novembre de cette année, une machine infernale [2], dans les débris de laquelle j'ai souvent joué avec mes camarades. Ils la bombardèrent de nouveau en 1758.

Les Malouins prêtèrent des sommes considérables à Louis XIV pendant la guerre de 1701 : en reconnaissance de ce service, il leur confirma le privilège de se garder eux-mêmes ; il voulut que l'équipage du premier vaisseau de la marine royale fût exclusivement composé de matelots de Saint-Malo et de son territoire.

En 1771, les Malouins renouvelèrent leur sacrifice et prêtèrent trente millions à Louis XV. Le fameux amiral Anson [3] descendit à Cancale, en 1758, et brûla Saint-Servan. Dans le château de Saint-Malo, La Chalotais écrivit sur du linge, avec un cure-dents, de l'eau et de la suie, les mémoires qui firent tant de bruit et dont personne ne

---

1. Convention. Les Malouins se constituèrent alors en *république maritime*, semi-indépendante, jusqu'à la Révolution.
2. Une bombe.
3. Amiral anglais (1697-1762).

se souvient. Les événements effacent les événements ;
inscriptions gravées sur d'autres inscriptions, ils font des
pages de l'histoire des palimpsestes [1].

Saint-Malo fournissait les meilleurs matelots de notre
marine ; on peut en voir le rôle [2] général dans le volume
in-fol. publié en 1682, sous ce titre : *Rôle général des officiers, mariniers et matelots de Saint-Malo*. Il y a une *Coutume de Saint-Malo*, imprimée dans le recueil du Coutumier général [3]. Les archives de la ville sont assez riches en
chartes utiles à l'histoire et au droit maritime.

Saint-Malo est la patrie de Jacques Cartier, le Christophe
Colomb de la France, qui découvrit le Canada. Les
Malouins ont encore signalé à l'autre extrémité de l'Amé-
rique les îles qui portent leur nom : *les îles Malouines* [4].

Saint-Malo est la ville natale de Duguay-Trouin, l'un des
plus grands hommes de mer qui aient paru ; et de nos jours
elle a donné à la France Surcouf. Le célèbre Mahé de La
Bourdonnais, gouverneur de l'île de France, naquit à Saint-
Malo, de même que Lamettrie. Maupertuis, l'abbé Trublet [5],
dont Voltaire a ri : tout cela n'est pas trop mal pour une
enceinte qui n'égale pas celle du jardin des Tuileries.

L'abbé de Lamennais a laissé loin derrière lui ces petites
illustrations littéraires de ma patrie. Broussais est également né à Saint-Malo, ainsi que mon noble ami, le comte
de La Ferronays [6].

_____

1. Admirable image ! Un palimpseste est un manuscrit gratté pour en effa-
cer le premier texte et le réutiliser Pour La Chalotais, voir *supra*, p. 65,
n. 4.
2. La liste
3. Le droit français d'Ancien Régime était en grande partie un droit coutumier. La jurisprudence était consignée dans des recueils appelés *Coutumes*, eux-mêmes rassemblés dans des *Coutumiers*. Il y avait autant de
coutumes que de provinces. Le Code civil les remplaça.
4. Actuellement colonie britannique sous le nom d'îles Falklands.
5. Duguay-Trouin (1673-1736), Surcouf (1773-1827), tous deux corsaires.
La Bourdonnais (1699-1753), gouverneur de l'île Bourbon et de l'île de
France (actuellement île de la Réunion et île Maurice). La Mettrie (1709-
1751), médecin matérialiste, auteur de *L'Homme machine*, Maupertuis
(1698-1759), mathématicien, Trublet (1697-1770), publiciste (voir p. 65,
n. 2).
6. Lamennais (1782-1854), prêtre, d'abord ultra-royaliste et ultramontain,
il fut l'auteur de l'*Essai sur l'indifférence en matière religieuse* (1817-
1823). Il s'éloigna progressivement du pape, jusqu'à la rupture. *Paroles*

Enfin, pour ne rien omettre, je rappellerai les dogues qui formaient la garnison de Saint-Malo [1] : ils descendaient de ces chiens fameux, enfants de régiment dans les Gaules, et qui, selon Strabon, livraient avec leurs maîtres des batailles rangées aux Romains. Albert le Grand, religieux de l'ordre de saint Dominique, auteur aussi grave que le géographe grec [2], déclare qu'à Saint-Malo « la garde d'une place si importante était commise toutes les nuits à la fidélité de certains dogues qui faisaient bonne et sûre patrouille ». Ils furent condamnés à la peine capitale pour avoir eu le malheur de manger inconsidérément les jambes d'un gentilhomme ; ce qui a donné lieu de nos jours à la chanson : *Bon voyage* [3]. On se moque de tout. On emprisonna les criminels ; l'un d'eux refusa de prendre la nourriture des mains de son gardien qui pleurait ; le noble animal se laissa mourir de faim : les chiens, comme les hommes, sont punis de leur fidélité. Au surplus, le Capitole était, de même que ma Délos, gardé par des chiens, lesquels n'aboyaient pas lorsque Scipion l'Africain venait à l'aube faire sa prière [4].

Enclos de murs de diverses époques qui se divisent en *grands* et *petits*, et sur lesquels on se promène, Saint-Malo est encore défendu par le château dont j'ai parlé, et qu'augmenta de tours, de bastions et de fossés, la duchesse Anne. Vue du dehors, la cité insulaire ressemble à une citadelle de granit.

---

d'un croyant (1834) fut alors un très grand succès de librairie. Lamennais est, historiquement, le théoricien le plus important du catholicisme ultramontain (prônant la soumission inconditionnelle au pape), puis du catholicisme social et libéral. Broussais (1772-1832), grand médecin sous l'Empire. La Ferronnays (1772-1842), diplomate, membre du parti ultra, ministre des Affaires étrangères en 1828-1829.
1. Chiens de garde lâchés dans le port de Saint-Malo la nuit, supprimés en 1770 suite à l'accident auquel Chateaubriand fait allusion.
2. Dominicain du XVIIᵉ siècle, auteur d'une *Vie des saints de Bretagne*.
3. « Bon voyage Monsieur Dumollet,/ De Saint-Malo repartez sans naufrage… »
4. Scipion l'Africain (235-183 av. J.-C.), le vainqueur d'Hannibal, pénétrait dans le temple de Jupiter au Capitole, la nuit, et y restait plongé dans la méditation jusqu'à l'aube. Fascinés par son prestige mystique, les chiens de garde semblaient lui obéir (Tite-Live, *Histoire romaine*, XXVI). La comparaison de Saint-Malo avec Délos, l'île de la naissance d'Apollon, tient à ce que Saint-Malo est bâti sur une île.

C'est sur la grève de la pleine mer, entre le château et le Fort Royal, que se rassemblent les enfants ; c'est là que j'ai été élevé, compagnon des flots et des vents. Un des premiers plaisirs que j'aie goûtés était de lutter contre les orages, de me jouer avec les vagues qui se retiraient devant moi, ou couraient après moi sur la rive. Un autre divertissement était de construire, avec l'arène [1] de la plage, des monuments que mes camarades appelaient des *fours*. Depuis cette époque, j'ai souvent cru bâtir pour l'éternité des châteaux plus vite écroulés que mes palais de sable.

Mon sort étant irrévocablement fixé, on me livra à une enfance oisive. Quelques notions de dessin, de langue anglaise, d'hydrographie et de mathématiques, parurent plus que suffisantes à l'éducation d'un garçonnet destiné d'avance à la rude vie d'un marin.

Je croissais sans étude dans ma famille ; nous n'habitions plus la maison où j'étais né : ma mère occupait un hôtel, place Saint-Vincent, presque en face de la porte de la ville qui communique au Sillon. Les polissons de la ville étaient devenus mes plus chers amis : j'en remplissais la cour et les escaliers de la maison. Je leur ressemblais en tout ; je parlais leur langage ; j'avais leur façon et leur allure ; j'étais vêtu comme eux, déboutonné et débraillé comme eux ; mes chemises tombaient en loques ; je n'avais jamais une paire de bas qui ne fût largement trouée ; je traînais de méchants souliers éculés, qui sortaient à chaque pas de mes pieds ; je perdais souvent mon chapeau et quelquefois mon habit. J'avais le visage barbouillé, égratigné, meurtri, les mains noires. Ma figure était si étrange, que ma mère, au milieu de sa colère, ne se pouvait empêcher de rire et de s'écrier : « Qu'il est laid ! »

J'aimais pourtant et j'ai toujours aimé la propreté, même l'élégance. La nuit, j'essayais de raccommoder mes lambeaux ; la bonne Villeneuve et ma Lucile m'aidaient à réparer ma toilette, afin de m'épargner des pénitences et des gronderies ; mais leur rapiécetage ne servait qu'à rendre mon accoutrement plus bizarre. J'étais surtout désolé,

---

1. Sable (archaïsme).

quand je paraissais déguenillé au milieu des enfants, fiers
de leurs habits neufs et de leur braverie.

Mes compatriotes avaient quelque chose d'étranger,
qui rappelait l'Espagne. Des familles malouines étaient
établies à Cadix ; des familles de Cadix résidaient à Saint-
Malo. La position insulaire, la chaussée, l'architecture, les
maisons, les citernes, les murailles de granit de Saint-
Malo lui donnent un air de ressemblance avec Cadix :
quand j'ai vu la dernière ville, je me suis souvenu de la
première.

Enfermés le soir sous la même clef dans leur cité, les
Malouins ne composaient qu'une famille. Les mœurs
étaient si candides que de jeunes femmes qui faisaient
venir des rubans et des gazes de Paris, passaient pour des
mondaines dont leurs compagnes effarouchées se séparaient. Une faiblesse était une chose inouïe : une comtesse
d'Abbeville ayant été soupçonnée, il en résulta une
complainte que l'on chantait en se signant. Cependant le
poète, fidèle, malgré lui, aux traditions des troubadours,
prenait parti contre le mari qu'il appelait un monstre bar-
bare.

Certains jours de l'année, les habitants de la ville et de
la campagne se rencontraient à des foires appelées *assemblées*, qui se tenaient dans les îles et sur des forts autour
de Saint-Malo ; ils s'y rendaient à pied quand la mer était
basse, en bateau lorsqu'elle était haute. La multitude de
matelots et de paysans ; les charrettes entoilées ; les cara-
vanes de chevaux, d'ânes et de mulets ; le concours des
marchands ; les tentes plantées sur le rivage ; les proces-
sions de moines et de confréries qui serpentaient avec leurs
bannières et leurs croix au milieu de la foule ; les chaloupes
allant et venant à la rame ou à la voile ; les vaisseaux entrant
au port, ou mouillant en rade ; les salves d'artillerie, le
branle des cloches, tout contribuait à répandre dans ces
réunions le bruit, le mouvement et la variété.

J'étais le seul témoin de ces fêtes qui n'en partageât pas
la joie. J'y paraissais sans argent pour acheter des jouets
et des gâteaux. Évitant le mépris qui s'attache à la mauvaise fortune, je m'asseyais loin de la foule, auprès de ces
flaques d'eau que la mer entretient et renouvelle dans les
concavités des rochers. Là, je m'amusais à voir voler les

pingouins [1] et les mouettes, à béer aux lointains bleuâtres,
à ramasser des coquillages, à écouter le refrain des vagues
parmi les écueils. Le soir au logis, je n'étais guère plus heureux ; j'avais une répugnance pour certains mets : on me
forçait d'en manger. J'implorais les yeux de La France qui
m'enlevait adroitement mon assiette, quand mon père tournait la tête. Pour le feu, même rigueur : il ne m'était pas
permis d'approcher de la cheminée. Il y a loin de ces
parents sévères aux gâte-enfants d'aujourd'hui.

Mais si j'avais des peines qui sont inconnues de l'enfance nouvelle, j'avais aussi quelques plaisirs qu'elle
ignore.

On ne sait plus ce que c'est que ces solennités de religion et de famille où la patrie entière et le Dieu de cette
patrie avaient l'air de se réjouir ; Noël, le premier de l'an,
les Rois, Pâques, la Pentecôte, la Saint-Jean étaient pour
moi-même des jours de prospérité. Peut-être l'influence
de mon rocher natal a-t-elle agi sur mes sentiments et sur
mes études. Dès l'année 1015, les Malouins firent vœu
d'aller aider à bâtir *de leurs mains et de leurs moyens* les
clochers de la cathédrale de Chartres : n'ai-je pas aussi travaillé de mes mains à relever la flèche abattue de la vieille
basilique chrétienne [2] ? « Le soleil, dit le père Maunoir [3],
n'a jamais éclairé canton où ait paru une plus constante et
invariable fidélité dans la vraie foi, que la Bretagne. Il y a
treize siècles qu'aucune infidélité n'a souillé la langue qui
a servi d'organe pour prêcher Jésus-Christ, et il est à naître
qui ait vu Breton bretonnant prêcher autre religion que la
catholique. »

Durant les jours de fête que je viens de rappeler, j'étais
conduit en station [4] avec mes sœurs aux divers sanctuaires
de la ville, à la chapelle de Saint-Aaron, au couvent de la
Victoire ; mon oreille était frappée de la douce voix de

---

1. Le mot, sans doute d'origine bretonne, désigne toute espèce d'oiseau
en troupe et volant mal, le macareux par exemple.
2. Allusion au *Génie du christianisme*, qui contribua puissamment à la
restauration de l'Église en France et au renouveau catholique.
3. Jésuite (1606-1683), auteur d'une *Vie de saint Corentin* en breton.
4. Une procession religieuse est ponctuée d'arrêts dits « stations », souvent aménagés en *reposoirs* pour le saint sacrement, la châsse ou la croix
qui fait l'objet de la procession.

quelques femmes invisibles : l'harmonie de leurs cantiques se mêlait aux mugissements des flots [1]. Lorsque, dans l'hiver, à l'heure du salut, la cathédrale se remplissait de la foule ; que de vieux matelots à genoux, de jeunes femmes et des enfants lisaient, avec de petites bougies, dans leurs Heures [2] ; que la multitude, au moment de la bénédiction, répétait en chœur le *Tantum ergo* [3] ; que dans l'intervalle de ces chants, les rafales de Noël frôlaient les vitraux de la basilique, ébranlaient les voûtes de cette nef que fit résonner la mâle poitrine de Jacques Cartier et de Duguay-Trouin, j'éprouvais un sentiment extraordinaire de religion. Je n'avais pas besoin que la Villeneuve me dît de joindre les mains pour invoquer Dieu par tous les noms que ma mère m'avait appris ; je voyais les cieux ouverts, les anges offrant notre encens et nos vœux [4] ; je courbais mon front : il n'était point encore chargé de ces ennuis qui pèsent si horriblement sur nous, qu'on est tenté de ne plus relever la tête lorsqu'on l'a inclinée au pied des autels.

Tel marin, au sortir de ces pompes, s'embarquait tout fortifié contre la nuit, tandis que tel autre rentrait au port en se dirigeant sur le dôme éclairé de l'église : ainsi la religion et les périls étaient continuellement en présence, et leurs images se présentaient inséparables à ma pensée. À peine étais-je né, que j'ouïs parler de mourir : le soir, un homme allait avec une sonnette de rue en rue, avertissant les chrétiens de prier pour un de leurs frères décédé. Presque tous les ans, des vaisseaux se perdaient sous mes yeux, et, lorsque je m'ébattais le long des grèves, la mer roulait à mes pieds les cadavres d'hommes étrangers, expirés loin de leur patrie. Madame de Chateaubriand me disait, comme sainte Monique [5] disait à son fils : *Nihil longe est*

---

1. Page parallèle à la fin de *René*.
2. *Livre d'Heures*. Les *Heures* sont les offices de la journée (laudes, vêpres, complies, etc.). Témoignage historique sur la pratique de la lecture.
3. Chant final des *Saluts*, cérémonies d'adoration du saint sacrement, qui suivaient les vêpres lors des fêtes solennelles.
4. Lors de la messe, la prière eucharistique se célèbre conjointement sur terre à l'autel et dans *les cieux ouverts devant nous*.
5. Mère de saint Augustin, qui en parle abondamment dans ses *Confessions* (v. 331-387).

a Deo : « Rien n'est loin de Dieu. » On avait confié mon éducation à la Providence : elle ne m'épargnait pas les leçons.

Voué à la Vierge, je connaissais et j'aimais ma protectrice que je confondais avec mon ange gardien : son image, qui avait coûté un demi-sou à la bonne Villeneuve, était attachée avec quatre épingles, à la tête de mon lit. J'aurais dû vivre dans ces temps où l'on disait à Marie : « Doulce Dame du ciel et de la terre, mère de piété, fontaine de tous biens, qui portastes Jésus-Christ en vos prétieulx flancz, belle très-doulce Dame, je vous mercye et vous prye. »

La première chose que j'ai sue par cœur est un cantique de matelot commençant ainsi :

> Je mets ma confiance,
> Vierge en votre secours ;
> Servez-moi de défense,
> Prenez soin de mes jours ;
> Et quand ma dernière heure
> Viendra finir mon sort,
> Obtenez que je meure
> De la plus sainte mort.

J'ai entendu depuis chanter ce cantique dans un naufrage [1]. Je répète encore aujourd'hui ces méchantes rimes avec autant de plaisir que des vers d'Homère ; une madone coiffée d'une couronne gothique, vêtue d'une robe de soie bleue, garnie d'une frange d'argent, m'inspire plus de dévotion qu'une Vierge de Raphaël.

Du moins, si cette pacifique *Étoile des mers* [2] avait pu calmer les troubles de ma vie ! Mais je devais être agité, même dans mon enfance ; comme le dattier de l'Arabe, à peine ma tige était sortie du rocher qu'elle fut battue du vent.

---

1. Voir *Mémoires*, VIII, 7. Le texte ressemble beaucoup, de nouveau, à celui des chansons de la tante Suzon au début des *Confessions* de Rousseau. Ce cantique est également présent dans les *Mémoires*, XIV, 2 ; *Génie*, I, 5, 12. Il fut chanté en Haute-Bretagne jusqu'en 1928 environ.
2. Dénomination de Marie inventée par saint Bernard : le nom *Marie* (*Myriam*) aurait cette signification.

5

La Vallée-aux-Loups, juin 1812.

Gesril. – Hervine Magon.
Combat contre les deux mousses.

J'ai dit que ma révolte prématurée contre les maîtresses de Lucile commença ma mauvaise renommée ; un camarade l'acheva.

Mon oncle, M. de Chateaubriand du Plessis, établi à Saint-Malo comme son frère, avait, comme lui, quatre filles et deux garçons. De mes deux cousins (Pierre et Armand), qui formaient d'abord ma société, Pierre devint page de la Reine, Armand fut envoyé au collège comme destiné à l'état ecclésiastique. Pierre au sortir des pages, entra dans la marine et se noya à la côte d'Afrique. Armand, longtemps enfermé au collège, quitta la France en 1790, servit pendant toute l'émigration, fit intrépidement dans une chaloupe vingt voyages à la côte de Bretagne, et vint enfin mourir pour le Roi à la plaine de Grenelle, le vendredi saint de l'année 1810, ainsi que je l'ai déjà dit, et que je le répéterai encore en racontant sa catastrophe * [1].

Privé de la société de mes deux cousins, je la remplaçai par une liaison nouvelle.

Au second étage de l'hôtel que nous habitions, demeurait un gentilhomme nommé Gesril : il avait un fils et deux filles. Ce fils était élevé autrement que moi ; enfant gâté, ce qu'il faisait était trouvé charmant : il ne se plaisait qu'à se battre, et surtout qu'à exciter des querelles dont il s'établissait le juge. Jouant des tours perfides aux bonnes qui

---

* Il a laissé un fils, Frédéric, que je plaçai d'abord dans les gardes de *Monsieur*, et qui entra depuis dans un régiment de cuirassiers. Il a épousé, à Nancy, Mlle de Gastaldi, dont il a deux fils, et s'est retiré du service. La sœur aînée d'Armand, ma cousine, est, depuis de longues années, supérieure des religieuses trappistes. [Note de Genève, 1831.]
1. *Mémoires*, XVIII, 7. Armand de Chateaubriand fut fusillé le 31 mars 1809 (et non 1810), malgré les efforts déployés par Chateaubriand pour obtenir sa grâce. Chateaubriand parle souvent de ce cousin : il fut notamment son compagnon à l'armée des Princes (*Mémoires*, IX).

menaient promener les enfants, il n'était bruit que de ses
espiègleries que l'on transformait en crimes noirs. Le père
riait de tout, et *Joson* [1] n'en était que plus chéri. Gesril
devint mon intime ami et prit sur moi un ascendant
incroyable : je profitai sous un tel maître, quoique mon
caractère fût entièrement l'opposé du sien. J'aimais les jeux
solitaires, je ne cherchais querelle à personne : Gesril était
fou des plaisirs de cohue et jubilait au milieu des bagarres
d'enfants. Quand quelque polisson me parlait, Gesril me
disait : « Tu le souffres ? » À ce mot je croyais mon honneur compromis et je sautais aux yeux du téméraire ; la
taille et l'âge n'y faisaient rien. Spectateur du combat, mon
ami applaudissait à mon courage, mais ne faisait rien pour
me servir. Quelquefois il levait une armée de tous les sau-
tereaux [2] qu'il rencontrait, divisait ses conscrits en deux
bandes, et nous escarmouchions sur la plage à coups de
pierres.

Un autre jeu, inventé par Gesril, paraissait encore plus
dangereux : lorsque la mer était haute et qu'il y avait tempête, la vague, fouettée au pied du château, du côté de la
grande grève, jaillissait jusqu'aux grandes tours. À vingt
pieds [3] d'élévation au-dessus de la base d'une de ces tours,
régnait un parapet en granit, étroit, glissant, incliné, par
lequel on communiquait au ravelin [4] qui défendait le fossé :
il s'agissait de saisir l'instant entre deux vagues, de franchir l'endroit périlleux avant que le flot se brisât et cou-
vrît la tour. Voici venir une montagne d'eau qui s'avançait en mugissant et qui, si vous tardiez d'une minute,
pouvait, ou vous entraîner, ou vous écraser contre le mur.
Pas un de nous ne se refusait à l'aventure, mais j'ai vu des
enfants pâlir avant de la tenter.

Ce penchant à pousser les autres à des rencontres, dont
il restait spectateur, induirait à penser que Gesril ne mon-

1. Joseph (*Joson*) Gesril du Papeu (1767-1795), entré dans la marine
royale, émigra et servit dans l'armée des Princes. Chateaubriand le
retrouve lors d'un voyage en 1793 (*Mémoires*, X, 3). Ayant participé à
l'expédition de Quiberon (tentative de débarquement royaliste appuyée
par l'Angleterre, écrasée par Hoche en juillet 1795), il fut fusillé à Vannes.
2. Saute-ruisseau.
3. 1 pied = 0,324 m.
4. Demi-lune, espèce de bastion avancé.

tra pas dans la suite un caractère fort généreux : c'est lui
néanmoins qui, sur un plus petit théâtre, a peut-être effacé
l'héroïsme de Régulus [1] ; il n'a manqué à sa gloire que
Rome et Tite-Live. Devenu officier de marine, il fut pris à
l'affaire de Quiberon ; l'action finie et les Anglais continuant de canonner l'armée républicaine, Gesril se jette à
la nage, s'approche des vaisseaux, dit aux Anglais de ces-
ser le feu, leur annonce le malheur et la capitulation des
émigrés. On le voulut sauver, en lui filant une corde et le
conjurant de monter à bord : « Je suis prisonnier sur
parole » s'écrie-t-il du milieu des flots et il retourne à terre
à la nage : il fut fusillé avec Sombreuil et ses compagnons.

Gesril a été mon premier ami ; tous deux mal jugés dans
notre enfance, nous nous liâmes par l'instinct de ce que
nous pouvions valoir un jour.

Deux aventures mirent fin à cette première partie de mon
histoire, et produisirent un changement notable dans le système de mon éducation.

Nous étions un dimanche sur la grève, à l'*éventail* [2] de
la porte Saint-Thomas à l'heure de la marée. Au pied du
château et le long du *Sillon*, de gros pieux enfoncés dans
le sable protègent les murs contre la houle. Nous grimpions
ordinairement au haut de ces pieux pour voir passer au-
dessous de nous les premières ondulations du flux. Les
places étaient prises comme de coutume ; plusieurs petites
filles se mêlaient aux petits garçons. J'étais le plus en
pointe vers la mer, n'ayant devant moi qu'une jolie
mignonne, Hervine Magon, qui riait de plaisir et pleurait
de peur. Gesril se trouvait à l'autre bout du côté de la terre.
Le flot arrivait, il faisait du vent ; déjà les bonnes et les
domestiques criaient : « Descendez, Mademoiselle ! descendez, Monsieur ! » Gesril attend une grosse lame : lorsqu'elle s'engouffre entre les pilotis, il pousse l'enfant assis
auprès de lui ; celui-là se renverse sur un autre ; celui-ci

---

1. Régulus, consul en 256 av. J.-C., général lors de la première guerre
punique Prisonnier des Carthaginois, il fut libéré pour aller plaider à
Rome la cause de la paix, promettant de revenir en cas d'échec. Il conseilla
aux Romains la guerre, mais revint à Carthage pour remplir sa promesse
et fut mis à mort en 250 (Tite-Live, *Histoire romaine*, XVIII).
2. Palissade protégeant les tireurs, en avant des ouvrages militaires.

sur un autre : toute la file s'abat comme des moines de cartes, mais chacun est retenu par son voisin ; il n'y eut que la petite fille de l'extrémité de la ligne sur laquelle je chavirai qui, n'étant appuyée par personne, tomba. Le jusant l'entraîne ; aussitôt mille cris, toutes les bonnes retroussant leurs robes et tripotant dans la mer, chacune saisissant son magot [1] et lui donnant une tape. Hervine fut repêchée ; mais elle déclara que François l'avait jetée bas. Les bonnes fondent sur moi ; je leur échappe ; je cours me barricader dans la cave de la maison : l'armée femelle me pourchasse. Ma mère et mon père étaient heureusement sortis. La Villeneuve défend vaillamment la porte et soufflette l'avant-garde ennemie. Le véritable auteur du mal, Gesril, me prête secours ; il monte chez lui, et avec ses deux sœurs jette par les fenêtres des potées d'eau et des pommes cuites aux assaillantes. Elles levèrent le siège à l'entrée de la nuit ; mais cette nouvelle se répandit dans la ville, et le chevalier de Chateaubriand, âgé de neuf ans, passa pour un homme atroce, un reste de ces pirates dont saint Aaron avait purgé son rocher [2].

Voici l'autre aventure :

J'allais avec Gesril à Saint-Servan, faubourg séparé de Saint-Malo par le port marchand. Pour y arriver à basse mer, on franchit des courants d'eau sur des ponts étroits de pierres plates, que recouvre la marée montante. Les domestiques qui nous accompagnaient, étaient restés assez loin derrière nous. Nous apercevons à l'extrémité d'un de ces ponts deux mousses qui venaient à notre rencontre ; Gesril me dit : « Laisserons-nous passer ces gueux-là ? » et aussitôt il leur crie : « À l'eau, canards ! » Ceux-ci, en qualité de mousses, n'entendant pas raillerie, avancent ; Gesril recule ; nous nous plaçons au bout du pont, et saisissant des galets, nous les jetons à la tête des mousses. Ils fondent sur nous, nous obligent à lâcher pied, s'arment eux-mêmes de cailloux, et nous mènent battant jusqu'à notre corps de réserve, c'est-à-dire jusqu'à nos domestiques. Je

---

1. Singe. On dirait de nos jours *son ouistiti*.
2. Première injustice, similaire à celle du peigne cassé dans les *Confessions* de Rousseau (livre I) Chateaubriand, cependant, n'insiste pas, mais le souvenir y est.

ne fus pas, comme Horatius [1], frappé à l'œil, mais à l'oreille : une pierre m'atteignit si rudement que mon oreille gauche, à moitié détachée, tombait sur mon épaule.

Je ne pensai point à mon mal, mais à mon retour. Quand mon ami rapportait de ses courses un œil poché, un habit déchiré, il était plaint, caressé, choyé, rhabillé : en pareil cas, j'étais mis en pénitence. Le coup que j'avais reçu était dangereux, mais jamais La France ne me put persuader de rentrer, tant j'étais effrayé. Je m'allai cacher au second étage de la maison, chez Gesril, qui m'entortilla la tête d'une serviette. Cette serviette le mit en train : elle lui représenta une mitre ; il me transforma en évêque, et me fit chanter la grand'messe avec lui et ses sœurs jusqu'à l'heure du souper. Le pontife fut alors obligé de descendre : le cœur me battait. Surpris de ma figure débiffée et barbouillée de sang, mon père ne dit pas un mot ; ma mère poussa un cri ; La France conta mon cas piteux, en m'excusant ; je n'en fus pas moins rabroué. On pansa mon oreille, et monsieur et madame de Chateaubriand résolurent de me séparer de Gesril le plus tôt possible *.

Je ne sais si ce ne fut point cette année que le comte d'Artois vint à Saint-Malo [2] : on lui donna le spectacle d'un combat naval. Du haut du bastion de la poudrière, je vis le jeune prince dans la foule au bord de la mer : dans son éclat et dans mon obscurité, que de destinées inconnues ! Ainsi, sauf erreur de mémoire, Saint-Malo n'aurait vu que deux rois de France, Charles IX et Charles X.

Voilà le tableau de ma première enfance. J'ignore si la dure éducation que je reçus est bonne en principe, mais elle fut adoptée de mes proches sans dessein et par une suite

---

1. Horatius Coclès, héros de l'histoire romaine qui défendit seul l'accès d'un pont contre les Étrusques (Tite-Live, *Histoire romaine*, II, 10). Son surnom signifie *le borgne*. Plutarque l'explique par une blessure de guerre (*Vie de Poplicola*, XIX).
* J'avais déjà parlé de Gesril dans mes ouvrages. Une de ses sœurs, Angélique Gesril de la Trochardais, m'écrivit en 1818 pour me prier d'obtenir que le nom de Gesril fût joint à ceux de son mari et du mari de sa sœur : j'échouai dans ma négociation. [Note de Genève, 1831.]
2. Le jeune frère de Louis XVI (1757-1836) vint à Saint-Malo du 11 au 13 mai 1777. Alors comte d'Artois, il devint roi en 1824 et prit le nom de Charles X. Chateaubriand fut de ses ministres.

naturelle de leur humeur. Ce qu'il y a de sûr, c'est qu'elle a rendu mes idées moins semblables à celles des autres hommes ; ce qu'il y a de plus sûr encore, c'est qu'elle a imprimé à mes sentiments un caractère de mélancolie née chez moi de l'habitude de souffrir à l'âge de la faiblesse, de l'imprévoyance et de la joie.

Dira-t-on que cette manière de m'élever m'aurait pu conduire à détester les auteurs de mes jours ? Nullement : le souvenir de leur rigueur m'est presque agréable ; j'estime et honore leurs grandes qualités. Quand mon père mourut, mes camarades au régiment de Navarre furent témoins de mes regrets. C'est de ma mère que je tiens la consolation de ma vie, puisque c'est d'elle que je tiens ma religion ; je recueillais les vérités chrétiennes qui sortaient de sa bouche, comme Pierre de Langres étudiait la nuit dans une église, à la lueur de la lampe qui brûlait devant le Saint-Sacrement [1]. Aurait-on mieux développé mon intelligence en me jetant plus tôt dans l'étude ? J'en doute : ces flots, ces vents, cette solitude qui furent mes premiers maîtres convenaient peut-être mieux à mes dispositions natives ; peut-être dois-je à ces instituteurs sauvages quelques vertus que j'aurais ignorées. La vérité est qu'aucun système d'éducation n'est en soi préférable à un autre système : les enfants aiment-ils mieux leurs parents aujourd'hui qu'ils les tutoient et ne les craignent plus ? Gesril était gâté dans la maison où j'étais gourmandé : nous avons été tous deux d'honnêtes gens et des fils tendres et respectueux. Telle chose que vous croyez mauvaise, met en valeur les talents de votre enfant ; telle chose qui vous semble bonne, étoufferait ces mêmes talents. Dieu fait bien ce qu'il fait : c'est la Providence qui nous dirige, lorsqu'elle nous destine à jouer un rôle sur la scène du monde.

---

1. Source inconnue, sans doute une vie de saint, ou quelque autre lecture pieuse.

6

Dieppe, septembre 1812.

Billet de M. Pasquier. – Dieppe.
Changement de mon éducation.
Printemps en Bretagne. – Forêt historique.
Campagnes pélagiennes.
Coucher de la lune sur la mer.

Le 4 septembre 1812, j'ai reçu ce billet de M. Pasquier [1],
préfet de police :

CABINET DU PRÉFET.
« M. le préfet de police invite M. de Chateaubriand à
prendre la peine de passer à son cabinet, soit aujourd'hui
sur les quatre heures de l'après-midi, soit demain à neuf
heures du matin. »

C'était un ordre de m'éloigner de Paris que M. le préfet de police voulait me signifier. Je me suis retiré à Dieppe,
qui porta d'abord le nom de *Bertheville*, et fut ensuite
appelé Dieppe, il y a déjà plus de quatre cents ans, du mot
anglais *deep*, profond (mouillage). En 1788, je tins garnison ici avec le second bataillon de mon régiment : habiter
cette ville, de brique dans ses maisons, d'ivoire dans ses
boutiques, cette ville à rues propres et à belle lumière,
c'était me réfugier auprès de ma jeunesse. Quand je me promenais, je rencontrais les ruines du château d'Arques, que
mille débris accompagnent. On n'a point oublié que Dieppe
fut la patrie de Duquesne [2]. Lorsque je restais chez moi,
j'avais pour spectacle la mer ; de la table où j'étais assis,
je contemplais cette mer qui m'a vu naître, et qui baigne
les côtes de la Grande-Bretagne, où j'ai subi un si long exil :
mes regards parcouraient les vagues qui me portèrent en
Amérique, me rejetèrent en Europe et me reportèrent aux

---

1. Préfet de police de 1810 à 1814, chancelier sous la Restauration, rallié à Louis-Philippe (1767-1862)
2 Amiral français (1610-1688).

rivages de l'Afrique et de l'Asie. Salut, ô mer, mon berceau et mon image ! Je te veux raconter la suite de mon histoire : si je mens, tes flots, mêlés à tous mes jours, m'accuseront d'imposture chez les hommes à venir.

Ma mère n'avait cessé de désirer qu'on me donnât une éducation classique. L'état de marin auquel on me destinait « ne serait peut-être pas de mon goût », disait-elle ; il lui semblait bon à tout événement de me rendre capable de suivre une autre carrière. Sa piété la portait à souhaiter que je me décidasse pour l'Église. Elle proposa donc de me mettre dans un collège où j'apprendrais les mathématiques, le dessin, les armes et la langue anglaise ; elle ne parla point du grec et du latin, de peur d'effaroucher mon père ; mais elle me les comptait faire enseigner, d'abord en secret, ensuite à découvert lorsque j'aurais fait des progrès. Mon père agréa la proposition : il fut convenu que j'entrerais au collège de Dol. Cette ville eut la préférence parce qu'elle se trouvait sur la route de Saint-Malo à Combourg.

Pendant l'hiver très froid qui précéda ma réclusion scolaire, le feu prit à l'hôtel où nous demeurions : je fus sauvé par ma sœur aînée, qui m'emporta à travers les flammes. M. de Chateaubriand, retiré dans son château, appela sa femme auprès de lui : il le fallut rejoindre au printemps.

Le printemps, en Bretagne, est plus doux qu'aux environs de Paris, et fleurit trois semaines plus tôt. Les cinq oiseaux qui l'annoncent, l'hirondelle, le loriot, le coucou, la caille et le rossignol, arrivent avec des brises qui hébergent [1] dans les golfes de la péninsule armoricaine. La terre se couvre de marguerites, de pensées, de jonquilles, de narcisses, d'hyacinthes, de renoncules, d'anémones, comme les espaces abandonnés qui environnent Saint-Jean-de-Latran et Sainte-Croix-de-Jérusalem, à Rome. Des clairières se panachent d'élégantes et hautes fougères ; des champs de genêts et d'ajoncs resplendissent de leurs fleurs qu'on prendrait pour des papillons d'or. Les haies, au long desquelles abondent la fraise, la framboise et la violette, sont décorées d'aubépines, de chèvrefeuille, de ronces dont les rejets bruns et courbés portent des feuilles et des fruits

---

1 L'usage intransitif est ici un archaïsme.

magnifiques. Tout fourmille d'abeilles et d'oiseaux ; les essaims et les nids arrêtent les enfants à chaque pas. Dans certains abris, le myrte et le laurier-rose croissent en pleine terre, comme en Grèce ; la figue mûrit comme en Provence ; chaque pommier, avec ses fleurs carminées, ressemble à un gros bouquet de fiancée de village.

Au douzième siècle, les cantons de Fougères, Rennes, Bécherel, Dinan, Saint-Malo et Dol, étaient occupés par la forêt de Brécheliant ; elle avait servi de champ de bataille aux Francs et aux peuples de la Dommonée. Wace raconte qu'on y voyait l'homme sauvage, la fontaine de Berenton et un bassin d'or [1]. Un document historique du quinzième siècle, les *Usemens et coutumes de la forêt de Brécilien*, confirme le roman de *Rou* : elle est, disent les *Usemens*, de grande et spacieuse étendue ; « il y a quatre châteaux, fort grand nombre de beaux étangs, belles chasses où n'habitent aucunes bêtes vénéneuses, ni nulles mouches, deux cents futaies, autant de fontaines, nommément la fontaine de *Belenton*, auprès de laquelle le chevalier Pontus fit ses armes ».

Aujourd'hui, le pays conserve des traits de son origine : entrecoupé de fossés boisés, il a de loin l'air d'une forêt et rappelle l'Angleterre : c'était le séjour des fées, et vous allez voir qu'en effet j'y ai rencontré ma sylphide. Des vallons étroits sont arrosés par de petites rivières non navigables. Ces vallons sont séparés par des landes et par des futaies à cépées [2] de houx. Sur les côtes, se succèdent phares, vigies, dolmens, constructions romaines, ruines de châteaux du Moyen Âge, clochers de la Renaissance : la mer borde le tout. Pline dit de la Bretagne : *Péninsule spectatrice de l'Océan* [3].

---

1. Chateaubriand rappelle ici le cadre (la forêt de Brocéliande, actuellement forêt de Paimpont, la Dommonée, région nord-ouest de la Bretagne) et quelques motifs des romans arthuriens que l'on retrouve par exemple dans *Le Chevalier au Lion* de Chrétien de Troyes. Wace (1110-v. 1180), poète anglo-normand, est l'auteur d'un *Roman de Brut*, qui constitue le premier ouvrage en ancien français sur la geste arthurienne, et d'un *Roman de Rou*, réédité en 1827, qui retrace l'histoire des ducs de Normandie Les *Usemens et Coutumes* utilisent un autre roman arthurien, *Le Roman de Pontus et Sydoine*. Pontus est un chevalier réfugié dans la forêt de Brocéliande, qui défie les chevaliers de France en combat singulier chaque semaine.
2. Touffes de bois sortant d'une même souche
3 *Histoire naturelle*, I, V, 107

Entre la mer et la terre s'étendent des campagnes pélagiennes [1], frontières indécises des deux éléments : l'alouette
de champ y vole avec l'alouette marine ; la charrue et la
barque à un jet de pierre l'une de l'autre, sillonnent la terre
et l'eau. Le navigateur et le berger s'empruntent mutuellement leur langue : le matelot dit *les vagues moutonnent*,
le pâtre dit *des flottes de moutons*. Des sables de diverses
couleurs, des bancs variés de coquillages, des varechs, des
franges d'une écume argentée, dessinent la lisière blonde
ou verte des blés. Je ne sais plus dans quelle île de la Méditerranée, j'ai vu un bas-relief représentant les Néréides [2]
attachant des festons au bas de la robe de Cérès.

Mais ce qu'il faut admirer en Bretagne, c'est la lune se
levant sur la terre et se couchant sur la mer.

Établie par Dieu gouvernante de l'abîme, la lune a ses
nuages, ses vapeurs, ses rayons, ses ombres portées comme
le soleil ; mais comme lui, elle ne se retire pas solitaire ;
un cortège d'étoiles l'accompagne. À mesure que sur mon
rivage natal elle descend au bout du ciel, elle accroît son
silence qu'elle communique à la mer ; bientôt elle tombe à
l'horizon, l'intersecte, ne montre plus que la moitié de son
front qui s'assoupit, s'incline et disparaît dans la molle intu-
mescence [3] des vagues. Les astres voisins de leur reine,
avant de plonger à sa suite, semblent s'arrêter, suspendus
à la cime des flots. La lune n'est pas plus tôt couchée, qu'un
souffle venant du large brise l'image des constellations,
comme on éteint les flambeaux après une solennité.

7

Départ pour Combourg. – Description du château.

Je devais suivre mes sœurs jusqu'à Combourg : nous
nous mîmes en route dans la première quinzaine de mai [4].

---

1. Marines. Chateaubriand désigne ici les paysages de baie, recouverts
seulement lors des grandes marées.
2. Nymphes des eaux marines.
3. Gonflement (lat.).
4. 1777.

Nous sortîmes de Saint-Malo au lever du soleil, ma mère, mes quatre sœurs et moi, dans une énorme berline à l'antique, panneaux surdorés, marchepieds en dehors, glands de pourpre aux quatre coins de l'impériale. Huit chevaux parés comme les mulets en Espagne, sonnettes au cou, grelots aux brides, housses et franges de laine de diverses couleurs, nous traînaient. Tandis que ma mère soupirait, mes sœurs parlaient à perdre haleine, je regardais de mes deux yeux, j'écoutais de mes deux oreilles, je m'émerveillais à chaque tour de roue : premier pas d'un Juif errant [1] qui ne se devait plus arrêter. Encore si l'homme ne faisait que changer de lieux ! mais ses jours et son cœur changent.

Nos chevaux reposèrent à un village de pêcheurs sur la grève de Cancale. Nous traversâmes ensuite les marais et la fiévreuse ville de Dol : passant devant la porte du collège où j'allais bientôt revenir, nous nous enfonçâmes dans l'intérieur du pays.

Durant quatre mortelles lieues, nous n'aperçûmes que des bruyères guirlandées de bois, des friches à peine écrêtées, des semailles de blé noir, court et pauvre, et d'indigentes avénières [2]. Des charbonniers conduisaient des files de petits chevaux à crinière pendante et mêlée ; des paysans à sayons [3] de peau de bique, à cheveux longs, pressaient des bœufs maigres avec des cris aigus et marchaient à la queue d'une lourde charrue, comme des faunes labourant. Enfin, nous découvrîmes une vallée au fond de laquelle s'élevait, non loin d'un étang, la flèche de l'église d'une bourgade. À l'extrémité occidentale de cette bourgade, les tours d'un château féodal montaient dans les arbres d'une futaie éclairée par le soleil couchant.

J'ai été obligé de m'arrêter : mon cœur battait au point de repousser la table sur laquelle j'écris. Les souvenirs qui se réveillent dans ma mémoire m'accablent de leur force et de leur multitude : et pourtant, que sont-ils pour le reste du monde ?

---

1. Personnage légendaire, objet d'une chanson populaire célèbre. Ayant insulté le Christ montant au Calvaire, il aurait été condamné à ne jamais mourir et à errer sans fin de par le monde.
2. Champs d'avoine.
3. Sortes de manteaux ouverts

Descendus de la colline, nous guéâmes [1] un ruisseau ; après avoir cheminé une demi-heure, nous quittâmes la grande route, et la voiture roula au bord d'un quinconce, dans une allée de charmilles dont les cimes s'entrelaçaient au-dessus de nos têtes : je me souviens encore du moment où j'entrai sous cet ombrage et de la joie effrayée que j'éprouvai.

En sortant de l'obscurité du bois, nous franchîmes une avant-cour plantée de noyers, attenante au jardin et à la maison du régisseur ; de là nous débouchâmes par une porte bâtie dans une cour de gazon, appelée la *Cour verte*. À droite étaient de longues écuries et un bouquet de marronniers ; à gauche, un autre bouquet de marronniers. Au fond de la cour, dont le terrain s'élevait insensiblement, le château se montrait entre deux groupes d'arbres. Sa triste et sévère façade présentait une courtine portant une galerie à mâchicoulis, denticulée et couverte. Cette courtine liait ensemble deux tours inégales en âge, en matériaux, en hauteur et en grosseur, lesquelles tours se terminaient par des créneaux surmontés d'un toit pointu, comme un bonnet posé sur une couronne gothique.

Quelques fenêtres grillées apparaissaient çà et là sur la nudité des murs. Un large perron, raide et droit, de vingt-deux marches, sans rampes, sans garde-fou, remplaçait sur les fossés comblés l'ancien pont-levis ; il atteignait la porte du château, percée au milieu de la courtine. Au-dessus de cette porte on voyait les armes des seigneurs de Combourg, et les taillades à travers lesquelles sortaient jadis les bras et les chaînes du pont-levis.

La voiture s'arrêta au pied du perron ; mon père vint au-devant de nous. La réunion de la famille adoucit si fort son humeur pour le moment, qu'il nous fit la mine la plus gracieuse. Nous montâmes le perron ; nous pénétrâmes dans un vestibule sonore, à voûte ogive, et de ce vestibule dans une petite cour intérieure.

De cette cour, nous entrâmes dans le bâtiment regardant au midi sur l'étang, et jointif des deux petites tours. Le château entier avait la figure d'un char à quatre roues.

---

1. Guéer : passer à gué.

Nous nous trouvâmes de plain-pied dans une salle jadis
appelée la *salle des Gardes*. Une fenêtre s'ouvrait à chacune de ses extrémités ; deux autres coupaient la ligne laté-
rale. Pour agrandir ces quatre fenêtres, il avait fallu exca-
ver des murs de huit à dix pieds d'épaisseur. Deux corridors
à plan incliné, comme le corridor de la grande Pyramide,
partaient des deux angles extérieurs de la salle et conduisaient aux petites tours. Un escalier, serpentant dans l'une
de ces tours, établissait des relations entre la salle des
Gardes et l'étage supérieur : tel était ce corps de logis.

Celui de la façade de la grande et de la grosse tour, domi-
nant le nord, du côté de la Cour verte, se composait d'une
espèce de dortoir carré et sombre, qui servait de cuisine ;
il s'accroissait du vestibule, du perron et d'une chapelle.
Au-dessus de ces pièces était le salon des *Archives*, ou des
Armoiries, ou des *Oiseaux*, ou des *Chevaliers*, ainsi nommé
d'un plafond semé d'écussons coloriés et d'oiseaux peints.
Les embrasures des fenêtres étroites et tréflées étaient si
profondes, qu'elles formaient des cabinets autour desquels
régnait un banc de granit. Mêlez à cela, dans les diverses
parties de l'édifice, des passages et des escaliers secrets,
des cachots et des donjons, un labyrinthe de galeries couvertes et découvertes, des souterrains murés dont les rami-
fications étaient inconnues ; partout silence, obscurité et
visage de pierre : voilà le château de Combourg.

Un souper servi dans la salle des Gardes, et où je man-
geai sans contrainte, termina pour moi la première journée heureuse de ma vie. Le vrai bonheur coûte peu ; s'il
est cher, il n'est pas d'une bonne espèce.

À peine fus-je réveillé le lendemain que j'allais visiter
les dehors du château, et célébrer mon avènement à la solitude. Le perron faisait face au nord-ouest. Quand on était
assis sur le diazome [1] de ce perron, on avait devant soi la
Cour verte et, au-delà de cette cour, un potager étendu entre
deux futaies : l'une, à droite (le quinconce par lequel nous
étions arrivés), s'appelait le *petit Mail* ; l'autre, à gauche,
le *grand Mail* : celle-ci était un bois de chênes, de hêtres,
de sycomores, d'ormes et de châtaigniers. Madame de

---

1. Palier des gradins de théâtre grec

Sévigné vantait de son temps ces vieux ombrages [1] ; depuis
cette époque, cent quarante années avaient été ajoutées à
leur beauté.

Du côté opposé, au midi et à l'est, le paysage offrait un
tout autre tableau : par les fenêtres de la grand'salle, on
apercevait les maisons de Combourg, un étang, la chaussée de cet étang sur laquelle passait le grand chemin de
Rennes, un moulin à eau, une prairie couverte de troupeaux
de vaches et séparée de l'étang par la chaussée. Au bord
de cette prairie s'allongeait un hameau dépendant d'un
prieuré fondé en 1149 par Rivallon, seigneur de Combourg,
et où l'on voyait sa statue mortuaire couchée sur le dos en
armure de chevalier. Depuis l'étang, le terrain s'élevant par
degrés, formait un amphithéâtre d'arbres, d'où sortaient des
campaniles de villages et des tourelles de gentilhommières.
Sur un dernier plan de l'horizon, entre l'occident et le midi,
se profilaient les hauteurs de Bécherel. Une terrasse bor-
dée de grands buis taillés circulait au pied du château de
ce côté, passait derrière les écuries et allait, à divers replis,
rejoindre le jardin des bains qui communiquait au grand
Mail.

Si, d'après cette trop longue description, un peintre prenait son crayon, produirait-il une esquisse ressemblant au
château ? Je ne le crois pas ; et cependant ma mémoire voit
l'objet comme s'il était sous mes yeux ; telle est dans les
choses matérielles l'impuissance de la parole et la puissance du souvenir ! En commençant à parler de Combourg,
je chante les premiers couplets d'une complainte qui ne
charmera que moi ; demandez au pâtre du Tyrol pourquoi
il se plaît aux trois ou quatre notes qu'il répète à ses
chèvres, notes de montagne jetées d'écho en écho pour
retentir du bord d'un torrent au bord opposé ?

Ma première apparition à Combourg fut de courte durée.
Quinze jours s'étaient à peine écoulés que je vis arriver
l'abbé Porcher [2], principal du collège de Dol ; on me remit
entre ses mains, et je le suivis malgré mes pleurs.

---

1. Mme de Sévigné, qui habitait le château des Rochers près de Vitré,
parle de Combourg dans sa lettre du 2 septembre 1671.
2. En fait Portier (1739-1791), chanoine de Dol.

1

Dieppe, septembre 1812.
Revu en juin 1846.

Collège de Dol. – Mathématiques et langues.
Traits de ma mémoire.

Je n'étais pas tout à fait étranger à Dol ; mon père en était *chanoine*, comme descendant et représentant de la maison de Guillaume de Chateaubriand, sire de Beaufort, fondateur en 1529 d'une première stalle, dans le chœur de la cathédrale [1]. L'évêque de Dol était M. de Hercé, ami de ma famille, prélat d'une grande modération politique, qui, à genoux, le crucifix à la main, fut fusillé avec son frère l'abbé de Hercé, à Quiberon, dans le Champ du martyre [2]. En arrivant au collège, je fus confié aux soins particuliers de M. l'abbé Leprince, qui professait la rhétorique et possédait à fond la géométrie : c'était un homme d'esprit, d'une belle figure, aimant les arts, peignant assez bien le portrait. Il se chargea de m'apprendre mon Bezout [3] ; l'abbé Egault, régent de troisième, devint mon maître de latin ; j'étudiais les mathématiques dans ma chambre, le latin dans la salle commune [4].

Il fallut quelque temps à un hibou de mon espèce pour s'accoutumer à la cage d'un collège et régler sa volée au son d'une cloche. Je ne pouvais avoir ces prompts amis que donne la fortune, car il n'y avait rien à gagner avec un pauvre polisson qui n'avait pas même d'argent de semaine ; je ne m'enrôlai point non plus dans une clientèle, car je hais les protecteurs. Dans les jeux, je ne prétendais mener personne, mais je ne voulais pas être mené : je n'étais bon ni pour tyran ni pour esclave, et tel je suis demeuré.

Il arriva pourtant que je devins assez vite un centre de réunion : j'exerçai dans la suite, à mon régiment, la même puissance : simple sous-lieutenant que j'étais, les vieux officiers passaient leurs soirées chez moi et préféraient mon appartement au café. Je ne sais d'où cela venait, n'était peut-être de ma facilité à entrer dans l'esprit et à prendre les mœurs des autres. J'aimais autant chasser et courir que lire et écrire. Il m'est encore indifférent de deviser des

---

1. Certains bienfaiteurs laïcs pouvaient être chanoines, à titre honorifique, d'une église cathédrale ou collégiale (le chef de l'État français est ainsi chanoine de Saint-Jean-de-Latran à Rome). Ils avaient droit alors à une stalle dans le chœur de l'église.
2. Mgr de Hercé (1726-1795) ne fut pas fusillé à Quiberon mais à Vannes, comme Gesril et Sombreuil (voir *supra*, p. 84, n. 1).
3. Manuel de mathématique, du nom de son auteur, le mathématicien Bezout (1730-1783).
4. Le collège de Dol, fondé en 1737, était un petit collège. L'année scolaire allait du 1er octobre au 1er août. Chateaubriand arrive en classe de sixième en cours d'année.

choses les plus communes, ou de causer des sujets les plus relevés. Très peu sensible à l'esprit, il m'est presque antipathique, bien que je ne sois pas une bête. Aucun défaut ne me choque, excepté la moquerie et la suffisance que j'ai grand'peine à ne pas morguer ; je trouve que les autres ont toujours sur moi une supériorité quelconque, et si je me sens par hasard un avantage, j'en suis tout embarrassé.

Des qualités que ma première éducation avait laissées dormir s'éveillèrent au collège. Mon aptitude au travail était remarquable, ma mémoire extraordinaire. Je fis des progrès rapides en mathématiques où j'apportai une clarté de conception qui étonnait l'abbé Leprince. Je montrai en même temps un goût décidé pour les langues. Le rudiment, supplice des écoliers, ne me coûta rien à apprendre ; j'attendais l'heure des leçons de latin avec une sorte d'impatience, comme un délassement de mes chiffres et de mes figures de géométrie. En moins d'un an, je devins fort cinquième [1]. Par une singularité, ma phrase latine se transformait si naturellement en pentamètre [2] que l'abbé Egault m'appelait l'*Élégiaque*, nom qui me pensa rester parmi mes camarades.

Quant à ma mémoire en voici deux traits. J'appris par cœur mes tables de logarithmes : c'est-à-dire qu'un nombre étant donné dans la proportion géométrique, je trouvais de mémoire son exposant dans la proportion arithmétique, et *vice versa*.

Après la prière du soir que l'on disait en commun à la chapelle du collège, le principal faisait une lecture. Un des enfants, pris au hasard, était obligé d'en rendre compte. Nous arrivions fatigués de jouer et mourant de sommeil à la prière ; nous nous jetions sur les bancs, tâchant de nous enfoncer dans un coin obscur, pour n'être pas aperçus et conséquemment interrogés. Il y avait surtout un confessionnal que nous nous disputions comme une retraite assurée. Un soir, j'avais eu le bonheur de gagner ce port et je m'y croyais en sûreté contre le principal ; malheureusement, il signala ma manœuvre et résolut de faire un

---

1. Langage scolaire. Chateaubriand rattrape en moins d'un an le niveau des meilleurs élèves de cinquième.
2. Vers de cinq pieds souvent utilisé dans l'élégie latine.

exemple. Il lut donc lentement et longuement le second point d'un sermon ; chacun s'endormit. Je ne sais par quel hasard je restai éveillé dans mon confessionnal. Le principal qui ne me voyait que le bout des pieds, crut que je dodinais [1] comme les autres, et tout à coup m'apostrophant, il me demanda ce qu'il avait lu.

Le second point du sermon contenait une énumération des diverses manières dont on peut offenser Dieu. Non seulement je dis le fond de la chose, mais je repris les divisions dans leur ordre, et répétai presque mot à mot plusieurs pages d'une prose mystique, inintelligible pour un enfant. Un murmure d'applaudissement s'éleva dans la chapelle : le principal m'appela, me donna un petit coup sur la joue et me permit, en récompense, de ne me lever le lendemain qu'à l'heure du déjeuner. Je me dérobai modestement à l'admiration de mes camarades et je profitai bien de la grâce accordée. Cette mémoire des mots, qui ne m'est pas entièrement restée, a fait place chez moi à une autre sorte de mémoire plus singulière, dont j'aurai peut-être occasion de parler.

Une chose m'humilie : la mémoire est souvent la qualité de la sottise ; elle appartient généralement aux esprits lourds, qu'elle rend plus pesants par le bagage dont elle les surcharge. Et néanmoins, sans la mémoire, que serions-nous ? Nous oublierions nos amitiés, nos amours, nos plaisirs, nos affaires ; le génie ne pourrait rassembler ses idées ; le cœur le plus affectueux perdrait sa tendresse, s'il ne s'en souvenait plus ; notre existence se réduirait aux moments successifs d'un présent qui s'écoule sans cesse ; il n'y aurait plus de passé. Ô misère de nous ! notre vie est si vaine qu'elle n'est qu'un reflet de notre mémoire.

1. Dodelinais (de la tête), comme quelqu'un qui dort.

2

Dieppe, octobre 1812.

Vacances à Combourg.
Vie de château en province. – Mœurs féodales.
Habitants de Combourg.

J'allai passer le temps des vacances à Combourg. La vie de château aux environs de Paris ne peut donner une idée de la vie de château dans une province reculée.

La terre de Combourg n'avait pour tout domaine que des landes, quelques moulins et les deux forêts, Bourgouët et Tanoërn, dans un pays où le bois est presque sans valeur. Mais Combourg était riche en droits féodaux ; ces droits étaient de diverses sortes : les uns déterminaient certaines redevances pour certaines concessions, ou fixaient des usages nés de l'ancien ordre politique ; les autres ne semblaient avoir été dans l'origine que des divertissements.

Mon père avait fait revivre quelques-uns de ces derniers droits, afin de prévenir la prescription. Lorsque toute la famille était réunie, nous prenions part à ces amusements gothiques : les trois principaux étaient le *Saut des poissonniers*, la *Quintaine*, et une foire appelée l'*Angevine*. Des paysans en sabots et en braies, hommes d'une France qui n'est plus, regardaient ces jeux d'une France qui n'était plus. Il y avait prix pour le vainqueur, amende pour le vaincu [1].

La Quintaine conservait la tradition des tournois : elle avait sans doute quelque rapport avec l'ancien service militaire des fiefs. Elle est très bien décrite dans du Cange (*voce* QUINTANA [2]). On devait payer les amendes en ancienne

---

1. Chateaubriand a supprimé la description du *Saut des Poissonniers*, où ceux qui avaient vendu du poisson pendant le Carême devaient lutter entre eux dans l'eau.
2. À l'article « Quintana ». Du Cange est l'auteur d'un très important dictionnaire de latin médiéval qui fait encore autorité, le *Glossarium mediae et infimae latinitatis*, paru en 1678. Dans la quintaine, les nouveaux mariés de l'année devaient jouter contre un mannequin appelé Quintain, qui figurait initialement un Turc.

monnaie de cuivre, jusqu'à la valeur de *deux moutons d'or
à la couronne de 25 sols parisis* chacun [1].

La foire appelée l'*Angevine* se tenait dans la prairie de
l'Étang, le 4 septembre de chaque année [2], le jour de ma
naissance. Les vassaux étaient obligés de prendre les armes,
ils venaient au château lever la bannière du seigneur; de
là ils se rendaient à la foire pour établir l'ordre, et prêter
force à la perception d'un péage dû aux comtes de
Combourg par chaque tête de bétail, espèce de droit réga-
lien. À cette époque, mon père tenait table ouverte. On bal-
lait [3] pendant trois jours : les maîtres, dans la grand'salle,
au raclement d'un violon; les vassaux, dans la Cour verte,
au nasillement d'une musette. On chantait, on poussait des
huzzas, on tirait des arquebusades. Ces bruits se mêlaient
aux mugissements des troupeaux de la foire; la foule
vaguait dans les jardins et les bois, et du moins une fois
l'an, on voyait à Combourg quelque chose qui ressemblait
à de la joie.

Ainsi, j'ai été placé assez singulièrement dans la vie pour
avoir assisté aux courses de la *Quintaine* et à la proclama-
tion des *Droits de l'homme* ; pour avoir vu la milice bourgeoise d'un village de Bretagne et la garde nationale de
France, la bannière des seigneurs de Combourg et le drapeau de la Révolution. Je suis comme le dernier témoin des
mœurs féodales.

Les visiteurs que l'on recevait au château se composaient des habitants de la bourgade et de la noblesse de la
banlieue : ces honnêtes gens furent mes premiers amis.
Notre vanité met trop d'importance au rôle que nous jouons
dans le monde. Le bourgeois de Paris rit du bourgeois d'une

---

1. Le mouton à la couronne est une ancienne pièce d'or d'une valeur de
7,95 F. Un louis d'or = 24 livres, un écu d'argent = 6 livres, une livre
(ou franc) = 20 sous, un sou = 12 deniers. Ces noms désignent des mon-
naies de compte et non des pièces effectivement frappées, lesquelles
étaient très variées et nombreuses. La monnaie la plus courante était le
sou ou la livre *tournois* (de Tournai). Le *parisis* (de Paris) valait un quart
de plus que le tournois. Le *mouton à la couronne* n'existait sans doute
plus dans la jeunesse de Chateaubriand et la valeur qui lui est attribuée
est purement fictive.
2. La foire s'achevait le 7 septembre, veille de la fête de Notre-Dame l'Angevine.
3. Dansait.

petite ville ; le noble de cour se moque du noble de province ; l'homme connu dédaigne l'homme ignoré, sans songer que le temps fait également justice de leurs prétentions,
et qu'ils sont tous également ridicules ou indifférents aux
yeux des générations qui se succèdent.

Le premier habitant du lieu était un M. Potelet, ancien
capitaine de vaisseau de la compagnie des Indes [1], qui redi-
sait de grandes histoires de Pondichéry. Comme il les
racontait les coudes appuyés sur la table, mon père avait
toujours envie de lui jeter son assiette au visage. Venait
ensuite l'entreposeur des tabacs, M. Launay de La Billar-
dière, père de famille qui comptait douze enfants, comme
Jacob, neuf filles et trois garçons, dont le plus jeune, David,
était mon camarade de jeux * [2]. Le bonhomme s'avisa de
vouloir être noble en 1789 : il prenait bien son temps ! Dans
cette maison, il y avait force joie et beaucoup de dettes.
Le sénéchal Gébert, le procureur fiscal Petit, le receveur
Corvaisier, le chapelain l'abbé Charmel, formaient la
société de Combourg [3]. Je n'ai pas rencontré à Athènes des
personnages plus célèbres.

MM. du Petit-Bois, de Château-d'Assie, de Tinténiac, un
ou deux autres gentilshommes, venaient, le dimanche,
entendre la messe à la paroisse, et dîner ensuite chez le châ-
telain. Nous étions plus particulièrement liés avec la famille
Trémaudan, composée du mari, de la femme extrêmement
belle, d'une sœur naturelle et de plusieurs enfants. Cette
famille habitait une métairie, qui n'attestait sa noblesse que
par un colombier. Les Trémaudan vivent encore. Plus sages
et plus heureux que moi, ils n'ont point perdu de vue les tours
du château que j'ai quitté depuis trente ans ; ils font encore
ce qu'ils faisaient lorsque j'allais manger le pain bis à leur

---

1. Compagnie commerciale importante qui avait des comptoirs au Séné-
gal, en Guinée, à La Réunion et à l'île Maurice, ainsi qu'en Inde (Pondichéry) et des relations avec la Chine. Cette compagnie fut florissante de
1722 à 1769, fut rétablie en 1786 et définitivement supprimée en 1793.
* J'ai retrouvé mon ami David : je dirai quand et comment. [Note de
Genève, 1831.]
2. Chateaubriand n'en reparle pas.
3. Les charges dont il s'agit ici ne sont pas des offices royaux, mais sei-
gneuriaux, dépendant directement du comte de Combourg, c'est-à-dire du
père de Chateaubriand, qui percevait des impôts et exerçait la justice.

table ; ils ne sont point sortis du port dans lequel je ne rentrerai plus. Peut-être parlent-ils de moi au moment même où j'écris cette page : je me reproche de tirer leur nom de sa protectrice obscurité. Ils ont douté longtemps que l'homme dont ils entendaient parler fût le *petit chevalier*. Le recteur ou curé de Combourg, l'abbé Sévin, celui-là même dont j'écoutais le prône, a montré la même incrédulité ; il ne se pouvait persuader que le polisson, camarade des paysans, fût le défenseur de la religion ; il a fini par le croire, et il me cite dans ses sermons, après m'avoir tenu sur ses genoux. Ces dignes gens, qui ne mêlent à mon image aucune idée étrangère, qui me voient tel que j'étais dans mon enfance et dans ma jeunesse, me reconnaîtraient-ils aujourd'hui sous les travestissements du temps ? Je serais obligé de leur dire mon nom, avant qu'ils me voulussent presser dans leurs bras.

Je porte malheur à mes amis. Un garde-chasse, appelé Raulx, qui s'était attaché à moi, fut tué par un braconnier. Ce meurtre me fit une impression extraordinaire. Quel étrange mystère dans le sacrifice humain ! Pourquoi faut-il que le plus grand crime et la plus grande gloire soient de verser le sang de l'homme ? Mon imagination me représentait Raulx tenant ses entrailles dans ses mains et se traînant à la chaumière où il expira. Je conçus l'idée de la vengeance ; je m'aurais voulu battre contre l'assassin. Sous ce rapport je suis singulièrement né : dans le premier moment d'une offense, je la sens à peine ; mais elle se grave dans ma mémoire ; son souvenir, au lieu de décroître, s'augmente avec le temps ; il dort dans mon cœur des mois, des années entières, puis il se réveille à la moindre circonstance avec une force nouvelle, et ma blessure devient plus vive que le premier jour. Mais si je ne pardonne point à mes ennemis, je ne leur fais aucun mal ; je suis rancunier et ne suis point vindicatif. Ai-je la puissance de me venger, j'en perds l'envie ; je ne serais dangereux que dans le malheur. Ceux qui m'ont cru faire céder en m'opprimant se sont trompés ; l'adversité est pour moi ce qu'était la terre pour Antée ; je reprends des forces dans le sein de ma mère [1]. Si jamais le bonheur m'avait enlevé dans ses bras, il m'eût étouffé.

---

1. Antée, géant, fils de la Terre, reprenait force dès qu'il touchait le sol. Hercule réussit à l'étouffer en le portant dans ses bras.

3

Dieppe, octobre 1812.

Secondes vacances à Combourg.
Régiment de Conti. – Camp à Saint-Malo.
Une abbaye. – Théâtre.
Mariage de mes deux sœurs aînées.
Retour au collège.
Révolution commencée dans mes idées.

Je retournai à Dol, à mon grand regret. L'année suivante, il y eut un projet de descente à Jersey, et un camp s'établit auprès de Saint-Malo [1]. Des troupes furent cantonnées à Combourg ; M. de Chateaubriand donna, par courtoisie, successivement asile aux colonels des régiments de Touraine et de Conti [2] : l'un était le duc de Saint-Simon, et l'autre le marquis de Causans * [3]. Vingt officiers étaient tous les jours invités à la table de mon père. Les plaisanteries de ces étrangers me déplaisaient ; leurs promenades troublaient la paix de mes bois. C'est pour avoir vu le colonel en second du régiment de Conti, le marquis de Wignacourt, galoper sous des arbres, que des idées de voyage me passèrent pour la première fois par la tête.

---

1 En 1777, la France, alliée des États d'Amérique, est en guerre contre l'Angleterre.
2. Les six premiers régiments réguliers de l'armée de France, dits « vieux » régiments, furent fondés par Henri II : ce sont les régiments de Picardie, de Champagne, de Navarre, de Piémont, des gardes-françaises, des gardes-suisses. Il y avait, au début du règne de Louis XVI, 93 régiments d'infanterie, chacun commandé par un colonel. En 1791, les noms des régiments furent supprimés et remplacés par des numéros.
* J'ai éprouvé un sensible plaisir en retrouvant, depuis la Restauration, ce galant homme, distingué par sa fidélité et ses vertus chrétiennes. [Note de Genève, 1831.]
3. Le marquis de Saint-Simon (1743-1819), d'une branche cadette de la famille du mémorialiste, participa à la guerre d'Indépendance américaine et émigra en Espagne. Le marquis de Causans (1751-1826), lieutenant-colonel, puis colonel du Conti-Infanterie, servit à l'armée des Princes et fut fait lieutenant général à la Restauration.

Quand j'entendais nos hôtes parler de Paris et de la cour, je devenais triste ; je cherchais à deviner ce que c'était que la société : je découvrais quelque chose de confus et de lointain ; mais bientôt je me troublais. Des tranquilles régions de l'innocence, en jetant les yeux sur le monde, j'avais des vertiges, comme lorsqu'on regarde la terre du haut de ces tours qui se perdent dans le ciel.

Une chose me charmait pourtant, la parade. Tous les jours, la garde montante défilait, tambour et musique en tête, au pied du perron, dans la Cour verte. M. de Causans proposa de me montrer le camp de la côte : mon père y consentit.

Je fus conduit à Saint-Malo par M. de La Morandais, très bon gentilhomme, mais que la pauvreté avait réduit à être régisseur de la terre de Combourg. Il portait un habit de camelot gris, avec un petit galon d'argent au collet, une têtière ou morion de feutre gris à oreilles, à une seule corne en avant. Il me mit à califourchon derrière lui, sur la croupe de sa jument isabelle. Je me tenais au ceinturon de son couteau de chasse, attaché par-dessus son habit : j'étais enchanté. Lorsque Claude de Bullion et le père du président de Lamoignon, enfants, allaient en campagne, « on les portait tous les deux sur un même âne, dans des paniers, l'un d'un côté, l'autre de l'autre, et l'on mettait un pain du côté de Lamoignon, parce qu'il était plus léger que son camarade, pour faire le contre-poids » (*Mémoires du président de Lamoignon* [1]).

M. de La Morandais prit des chemins de traverse :

> Moult volontiers, de grand'manière,
> Alloit en bois et en rivière ;
> Car nulles gens ne vont en bois
> Moult volontiers comme François [2].

---

1. Claude de Bullion (mort en 1640), garde des Sceaux. Christian de Lamoignon (1567-1636), président à mortier au parlement de Paris ; il est le père du grand Lamoignon, Guillaume (1617-1677), premier président au parlement de Paris sous Louis XIV. La citation extraite des *Mémoires* de Lamoignon père revient dans les *Études historiques* et la *Vie de Rancé*.
2. Extrait de la *Chronique rimée* de Philippe Mouskès (v. 1240), rééditée en 1836

Nous nous arrêtâmes pour dîner à une abbaye de béné-
dictins [1], qui, faute d'un nombre suffisant de moines, venait
d'être réunie à un chef-lieu de l'ordre. Nous n'y trouvâmes
que le père procureur, chargé de la disposition des biens-
meubles et de l'exploitation des futaies. Il nous fit servir un
excellent dîner maigre, à l'ancienne bibliothèque du prieur :
nous mangeâmes quantité d'œufs frais, avec des carpes et
des brochets énormes. À travers l'arcade d'un cloître, je
voyais de grands sycomores, qui bordaient un étang. La
cognée les frappait au pied, leur cime tremblait dans l'air,
et ils tombaient pour nous servir de spectacle. Des charpentiers, venus de Saint-Malo, sciaient à terre des branches
vertes, comme on coupe une jeune chevelure, ou équarissaient des troncs abattus. Mon cœur saignait à la vue de ces
forêts ébréchées et de ce monastère déshabité. Le sac général des maisons religieuses m'a rappelé depuis le dépouille-
ment de l'abbaye qui en fut pour moi le pronostic.

Arrivé à Saint-Malo, j'y trouvai le marquis de Causans ;
je parcourus sous sa garde les rues du camp. Les tentes,
les faisceaux d'armes, les chevaux au piquet, formaient une
belle scène avec la mer, les vaisseaux, les murailles et les
clochers lointains de la ville. Je vis passer, en habit de hus-
sard, au grand galop sur un barbe [2], un de ces hommes en
qui finissait un monde, le duc de Lauzun [3]. Le prince de

---

1. L'abbaye bénédictine du Tronchet en Plerguer, fondée au XIIᵉ siècle,
réformée et reconstruite au XVIIᵉ, supprimée, comme beaucoup d'abbayes
françaises, quelques années avant la Révolution. L'époque voit à la fois
une réforme et un renouveau de la vie monastique et une baisse considérable des effectifs. Les congrégations monastiques furent toutes suppri-
mées par la Constituante le 13 février 1790 et leurs biens furent alors natio-
nalisés, vendus, parfois pillés
2. Cheval berbère.
3. Personnage haut en couleur, typique des grands aristocrates du XVIIIᵉ siècle
(1747-1793). D'abord duc de Lauzun (descendant du duc de Lauzun amant
de la grande Mademoiselle, cousine de Louis XIV), il devint ensuite duc de
Gontault-Biron (grande famille qui donna deux maréchaux à la France).
Mondain défrayant la chronique par ses dépenses, familier de Marie-Antoinette et, à ce titre, sujet de bien des ragots, il fut général en chef de l'armée
du Rhin sous la Révolution, puis des armées luttant contre l'insurrection ven-
déenne. Traduit devant le Tribunal révolutionnaire, il se signala par son ironie (on lui demande de décliner son identité : « Chou, navet, Biron, répond-
il, tout ce que vous voudrez »). Condamné à mort, il se signala encore par
sa bonne humeur philosophique en allant à la guillotine le 31 décembre 1793.

Carignan [1], venu au camp, épousa la fille de M. de Bois-
garin, un peu boiteuse, mais charmante : cela fit grand bruit,
et donna matière à un procès que plaide encore aujourd'hui
M. Lacretelle l'aîné. Mais quel rapport ces choses ont-elles
avec ma vie ? « À mesure que la mémoire de mes privés
amis », dit Montaigne, « leur fournit la chose entière, ils
reculent si arrière leur narration, que si le conte est bon,
ils en étouffent la bonté ; s'il ne l'est pas, vous êtes à mau-
dire ou l'heur de leur mémoire ou le malheur de leur jugement. J'ai vu des récits bien plaisants devenir très ennuyeux
en la bouche d'un seigneur [2]. » J'ai peur d'être ce seigneur.

Mon frère était à Saint-Malo, lorsque M. de La Morandais m'y déposa. Il me dit un soir : « Je te mène au spectacle : prends ton chapeau. » Je perds la tête ; je descends
droit à la cave pour chercher mon chapeau qui était au gre-
nier. Une troupe de comédiens ambulants venait de débar-
quer. J'avais rencontré des marionnettes ; je supposais
qu'on voyait au théâtre des polichinelles beaucoup plus
beaux que ceux de la rue.

J'arrive, le cœur palpitant, à une salle bâtie en bois, dans
une rue déserte de la ville. J'entre par des corridors noirs,
non sans un certain mouvement de frayeur. On ouvre une
petite porte, et me voilà avec mon frère dans une loge à
moitié pleine.

Le rideau était levé, la pièce commencée : on jouait *Le
Père de famille* [3]. J'aperçois deux hommes qui se prome-
naient sur le théâtre en causant, et que tout le monde regardait. Je les pris pour les directeurs des marionnettes, qui
devisaient devant la cahute de madame Gigogne [4], en attendant l'arrivée du public : j'étais seulement étonné qu'ils

---

1. Eugène, prince de Savoie-Carignan (1753-1785), frère de la princesse
de Lamballe, favorite de Marie-Antoinette. Il commandait le régiment
de Savoie-Carignan. Il épousa effectivement en 1781 Élisabeth de Bois-
garein. Ce mariage de mésalliance fut annulé par le parlement de Paris,
mais un fils en étant né, le procès de reconnaissance ne s'acheva vraiment
qu'en 1888. Lacretelle (1751-1824) était un célèbre avocat.
2. *Essais*, I, 9.
3. De Diderot (1761).
4. Madame Gigogne est un personnage traditionnel de théâtre d'enfants.
Elle est entourée d'un grand nombre d'enfants qui sortent de dessous ses
jupes

parlassent si haut de leurs affaires et qu'on les écoutât en silence. Mon ébahissement redoubla lorsque d'autres personnages, arrivant sur la scène, se mirent à faire de grands bras, à larmoyer, et lorsque chacun se prit à pleurer par contagion. Le rideau tomba sans que j'eusse rien compris à tout cela. Mon frère descendit au foyer entre les deux pièces. Demeuré dans la loge au milieu des étrangers dont ma timidité me faisait un supplice, j'aurais voulu être au fond de mon collège. Telle fut la première impression que je reçus de l'art de Sophocle et de Molière.

La troisième année de mon séjour à Dol fut marquée par le mariage de mes deux sœurs aînées : Marianne épousa le comte de Marigny, et Bénigne le comte de Québriac [1]. Elles suivirent leurs maris à Fougères : signal de la dispersion d'une famille dont les membres devaient bientôt se séparer. Mes sœurs reçurent la bénédiction nuptiale à Combourg le même jour, à la même heure, au même autel, dans la chapelle du château. Elles pleuraient, ma mère pleurait ; je fus étonné de cette douleur : je la comprends aujourd'hui. Je n'assiste pas à un baptême ou à un mariage sans sourire amèrement ou sans éprouver un serrement de cœur. Après le malheur de naître, je n'en connais pas de plus grand que celui de donner le jour à un homme.

Cette même année commença une révolution dans ma personne comme dans ma famille. Le hasard fit tomber entre mes mains deux livres bien divers, un *Horace* non châtié et une histoire des *Confessions mal faites*. Le bouleversement d'idées que ces deux livres me causèrent est incroyable : un monde étrange s'éleva autour de moi. D'un côté, je soupçonnai des secrets incompréhensibles à mon âge, une existence différente de la mienne, des plaisirs au-delà de mes jeux, des charmes d'une nature ignorée dans un sexe où je n'avais vu qu'une mère et des sœurs ; d'un autre côté, des spectres traînant des chaînes et vomissant des flammes m'annonçaient les supplices éternels pour un seul péché dissimulé. Je perdis le sommeil ; la nuit, je croyais voir tour à tour des mains noires et des mains

1. Le 13 janvier 1780.

blanches passer à travers mes rideaux : je vins à me figu-
rer que ces dernières mains étaient maudites par la religion,
et cette idée accrut mon épouvante des ombres infernales.
Je cherchais en vain dans le ciel et dans l'enfer l'explication d'un double mystère. Frappé à la fois au moral et au
physique, je luttais encore avec mon innocence contre les
orages d'une passion prématurée et les terreurs de la
superstition.

Dès lors je sentis s'échapper quelques étincelles de ce
feu qui est la transmission de la vie. J'expliquais le quatrième livre de l'*Énéide* et lisais le *Télémaque* : tout à coup
je découvris dans Didon et dans Eucharis des beautés qui
me ravirent [1] ; je devins sensible à l'harmonie de ces vers
admirables et de cette prose antique. Je traduisis un jour à
livre ouvert l'*Æneadum genitrix, hominum divumque
voluptas* de Lucrèce [2] avec tant de vivacité, que M. Egault
m'arracha le poème et me jeta dans les racines grecques.
Je dérobai un *Tibulle* : quand j'arrivai au *Quam iuvat
immites ventos audire cubantem* [3], ces sentiments de
volupté et de mélancolie semblèrent me révéler ma propre
nature. Les volumes de Massillon qui contenaient les sermons de *La Pécheresse* et de *L'Enfant prodigue* ne me
quittaient plus. On me les laissait feuilleter, car on ne se
doutait guère de ce que j'y trouvais. Je volais de petits
bouts de cierges dans la chapelle pour lire la nuit ces descriptions séduisantes des désordres de l'âme. Je m'endor-
mais en balbutiant des phrases incohérentes, où je tâchais
de mettre la douceur, le nombre [4] et la grâce de l'écrivain
qui a le mieux transporté dans la prose l'euphonie raci-
nienne [5].

---

1. Le livre IV de l'*Énéide*, est-il besoin de le rappeler, narre les amours
d'Énée et de Didon. Au livre VI du roman de Fénelon, Télémaque, dans
l'île de Calypso, tombe amoureux de la nymphe Eucharis.
2 « Mère des fils d'Énée, volupté des hommes et des dieux », invocation
à Vénus qui débute le *De Rerum Natura*.
3. « Quel plaisir d'entendre les vents furieux quand on est au lit » (sous-
entendu avec quelqu'un) (*Élégies*, I, 45-46).
4 Les quantités métriques.
5. Massillon, archevêque de Nîmes, grand prédicateur (1663-1742). Chateaubriand parle de ces deux sermons dans le *Génie du christianisme*, II,
3, 2 et II, 3, 8, dans le livre sur les passions.

Si j'ai, dans la suite, peint avec quelque vérité les entraî-
nements du cœur mêlés aux syndérèses [1] chrétiennes, je
suis persuadé que j'ai dû ce succès au hasard qui me fit
connaître au même moment deux empires ennemis. Les
ravages que porta dans mon imagination un mauvais livre [2],
eurent leur correctif dans les frayeurs qu'un autre livre
m'inspira, et celles-ci furent comme alanguies par les
molles pensées que m'avaient laissées des tableaux sans
voile.

4

Dieppe, fin d'octobre 1812.

Aventure de la pie.
Troisièmes vacances à Combourg. – Le Charlatan.
Rentrée au collège.

Ce qu'on dit d'un malheur, qu'il n'arrive jamais seul, on
le peut dire des passions : elles viennent ensemble, comme
les muses ou comme les furies [3]. Avec le penchant qui commençait à me tourmenter, naquit en moi l'honneur ; exaltation de l'âme, qui maintient le cœur incorruptible au
milieu de la corruption ; sorte de principe réparateur placé
auprès d'un principe dévorant, comme la source inépuisable des prodiges que l'amour demande à la jeunesse et
des sacrifices qu'il impose.

Lorsque le temps était beau, les pensionnaires du collège sortaient le jeudi et le dimanche. On nous menait souvent au Mont-Dol, au sommet duquel se trouvaient
quelques ruines gallo-romaines : du haut de ce tertre isolé,
l'œil plane sur la mer et sur des marais où voltigent pen-

---

1 Terme de théologie morale : *remords de conscience.* Chateaubriand
développe dans un curieux chapitre du *Génie du christianisme* (II, 3, 1)
l'idée que la morale chrétienne donne une force accrue aux passions. C'est
le ressort principal d'*Atala.*
2. Que faut-il entendre par *mauvais* ? Chateaubriand ne semble pas apprécier particulièrement Horace, dont il ne parle pas dans le *Génie du christianisme Mauvais* peut s'entendre au sens moral : *néfaste*
3. Divinités de la vengeance, au nombre de trois.

dant la nuit des feux follets, lumière des sorciers qui brûle aujourd'hui dans nos lampes [1]. Un autre but de nos promenades était les prés qui environnaient un séminaire d'*eudistes*, d'Eude [2], frère de l'historien Mézerai, fondateur de leur congrégation.

Un jour du mois de mai, l'abbé Egault, préfet de semaine, nous avait conduits à ce séminaire : on nous laissait une grande liberté de jeux, mais il était expressément défendu de monter sur les arbres. Le régent, après nous avoir établis dans un chemin herbu, s'éloigna pour dire son bréviaire.

Des ormes bordaient le chemin : tout à la cime du plus grand, brillait un nid de pie : nous voilà en admiration, nous montrant mutuellement la mère assise sur ses œufs, et pressés du plus vif désir de saisir cette superbe proie. Mais qui oserait tenter l'aventure ? L'ordre était si sévère, le régent si près, l'arbre si haut ! Toutes les espérances se tournent vers moi ; je grimpais comme un chat. J'hésite, puis la gloire l'emporte : je me dépouille de mon habit, j'embrasse l'orme et je commence à monter. Le tronc était sans branches, excepté aux deux tiers de sa crue [3], où se formait une fourche dont une des pointes portait le nid.

Mes camarades, assemblés sous l'arbre, applaudissent à mes efforts, me regardant, regardant l'endroit d'où pouvait venir le préfet, trépignant de joie dans l'espoir des œufs, mourant de peur dans l'attente du châtiment. J'aborde au nid ; la pie s'envole ; je ravis les œufs, je les mets dans ma chemise et redescends. Malheureusement, je me laisse glisser entre les tiges jumelles et j'y reste à califourchon. L'arbre étant élagué, je ne pouvais appuyer mes pieds ni à droite ni à gauche pour me soulever et reprendre le limbe [4] extérieur : je demeure suspendu en l'air à cinquante pieds [5].

Tout à coup un cri : « Voici le préfet ! » et je me vois incontinent abandonné de mes amis, comme c'est l'usage.

---

1 Le gaz de ville.
2 Saint Jean Eudes (1601-1680) fonda la congrégation des eudistes, qui existe toujours, pour la formation du clergé (séminaires) et la pastorale.
3. Croissance (archaïsme)
4. Bord.
5. 16 m.

Un seul, appelé Le Gobbien, essaya de me porter secours, et fut tôt obligé de renoncer à sa généreuse entreprise. Il n'y avait qu'un moyen de sortir de ma fâcheuse position, c'était de me suspendre en dehors par les mains à l'une des deux dents de la fourche, et de tâcher de saisir avec mes pieds le tronc de l'arbre au-dessous de sa bifurcation. J'exécutai cette manœuvre au péril de ma vie. Au milieu de mes tribulations, je n'avais pas lâché mon trésor ; j'aurais pourtant mieux fait de le jeter, comme depuis j'en ai jeté tant d'autres. En dévalant le tronc, je m'écorchai les mains, je m'éraillai les jambes et la poitrine, et j'écrasai les œufs : ce fut ce qui me perdit. Le préfet ne m'avait point vu sur l'orme ; je lui cachai assez bien mon sang, mais il n'y eut pas moyen de lui dérober l'éclatante couleur d'or dont j'étais barbouillé. « Allons, me dit-il, monsieur, vous aurez le fouet. »

Si cet homme m'eût annoncé qu'il commuait cette peine dans celle de mort, j'aurais éprouvé un mouvement de joie. L'idée de la honte n'avait point approché de mon éducation sauvage : à tous les âges de ma vie, il n'y a point de supplice que je n'eusse préféré à l'horreur d'avoir à rougir devant une créature vivante. L'indignation s'éleva dans mon cœur ; je répondis à l'abbé Egault, avec l'accent non d'un enfant, mais d'un homme, que jamais ni lui ni personne ne lèverait la main sur moi [1]. Cette réponse l'anima ; il m'appela rebelle et promit de faire un exemple. « Nous verrons », répliquai-je, et je me mis à jouer à la balle avec un sang-froid qui le confondit.

Nous retournâmes au collège ; le régent me fit entrer chez lui et m'ordonna de me soumettre. Mes sentiments exaltés firent place à des torrents de larmes. Je représentai à l'abbé Egault qu'il m'avait appris le latin ; que j'étais son écolier, son disciple, son enfant ; qu'il ne voudrait pas déshonorer son élève, et me rendre la vue de mes compagnons insupportable ; qu'il pouvait me mettre en prison, au pain et à l'eau, me priver de mes récréations, me charger de *pensums* ; que je lui saurais gré de cette clémence et l'en

---

1 Chateaubriand doit avoir dans les douze ans. La menace du fouet rappelle la scène des *Confessions* concluant l'histoire du peigne cassé (livre I).

aimerais davantage. Je tombai à ses genoux, je joignis les mains, je le suppliai par Jésus-Christ de m'épargner : il demeura sourd à mes prières. Je me levai plein de rage, et lui lançai dans les jambes un coup de pied si rude qu'il en poussa un cri. Il court en clochant à la porte de sa chambre, la ferme à double tour et revient sur moi. Je me retranche derrière son lit ; il m'allonge à travers le lit des coups de férule [1]. Je m'entortille dans la couverture, et, m'animant au combat, je m'écrie :

Macte animo, generose puer [2] !

Cette érudition de grimaud [3] fit rire malgré lui mon ennemi ; il parla d'armistice : nous conclûmes un traité ; je convins de m'en rapporter à l'arbitrage du principal. Sans me donner gain de cause, le principal me voulut bien soustraire à la punition que j'avais repoussée. Quand l'excellent prêtre prononça mon acquittement, je baisai la manche de sa robe avec une telle effusion de cœur et de reconnaissance, qu'il ne se put empêcher de me donner sa bénédiction. Ainsi se termina le premier combat que me fit rendre cet honneur devenu l'idole de ma vie, et auquel j'ai tant de fois sacrifié repos, plaisir et fortune.

Les vacances où j'entrai dans ma douzième année furent tristes ; l'abbé Leprince m'accompagna à Combourg. Je ne sortais qu'avec mon précepteur ; nous faisions au hasard de longues promenades. Il se mourait de la poitrine ; il était mélancolique et silencieux ; je n'étais guère plus gai. Nous marchions des heures entières à la suite l'un de l'autre sans prononcer une parole. Un jour, nous nous égarâmes dans les bois ; M. Leprince se tourna vers moi et me dit : « Quel chemin faut-il prendre ? » je répondis sans hésiter : « Le soleil se couche ; il frappe à présent la fenêtre de la grosse tour : marchons par là [4]. » M. Leprince raconta le soir la chose à mon père : le futur voyageur se montra dans ce jugement. Maintes fois, en voyant le soleil se coucher dans

1. Baguette
2. « De la vaillance au cœur, noble enfant » (Stace, *Silves,* V, 297) Ce vers est cité plus loin dans les *Mémoires* (XXXVII, 5)
3. Écolier des petites classes.
4. Souvenir de l'*Émile* de Rousseau

les forêts de l'Amérique, je me suis rappelé les bois de Combourg : mes souvenirs se font écho.

L'abbé Leprince désirait que l'on me donnât un cheval ; mais dans les idées de mon père, un officier de marine ne devait savoir manier que son vaisseau. J'étais réduit à monter à la dérobée deux grosses juments de carrosse ou un grand cheval pie. La *Pie* n'était pas, comme celle de Turenne, un de ces destriers nommés par les Romains *desultorios equos* [1], et façonnés à secourir leur maître ; c'était un Pégase lunatique qui ferrait en trottant, et qui me mordait les jambes quand je le forçais à sauter des fossés. Je ne me suis jamais beaucoup soucié de chevaux, quoique j'aie mené la vie d'un Tartare, et contre l'effet que ma première éducation aurait dû produire, je monte à cheval avec plus d'élégance que de solidité.

La fièvre tierce [2], dont j'avais apporté le germe des marais de Dol, me débarrassa de M. Leprince. Un marchand d'orviétan [3] passa dans le village ; mon père, qui ne croyait point aux médecins, croyait aux charlatans : il envoya chercher l'empirique [4], qui déclara me guérir en vingt-quatre heures. Il revint le lendemain, habit vert galonné d'or, large tignasse poudrée, grandes manchettes de mousseline sale, faux brillants aux doigts, culotte de satin noir usé, bas de soie d'un blanc bleuâtre, et souliers avec des boucles énormes.

Il ouvre mes rideaux, me tâte le pouls, me fait tirer la langue, baragouine avec un accent italien quelques mots sur la nécessité de me purger, et me donne à manger un petit morceau de caramel. Mon père approuvait l'affaire, car il prétendait que toute maladie venait d'indigestion, et que pour toute espèce de maux, il fallait purger son homme jusqu'au sang.

Une demi-heure après avoir avalé le caramel, je fus pris de vomissements effroyables ; on avertit M. de Chateau-

---

1. Chevaux de voltige. Le cheval pie (blanc et noir) de Turenne, appelé la *Pie*, était légendaire
2. Paludisme ?
3 Médicament formé de poudres, pulpes, extraits et sirops, originaire d'Orvieto, en Italie. On dit couramment *marchand d'orviétan* pour *charlatan.*
4. « Homme qui traite les maladies par des remèdes secrets et sans aucune notion scientifique du corps et de ses maladies » (Littré).

briand qui voulait faire sauter le pauvre diable par la fenêtre
de la tour. Celui-ci, épouvanté, met habit bas, retrousse les
manches de sa chemise en faisant les gestes les plus gro-
tesques. À chaque mouvement, sa perruque tournait en tous
sens ; il répétait mes cris, et ajoutait après : *Che ? Monsou
Lavandier ?* Ce monsieur Lavandier était le pharmacien du
village, qu'on avait appelé au secours. Je ne savais, au
milieu de mes douleurs, si je mourrais des drogues de cet
homme ou des éclats de rire qu'il m'arrachait.

On arrêta les effets de cette trop forte dose d'émétique,
et je fus remis sur pied. Toute notre vie se passe à errer
autour de notre tombe ; nos diverses maladies sont des
souffles qui nous approchent plus ou moins du port. Le premier mort que j'aie vu, était un chanoine de Saint-Malo ;
il gisait expiré sur son lit, le visage distors par les dernières
convulsions. La mort est belle, elle est notre amie : néanmoins, nous ne la reconnaissons pas, parce qu'elle se présente à nous masquée et que son masque nous épouvante.

On me renvoya au collège à la fin de l'automne.

5

Vallée-aux-Loups, décembre 1813.

Invasion de la France. – Jeux.
L'abbé de Chateaubriand.

De Dieppe où l'injonction de la police m'avait obligé de
me réfugier, on m'a permis de revenir à la Vallée-aux-
Loups, où je continue ma narration. La terre tremble sous
les pas du soldat étranger, qui dans ce moment même enva-
hit ma patrie ; j'écris comme les derniers Romains, au bruit
de l'invasion des Barbares [1]. Le jour je trace des pages aussi

---

1. Le prince Schwarzenberg entre en Alsace à la tête des troupes coali-
sées le 23 décembre 1813, entamant la campagne de France. Les Alliés
entreront dans Paris le 31 mars 1814. Metternich avait eu soin de préciser par la Déclaration de Francfort (1er décembre 1813) que les Alliés ne
faisaient pas la guerre à la France, mais à Napoléon. Malgré ces précautions, même les opposants à Napoléon, comme Chateaubriand ou Madame
de Staël, ressentirent durement cette invasion.

agitées que les événements de ce jour * ; la nuit, tandis que le roulement du canon lointain expire dans mes bois, je retourne au silence des années qui dorment dans la tombe, à la paix de mes plus jeunes souvenirs. Que le passé d'un homme est étroit et court, à côté du vaste présent des peuples et de leur avenir immense !

Les mathématiques, le grec et le latin occupèrent tout mon hiver au collège. Ce qui n'était pas consacré à l'étude était donné à ces jeux du commencement de la vie, pareils en tous lieux. Le petit Anglais, le petit Allemand, le petit Italien, le petit Espagnol, le petit Iroquois, le petit Bédouin roulent le cerceau et lancent la balle. Frères d'une grande famille, les enfants ne perdent leurs traits de ressemblance qu'en perdant l'innocence, la même partout. Alors les passions modifiées par les climats, les gouvernements et les mœurs font les nations diverses ; le genre humain cesse de s'entendre et de parler le même langage : c'est la société qui est la véritable tour de Babel.

Un matin, j'étais très animé à une partie de barres [1] dans la grande cour du collège ; on me vint dire qu'on me demandait. Je suivis le domestique à la porte extérieure. Je trouve un gros homme, rouge de visage, les manières brusques et impatientes, le ton farouche, ayant un bâton à la main, portant une perruque noire mal frisée, une soutane déchirée retroussée dans ses poches, des souliers poudreux, des bas percés au talon : « Petit polisson, me dit-il, n'êtes-vous pas le chevalier de Chateaubriand de Combourg ? – Oui, monsieur », répondis-je tout étourdi de l'apostrophe. « Et moi, reprit-il presque écumant, je suis le dernier aîné de votre famille, je suis l'abbé de Chateaubriand de la Guérande [2] : regardez-moi bien. » Le fier abbé met la main dans le gousset d'une vieille culotte de panne [3], prend un écu de six francs moisi, enveloppé dans un papier crasseux, me le jette au nez et continue à pied son voyage en marmottant ses matines d'un air furibond. J'ai su depuis

_____

* *De Buonaparte et des Bourbons*. [Note de Genève, 1831.]
1. Voilà un jeu qui a perdu, récemment, son universalité ! C'est un jeu de course-poursuite à deux camps
2. Charles-Hilaire de Chateaubriand (1708-1782).
3. Sorte de velours ordinaire.

que le prince de Condé avait fait offrir à ce hobereau-vicaire le préceptorat du duc de Bourbon [1]. Le prêtre outre-cuidé répondit que le prince, possesseur de la baronnie de Chateaubriand, devait savoir que les héritiers de cette baronnie pouvaient avoir des précepteurs, mais n'étaient les précepteurs de personne. Cette hauteur était le défaut de ma famille ; elle était odieuse dans mon père ; mon frère la poussait jusqu'au ridicule ; elle a un peu passé à son fils aîné. – Je ne suis pas bien sûr, malgré mes inclinations républicaines, de m'en être complètement affranchi, bien que je l'aie soigneusement cachée.

6

Première communion. – Je quitte le collège de Dol.

L'époque de ma première communion approchait, moment où l'on décidait dans la famille de l'état futur de l'enfant. Cette cérémonie religieuse remplaçait parmi les jeunes chrétiens la prise de la robe virile chez les Romains. Madame de Chateaubriand était venue assister à la première communion d'un fils qui, après s'être uni à son Dieu, allait se séparer de sa mère.

Ma piété paraissait sincère ; j'édifiais tout le collège : mes regards étaient ardents ; mes abstinences répétées allaient jusqu'à donner de l'inquiétude à mes maîtres. On craignait l'excès de ma dévotion ; une religion éclairée cherchait à tempérer ma ferveur.

J'avais pour confesseur le supérieur du séminaire des eudistes, homme de cinquante ans, d'un aspect rigide. Toutes les fois que je me présentais au tribunal de la pénitence, il m'interrogeait avec anxiété. Surpris de la légèreté de mes fautes, il ne savait comment accorder mon trouble avec le peu d'importance des secrets que je déposais dans

---

1. Ce sont les derniers membres de l'illustre famille princière (le prince de Condé, descendant de l'oncle d'Henri IV, est *premier prince du sang* jusqu'en 1709). Le duc de Bourbon (1756-1830) est le fils du prince de Condé, commandant de l'armée des émigrés (1736-1818), et le père du duc d'Enghien, exécuté en 1804.

son sein. Plus le jour de Pâques s'avoisinait, plus les questions du religieux étaient pressantes. « Ne me cachez-vous rien ? » me disait-il. Je répondais : « Non, mon père. – N'avez-vous pas fait telle faute ? – Non, mon père. » Et toujours : « Non, mon père. » Il me renvoyait en doutant, en soupirant, en me regardant jusqu'au fond de l'âme, et moi, je sortais de sa présence, pâle et défiguré comme un criminel.

Je devais recevoir l'absolution le mercredi saint. Je passai la nuit du mardi au mercredi en prières, et à lire avec terreur, le livre des *Confessions mal faites*. Le mercredi, à trois heures de l'après-midi, nous partîmes pour le séminaire ; nos parents nous accompagnaient. Tout le vain bruit qui s'est depuis attaché à mon nom, n'aurait pas donné à madame de Chateaubriand un seul instant de l'orgueil qu'elle éprouvait comme chrétienne et comme mère, en voyant son fils prêt à participer au grand mystère de la religion.

En arrivant à l'église, je me prosternai devant le sanctuaire et j'y restai comme anéanti. Lorsque je me levai pour me rendre à la sacristie, où m'attendait le supérieur, mes genoux tremblaient sous moi. Je me jetai aux pieds du prêtre ; ce ne fut que de la voix la plus altérée que je parvins à prononcer mon *Confiteor* [1]. « Eh bien, n'avez-vous rien oublié ? » me dit l'homme de Jésus-Christ. Je demeurai muet. Ses questions recommencèrent, et le fatal *non, mon père*, sortit de ma bouche. Il se recueillit, il demanda des conseils à Celui qui conféra aux apôtres le pouvoir de lier et de délier les âmes. Alors, faisant un effort, il se prépare à me donner l'absolution.

La foudre que le ciel eût lancée sur moi, m'aurait causé moins d'épouvante, je m'écriai : « Je n'ai pas tout dit ! » Ce redoutable juge, ce délégué du souverain Arbitre, dont le visage m'inspirait tant de crainte, devient le pasteur le plus tendre ; il m'embrasse et fond en larmes : « Allons, me dit-il, mon cher fils, du courage ! »

Je n'aurai jamais un tel moment dans ma vie. Si l'on m'avait débarrassé du poids d'une montagne, on ne m'eût

---

1. « Je confesse à Dieu tout-puissant... »

pas plus soulagé : je sanglotais de bonheur. J'ose dire que c'est de ce jour que j'ai été créé honnête homme ; je sentis que je ne survivrais jamais à un remords : quel doit donc être celui du crime, si j'ai pu tant souffrir pour avoir tu les faiblesses d'un enfant ! Mais combien elle est divine cette religion qui se peut emparer ainsi de nos bonnes facultés ! Quels préceptes de morale suppléeront jamais à ces institutions chrétiennes ?

Le premier aveu fait, rien ne me coûta plus : mes puérilités cachées, et qui auraient fait rire le monde, furent pesées au poids de la religion. Le supérieur se trouva fort embarrassé ; il aurait voulu retarder ma communion, mais j'allais quitter le collège de Dol et bientôt entrer au service dans la marine. Il découvrit avec une grande sagacité, dans le caractère même de mes *juvéniles* [1], tout insignifiantes qu'elles étaient, la nature de mes penchants ; c'est le premier homme qui ait pénétré le secret de ce que je pouvais être. Il devina mes futures passions ; il ne me cacha pas ce qu'il croyait voir de bon en moi, mais il me prédit aussi mes maux à venir. « Enfin, ajouta-t-il, le temps manque à votre pénitence ; mais vous êtes lavé de vos péchés par un aveu courageux, quoique tardif. » Il prononça, en levant la main, la formule de l'absolution. Cette seconde fois, ce bras foudroyant ne fit descendre sur ma tête que la rosée céleste ; j'inclinai mon front pour la recevoir ; ce que je sentais participait de la félicité des anges. Je m'allai précipiter dans le sein de ma mère qui m'attendait au pied de l'autel. Je ne parus plus le même à mes maîtres et à mes camarades ; je marchais d'un pas léger, la tête haute, l'air radieux, dans tout le triomphe du repentir.

Le lendemain, jeudi saint, je fus admis à cette cérémonie touchante et sublime dont j'ai vainement essayé de tracer le tableau dans le *Génie du christianisme* [2]. J'y aurais pu retrouver mes petites humiliations accoutumées : mon bouquet et mes habits étaient moins beaux que ceux de mes compagnons ; mais ce jour-là, tout fut à Dieu et pour Dieu. Je sais parfaitement ce que c'est que la Foi : la présence

1. Sous-entendu, *errores* : erreurs juvéniles.
2. I, 1, 7, un des chapitres les plus célèbres de l'ouvrage que l'on comparera avec profit au chapitre présent.

réelle de la victime dans le saint sacrement de l'autel [1]
m'était aussi sensible que la présence de ma mère à mes
côtés. Quand l'hostie fut déposée sur mes lèvres, je me sentis comme tout éclairé en dedans. Je tremblais de respect,
et la seule chose matérielle qui m'occupât était la crainte
de profaner le pain sacré.

> Le pain que je vous propose
> Sert aux anges d'aliment,
> Dieu lui-même le compose
> De la fleur de son froment.
>
> (RACINE [2].)

Je conçus encore le courage des martyrs : j'aurais pu
dans ce moment confesser le Christ sur le chevalet [3] ou au
milieu des lions.

J'aime à rappeler ces félicités qui précédèrent de peu
d'instants dans mon âme les tribulations du monde. En
comparant ces ardeurs aux transports que je vais peindre ;
en voyant le même cœur éprouver dans l'intervalle de trois
ou quatre années, tout ce que l'innocence et la religion ont
de plus doux et de plus salutaire, et tout ce que les passions ont de plus séduisant et de plus funeste, on choisira
des deux joies ; on verra de quel côté il faut chercher le
bonheur et surtout le repos.

Trois semaines après ma première communion, je quittai le collège de Dol. Il me reste de cette maison un agréable

---

1. Dans l'Eucharistie catholique, l'*hostie* (étymologiquement la victime),
saint sacrement de l'autel, est transmuée en corps réel du Christ, la véritable victime du sacrifice étant le Christ lui-même (théologie du sacrifice rédempteur que Chateaubriand développe dans le *Génie du christianisme* et que l'on trouve abondamment chez les penseurs catholiques du
XIXe siècle, en particulier Joseph de Maistre). Ce dogme sacramentel
s'appelle la *transsubstantiation* : une *substance* première (le pain azyme
de l'hostie) devient une autre *substance* (le corps du Christ), sans que l'apparence en soit changée. On passe d'un ordre de *réalité* humaine à un
ordre de *réalité* sacramentelle, d'où l'expression de présence *réelle*.
2. Racine écrivit en 1694 un recueil de « cantiques spirituels » pour la maison de Saint-Cyr. Ces cantiques furent immédiatement mis en musique
par J.-B. Moreau et R. De La Lande et publiés en un recueil, *Cantiques
chantés devant le Roi*, largement diffusé. On a ici le début de la 3e strophe
du 4e cantique, « Sur les vaines occupations des gens du siècle ».
3. Instrument de supplice.

souvenir : notre enfance laisse quelque chose d'elle-même
aux lieux embellis par elle, comme une fleur communique
son parfum aux objets qu'elle a touchés. Je m'attendris
encore aujourd'hui en songeant à la dispersion de mes premiers camarades et de mes premiers maîtres. L'abbé
Leprince, nommé à un bénéfice auprès de Rouen, vécut
peu ; l'abbé Egault obtint une cure dans le diocèse de
Rennes, et j'ai vu mourir le bon principal, l'abbé Porcher,
au commencement de la Révolution : il était instruit, doux
et simple de cœur. La mémoire de cet obscur Rollin [1] me
sera toujours chère et vénérable.

7

Vallée-aux-Loups, fin de décembre 1813.

Mission à Combourg.
Collège de Rennes. — Je retrouve Gesril.
Moreau, Limoëlan.
Mariage de ma troisième sœur.

Je trouvai à Combourg de quoi nourrir ma piété, une
mission [2] ; j'en suivis les exercices. Je reçus la confirma-
tion sur le perron du manoir avec les paysans et les pay-
sannes, de la main de l'évêque de Saint-Malo. Après cela,
on érigea une croix ; j'aidai à la soutenir, tandis qu'on la
fixait sur sa base. Elle existe encore : elle s'élève devant
la tour où est mort mon père. Depuis trente années elle n'a
vu paraître personne aux fenêtres de cette tour ; elle n'est
plus saluée des enfants du château ; chaque printemps elle
les attend en vain ; elle ne voit revenir que les hirondelles,
compagnes de mon enfance, plus fidèles à leur nid que
l'homme à sa maison. Heureux si ma vie s'était écoulée

---

1. Professeur de rhétorique au Collège de France (1661-1741), auteur d'un
Traité des Études et d'une *Histoire ancienne*, qui furent de grands classiques. Chateaubriand en parle dans le *Génie du christianisme*, III, 3, 7.
2. Nombreuses durant le XVIIIᵉ siècle, dans la foulée du concile de Trente,
les missions, assurées par un prédicateur extérieur, visent à la formation
catéchétique du chrétien, des couches populaires rurales en particulier.

au pied de la croix de la mission, si mes cheveux n'eussent été blanchis que par le temps qui a couvert de mousse les branches de cette croix !

Je ne tardai pas à partir pour Rennes : j'y devais continuer mes études et clore mon cours de mathématiques, afin de subir ensuite à Brest l'examen de garde-marine [1].

M. de Fayolle était principal du collège de Rennes. On comptait dans ce Juilly [2] de la Bretagne trois professeurs distingués, l'abbé de Chateaugiron pour la seconde, l'abbé Germé pour la rhétorique, l'abbé Marchand pour la physique. Le pensionnat et les externes étaient nombreux, les classes fortes. Dans les derniers temps, Geoffroy et Ginguené [3], sortis de ce collège, auraient fait honneur à Sainte-Barbe et au Plessis [4]. Le chevalier de Parny [5] avait aussi étudié à Rennes ; j'héritai de son lit dans la chambre qui me fut assignée.

Rennes me semblait une Babylone, le collège un monde. La multitude des maîtres et des écoliers, la grandeur des bâtiments, du jardin et des cours, me paraissaient démesurées : je m'y habituai cependant. À la fête du Principal, nous avions des jours de congé ; nous chantions à tue-tête à sa louange de superbes couplets de notre façon, où nous disions :

> Ô Terpsichore, ô Polymnie,
> Venez, venez remplir nos vœux ;
> La raison même vous convie.

Je pris sur mes nouveaux camarades l'ascendant que j'avais eu à Dol sur mes anciens compagnons : il m'en coûta quelques horions. Les babouins bretons sont d'une humeur hargneuse ; on s'envoyait des cartels pour les jours de promenade, dans les bosquets du jardin des Bénédictins, appelé le Thabor : nous nous servions de compas de mathématiques attachés au bout d'une canne, ou nous en venions à une lutte corps à corps plus ou moins félonne ou cour-

---

1. 1781-1782, classe de troisième.
2. Célèbre collège oratorien situé en Île-de-France (existe toujours).
3. Julien-Louis Geoffroy (1743-1814), collaborateur puis directeur de l'*Année littéraire*, revue de critique littéraire royaliste et catholique. Sous l'Empire, il fut le critique théâtral tout puissant du *Journal des Débats*. Sur Ginguené, voir IV, 12 et dossier, p. 336.
4. Célèbres collèges parisiens. Le premier existe toujours.
5. Voir IV, 12 et dossier, p. 338-339.

toise, selon la gravité du défi. Il y avait des juges du camp
qui décidaient s'il échéait gage, et de quelle manière les
champions mèneraient des mains. Le combat ne cessait que
quand une des deux parties s'avouait vaincue. Je retrouvai
au collège mon ami Gesril, qui présidait comme à Saint-
Malo, à ces engagements. Il voulait être mon second dans
une affaire que j'eus avec Saint-Riveul, jeune gentilhomme
qui devint la première victime de la Révolution [1]. Je tombai sous mon adversaire, refusai de me rendre et payai cher
ma superbe. Je disais, comme Jean Desmarets [2] allant à
l'échafaud : « Je ne crie merci qu'à Dieu. »

Je rencontrai à ce collège deux hommes devenus depuis
différemment célèbres : Moreau le général, et Limoëlan [3],
auteur de la machine infernale, aujourd'hui prêtre en Amérique. Il n'existe qu'un portrait de Lucile, et cette méchante
miniature a été faite par Limoëlan, devenu peintre pendant
les détresses révolutionnaires. Moreau était externe, Limoëlan pensionnaire. On a rarement trouvé à la même époque,
dans une même province, dans une même petite ville, dans
une même maison d'éducation, des destinées aussi singu-
lières. Je ne puis m'empêcher de raconter un tour d'écolier que joua au préfet de semaine mon camarade Limoëlan.

Le préfet avait coutume de faire sa ronde dans les corridors, après la retraite, pour voir si tout était bien : il regardait à cet effet par un trou pratiqué dans chaque porte.
Limoëlan, Gesril, Saint-Riveul et moi nous couchions dans
la même chambre :

D'animaux malfaisants c'était un fort bon plat [4].

---

1. Voir V, 7, p. 244.
2. Avocat général au parlement de Paris, décapité en 1383, sur l'ordre de
Charles VI, lors de la révolte « des Maillotins ». Chateaubriand en parle
dans les *Études historiques*.
3. Jean-Victor Moreau (1763-1813), un des principaux généraux de la
Révolution française, commandant en chef de l'armée du Nord, puis de
l'armée du Rhin. Opposé à Napoléon, il est exilé en 1804. Le 24 décembre
1800, un complot royaliste fait exploser une bombe (la « machine infernale ») sur le passage de la voiture de Napoléon. Limoëlan (1768-1826)
réussit à échapper à la police avec plusieurs de ses complices. Tourmenté
par la mort d'une fillette innocente dans l'explosion, il se fit prêtre en 1812.
4. La Fontaine, *Fables*, livre IX, fable 16, *Le Singe et le Chat*.

Vainement avions-nous plusieurs fois bouché le trou avec du papier; le préfet poussait le papier et nous surprenait sautant sur nos lits et cassant nos chaises.

Un soir Limoëlan, sans nous communiquer son projet, nous engage à nous coucher et à éteindre la lumière. Bientôt nous l'entendons se lever, aller à la porte, et puis se remettre au lit. Un quart d'heure après, voici venir le préfet sur la pointe du pied. Comme avec raison nous lui étions suspects, il s'arrête à notre porte, écoute, regarde, n'aperçoit point de lumière. « Qui est-ce qui a fait cela ? » s'écriet-il en se précipitant dans la chambre. Limoëlan d'étouffer de rire et Gesril de dire en nasillant, avec son air moitié niais, moitié goguenard : « Qu'est-ce donc, monsieur le préfet ? » Voilà Saint-Riveul et moi à rire comme Limoëlan et à nous cacher sous nos couvertures.

On ne put rien tirer de nous : nous fûmes héroïques. Nous fûmes mis tous quatre en prison au caveau : Saint-Riveul fouilla la terre sous une porte qui communiquait à la basse-cour; il engagea sa tête dans cette taupinière, un porc accourut et lui pensa manger la cervelle; Gesril se glissa dans les caves du collège et mit couler un tonneau de vin; Limoëlan démolit un mur, et moi, nouveau Perrin Dandin [1], grimpant dans un soupirail, j'ameutai la canaille de la rue par mes harangues. Le terrible auteur de la machine infernale, jouant cette niche de polisson à un préfet de collège, rappelle en petit Cromwell barbouillant d'encre la figure d'un autre régicide, qui signait après lui l'arrêt de mort de Charles Ier [2].

Quoique l'éducation fût très religieuse au collège de Rennes, ma ferveur se ralentit : le grand nombre de mes maîtres et de mes camarades multipliait les occasions de distractions. J'avançai dans l'étude des langues; je devins fort en mathématiques, pour lesquelles j'ai toujours eu un penchant décidé : j'aurais fait un bon officier de marine ou de génie. En tout j'étais né avec des dispositions faciles :

---

1. Personnage des *Plaideurs* de Racine.
2. Cette anecdote se retrouve dans les *Études historiques* (*Les Quatre Stuart*) mais aussi dans la préface de *Cromwell* de Victor Hugo. À noter que c'est seulement dans cette phrase que nous comprenons ce qui est arrivé au préfet.

sensible aux choses sérieuses comme aux choses agréables, j'ai commencé par la poésie, avant d'en venir à la prose ; les arts me transportaient ; j'ai passionnément aimé la musique et l'architecture. Quoique prompt à m'ennuyer de tout, j'étais capable des plus petits détails ; étant doué d'une patience à toute épreuve, quoique fatigué de l'objet qui m'occupait, mon obstination était plus forte que mon dégoût. Je n'ai jamais abandonné une affaire quand elle a valu la peine d'être achevée ; il y a telle chose que j'ai poursuivie quinze et vingt ans de ma vie, aussi plein d'ardeur le dernier jour que le premier.

Cette souplesse de mon intelligence se retrouvait dans les choses secondaires. J'étais habile aux échecs, adroit au billard, à la chasse, au maniement des armes ; je dessinais passablement ; j'aurais bien chanté, si l'on eût pris soin de ma voix. Tout cela, joint au genre de mon éducation, à une vie de soldat et de voyageur, fait que je n'ai point senti mon pédant, que je n'ai jamais eu l'air hébété ou suffisant, la gaucherie, les habitudes crasseuses des hommes de lettres d'autrefois, encore moins la morgue et l'assurance, l'envie et la vanité fanfaronne des nouveaux auteurs [1].

Je passai deux ans au collège de Rennes ; Gesril le quitta dix-huit mois avant moi. Il entra dans la marine. Julie, ma troisième sœur, se maria au cours de ces deux années : elle épousa le comte de Farcy, capitaine au régiment de Condé, et s'établit avec son mari à Fougères, où déjà habitaient mes deux sœurs aînées, mesdames de Marigny et de Québriac. Le mariage de Julie eut lieu à Combourg, et j'assistai à la noce [2]. J'y rencontrai cette comtesse de Tronjoli qui se fit remarquer par son intrépidité à l'échafaud : cousine et intime amie du marquis de La Rouërie [3], elle fut mêlée à sa conspiration. Je n'avais encore vu la beauté qu'au milieu de ma famille ; je restai confondu en l'apercevant sur le visage

---

1. Un des rares portraits que trace Chateaubriand de lui-même. Rousseau dans les *Confessions* ne cesse, au contraire, d'exposer son caractère et ses capacités.
2. 23 avril 1782.
3. La Rouërie (1756-1793) est l'auteur d'un plan de soulèvement de l'Ouest qui sera réalisé après sa mort par les Chouans (voir V, 15, p. 280, n. 1). Il ne fut pas arrêté, mais vingt-six de ses partisans furent exécutés, dont la comtesse de Trojoliff (1759-1793)

d'une femme étrangère. Chaque pas dans la vie m'ouvrait une nouvelle perspective ; j'entendais la voix lointaine et séduisante des passions qui venaient à moi ; je me précipitais au-devant de ces sirènes, attiré par une harmonie inconnue. Il se trouva que, comme le grand-prêtre d'Éleusis, j'avais des encens divers pour chaque divinité. Mais les hymnes que je chantais, en brûlant ces encens, pouvaient-ils s'appeler *baumes*, ainsi que les poésies de l'hiérophante [1] ?

8

La Vallée-aux-Loups, janvier 1814.

Je suis envoyé à Brest
pour subir l'examen de garde de marine.
Le port de Brest. – Je retrouve encore Gesril.
La Pérouse. – Je reviens à Combourg.

Après le mariage de Julie, je partis pour Brest. En quittant le grand collège de Rennes, je ne sentis point le regret que j'éprouvai en sortant du petit collège de Dol ; peut-être n'avais-je plus cette innocence qui nous fait un charme de tout : ma jeunesse n'était plus enveloppée dans sa fleur, le temps commençait à la déclore. J'eus pour mentor dans ma nouvelle position un de mes oncles maternels, le comte Ravenel de Boisteilleul [2], chef d'escadre, dont un des fils, officier très distingué d'artillerie dans les armées de Bonaparte, a épousé la fille unique de ma sœur la comtesse de Farcy.

Arrivé à Brest, je ne trouvai point mon brevet d'aspirant ; je ne sais quel accident l'avait retardé. Je restai ce qu'on appelait *soupirant*, et comme tel, exempt d'études régulières [3]. Mon oncle me mit en pension dans la rue de

_____

1. Prêtre des mystères d'Éleusis.
2. Jean-Baptiste de Ravenel de Boisteilleul (1738-1815), cousin germain de Mme de Chateaubriand, était capitaine de vaisseau à la retraite. Son fils Hyacinthe (1784-1868), capitaine d'artillerie sous l'Empire, épousa en 1814 la fille de Julie, Pauline de Farcy.
3. Le brevet d'aspirant est délivré par le ministère de la Marine, avec accord du roi. Le soupirant qui le détient doit encore subir un examen avant d'être définitivement nommé. Malgré les démarches de son frère,

Siam, à une table d'hôte d'aspirants, et me présenta au commandant de la marine, le comte Hector [1].

Abandonné à moi-même pour la première fois, au lieu de me lier avec mes futurs camarades, je me renfermai dans mon instinct solitaire. Ma société habituelle se réduisit à mes maîtres d'escrime, de dessin et de mathématiques.

Cette mer que je devais rencontrer sur tant de rivages, baignait à Brest l'extrémité de la péninsule armoricaine : après ce cap avancé, il n'y avait plus rien qu'un océan sans bornes et des mondes inconnus ; mon imagination se jouait dans ces espaces. Souvent assis sur quelque mât qui gisait le long du quai de Recouvrance, je regardais les mouvements de la foule : constructeurs, matelots, militaires, douaniers, forçats, passaient et repassaient devant moi. Des voyageurs débarquaient et s'embarquaient, des pilotes commandaient la manœuvre, des charpentiers équarissaient des pièces de bois, des cordiers filaient des câbles, des mousses allumaient des feux sous des chaudières d'où sortaient une épaisse fumée et la saine odeur du goudron. On portait, on reportait, on roulait de la marine aux magasins, et des magasins à la marine des ballots de marchandises, des sacs de vivres, des trains d'artillerie. Ici des charrettes s'avançaient dans l'eau à reculons pour recevoir des chargements ; là, des palans enlevaient des fardeaux, tandis que des grues descendaient des pierres et que des cure-môles creusaient des atterrissements. Des forts répétaient des signaux, des chaloupes allaient et venaient, des vaisseaux appareillaient ou rentraient dans les bassins.

Mon esprit se remplissait d'idées vagues sur la société, sur ses biens et ses maux. Je ne sais quelle tristesse me

---

Chateaubriand n'obtint pas le brevet. Brest est un des principaux ports militaires français depuis Richelieu. La marine française, anéantie à la fin du XVIIIᵉ siècle, est alors en plein essor, relevée par la volonté expresse de Louis XVI. Elle s'illustra en particulier lors de la guerre d'Indépendance américaine (Chateaubriand décrit son retour triomphal à la page suivante). Très touchée par les troubles révolutionnaires, cette arme se vit privée par l'émigration de la plupart de ses officiers, entraînant de nouveau sa ruine totale sous Napoléon.
1. Charles-Jean d'Hector (1722-1808), commandant du port de Brest de 1780 à 1791, émigra à la Révolution et commanda le corps de marine de l'armée des Princes. Il forma à ce titre le « régiment d'Hector » qui participa au débarquement de Quiberon (voir p. 84, n. 1).

gagnait ; je quittais le mât sur lequel j'étais assis ; je remon-
tais le Penfeld, qui se jette dans le port ; j'arrivais à un
coude où ce port disparaissait. Là, ne voyant plus rien
qu'une vallée tourbeuse, mais entendant encore le murmure
confus de la mer et la voix des hommes, je me couchais
au bord de la petite rivière. Tantôt regardant couler l'eau,
tantôt suivant des yeux le vol de la corneille marine, jouissant du silence autour de moi, ou prêtant l'oreille aux coups
de marteau du calfat, je tombais dans la plus profonde rêverie. Au milieu de cette rêverie, si le vent m'apportait le son
du canon d'un vaisseau qui mettait à la voile, je tressaillais
et des larmes mouillaient mes yeux [1].

Un jour, j'avais dirigé ma promenade vers l'extrémité
extérieure du port, du côté de la mer : il faisait chaud, je
m'étendis sur la grève et m'endormis. Tout à coup, je suis
réveillé par un bruit magnifique ; j'ouvre les yeux, comme
Auguste pour voir les trirèmes dans les mouillages de la
Sicile, après la victoire sur Sextus Pompée [2] ; les détona-
tions de l'artillerie se succédaient ; la rade était semée de
navires : la grande escadre française rentrait après la signa-
ture de la paix [3]. Les vaisseaux manœuvraient sous voile,
se couvraient de feux, arboraient des pavillons, présentaient
la poupe, la proue, le flanc, s'arrêtaient en jetant l'ancre
au milieu de leur course, ou continuaient à voltiger sur les
flots. Rien ne m'a jamais donné une plus haute idée de l'esprit humain ; l'homme semblait emprunter dans ce moment
quelque chose de Celui qui a dit à la mer : « Tu n'iras pas
plus loin. *Non procedes amplius* [4]. »

Tout Brest accourut. Des chaloupes se détachent de la
flotte et abordent au Môle. Les officiers dont elles étaient
remplies, le visage brûlé par le soleil, avaient cet air étranger qu'on apporte d'un autre hémisphère, et je ne sais quoi
de gai, de fier, de hardi, comme des hommes qui venaient
de rétablir l'honneur du pavillon national. Ce corps de la

---

1. Ces pages sont reprises dans *René*.
2. Suétone, *Vie d'Auguste*, 16.
3. L'escadre de l'amiral de La Motte-Picquet arriva à Brest le 1er avril
1783, celle du marquis de Vaudreuil le 17 juin. La paix fut signée le 3 septembre, mettant fin à la guerre d'indépendance américaine.
4. Job, 38-11.

marine, si méritant, si illustre, ces compagnons des Suffren, des Lamothe-Piquet, des du Couëdic, des d'Estaing, échappés aux coups de l'ennemi, devaient tomber sous ceux des Français [1] !

Je regardais défiler la valeureuse troupe, lorsqu'un des officiers se détache de ses camarades et me saute au cou : c'était Gesril. Il me parut grandi, mais faible et languissant d'un coup d'épée qu'il avait reçu dans la poitrine. Il quitta Brest le soir même pour se rendre dans sa famille. Je ne l'ai vu qu'une fois depuis, peu de temps avant sa mort héroïque [2] ; je dirai plus tard en quelle occasion. L'apparition et le départ subit de Gesril me firent prendre une résolution qui a changé le cours de ma vie : il était écrit que ce jeune homme aurait un empire absolu sur ma destinée.

On voit comment mon caractère se formait, quel tour prenaient mes idées, quelles furent les premières atteintes de mon génie, car j'en puis parler comme d'un mal, quel qu'ait été ce génie, rare ou vulgaire, méritant ou ne méritant pas le nom que je lui donne, faute d'un autre mot pour mieux m'exprimer [3]. Plus semblable au reste des hommes,

---

1. Le bailli de Suffren (1729-1788) participa à de nombreuses campagnes avant la guerre d'Indépendance, où il s'illustra particulièrement, sous les ordres de l'amiral d'Estaing, à la prise de Grenade, au cap Saint-Vincent et au cap Vert Il guerroya ensuite en Inde, toujours contre les Anglais. Il fut promu vice-amiral en 1784. L'amiral de La Motte-Picquet (1720-1790), après une longue carrière, s'illustra lors de la guerre d'Indépendance américaine en s'emparant de vingt-six vaisseaux anglais Il fut promu lieutenant-général des armées navales en 1781. Le chevalier du Couëdic (1739-1780) mourut des blessures qu'il avait reçues lors d'un combat où son vaisseau, *La Surveillante*, se couvrit de gloire L'amiral d'Estaing (1729-1794), autre héros de la guerre d'Indépendance, pratiqua une politique louvoyante et intrigante pendant la Révolution C'est lui qui livra pratiquement le roi à Paris lors des journées d'octobre. Il ira même jusqu'à témoigner au procès de Marie-Antoinette, mais sera finalement guillotiné. Il est le seul de cette liste à avoir été victime de la Révolution. Mais Chateaubriand souligne plus largement l'hécatombe que la Révolution fit dans les rangs de la Marine Il tient aussi, manifestement, à opposer à la gloire militaire de la Révolution et de l'Empire celle de l'Ancien Régime
2 Voir *supra*, p. 84, n 1
3. C'est l'époque où le mot *génie* change de signification. De la signification première du latin *ingenium* – qualités natives – , il passe à l'idée de qualités exceptionnelles. Le génie est un thème littéraire important du romantisme et déjà du *Sturm und Drang* allemand (*Werther* de Goethe par exemple).

j'eusse été plus heureux : celui qui, sans m'ôter l'esprit, fût parvenu à tuer ce qu'on appelle mon talent, m'aurait traité en ami.

Lorsque le comte de Boisteilleul me conduisait chez M. Hector, j'entendais les jeunes et les vieux marins raconter leurs campagnes, et causer des pays qu'ils avaient parcourus : l'un arrivait de l'Inde, l'autre de l'Amérique ; celui-là devait appareiller pour faire le tour du monde, celui-ci allait rejoindre la station de la Méditerranée, visiter les côtes de la Grèce. Mon oncle me montra La Pérouse [1] dans la foule, nouveau Cook dont la mort est le secret des tempêtes. J'écoutais tout, je regardais tout, sans dire une parole ; mais la nuit suivante, plus de sommeil : je la passais à livrer en imagination des combats, ou à découvrir des terres inconnues.

Quoi qu'il en soit, en voyant Gesril retourner chez ses parents, je pensai que rien ne m'empêchait d'aller rejoindre les miens. J'aurais beaucoup aimé le service de la marine, si mon esprit d'indépendance ne m'eût éloigné de tous les genres de service : j'ai en moi une impossibilité d'obéir. Les voyages me tentaient, mais je sentais que je ne les aimerais que seul, en suivant ma volonté. Enfin, donnant la première preuve de mon inconstance, sans en avertir mon oncle Ravenel, sans écrire à mes parents, sans en demander permission à personne, sans attendre mon brevet d'aspirant, je partis un matin pour Combourg où je tombai comme des nues.

---

1. Jean-François de La Pérouse (1741-1788) participa lui aussi à la guerre contre les Anglais, mais il est surtout célèbre pour son expédition de découverte autour du monde, soigneusement préparée avec Louis XVI, grand amateur de géographie. Parti de Brest en 1785 avec deux vaisseaux, *La Boussole* et *L'Astrolabe*, il franchit le cap Horn, aborda l'île de Pâques, Hawaï, remonta toute la côte américaine, traversa le Pacifique jusqu'aux Philippines, remonta vers le Japon et le Kamtchatka, pour redescendre vers l'Australie. C'est de là qu'il écrivit sa dernière lettre le 7 février 1788. Une expédition partit à sa recherche en 1791 sans succès. Ce n'est qu'en 1826 qu'on découvrit les restes de *L'Astrolabe*. La Pérouse et son équipage furent sans doute massacrés par les indigènes, après avoir fait naufrage. James Cook (1728-1779), après avoir exploré le nord du Canada, fit trois expéditions dans le Pacifique. Au retour d'une expédition dans le détroit de Béring, il fut lui aussi massacré par les indigènes des îles Sandwich. Les récits de ses voyages furent très diffusés.

Je m'étonne encore aujourd'hui qu'avec la frayeur que m'inspirait mon père, j'eusse osé prendre une pareille résolution, et ce qu'il y a d'aussi étonnant, c'est la manière dont je fus reçu. Je devais m'attendre aux transports de la plus vive colère, je fus accueilli doucement. Mon père se contenta de secouer la tête comme pour dire : « Voilà une belle équipée ! » Ma mère m'embrassa de tout son cœur en grognant, et ma Lucile, avec un ravissement de joie.

Livre troisième

1

Montboissier, juillet 1817.

Promenade. – Apparition de Combourg.

Depuis la dernière date de ces *Mémoires*, Vallée-aux-Loups, janvier 1814, jusqu'à la date d'aujourd'hui, Montboissier, juillet 1817, trois ans et six mois se sont passés. Avez-vous entendu tomber l'Empire ? Non : rien n'a troublé le repos de ces lieux. L'Empire s'est abîmé pourtant ;

l'immense ruine s'est écroulée dans ma vie, comme ces débris romains renversés dans le cours d'un ruisseau ignoré. Mais à qui ne les compte pas, peu importent les événements : quelques années échappées des mains de l'Éternel feront justice de tous ces bruits par un silence sans fin.

Le livre précédent fut écrit sous la tyrannie expirante de Bonaparte et à la lueur des derniers éclairs de sa gloire : je commence le livre actuel sous le règne de Louis XVIII. J'ai vu de près les rois, et mes illusions politiques se sont évanouies, comme ces chimères plus douces dont je continue le récit [1]. Disons d'abord ce qui me fait reprendre la plume : le cœur humain est le jouet de tout, et l'on ne saurait prévoir quelle circonstance frivole cause ses joies et ses douleurs. Montaigne l'a remarqué : « Il ne faut point de cause, dit-il, pour agiter notre âme : une resverie sans cause et sans subject la régente et l'agite [2]. »

Je suis maintenant à Montboissier, sur les confins de la Beauce et du Perche. Le château [3] de cette terre, appartenant à madame la comtesse de Colbert-Montboissier, a été vendu et démoli pendant la Révolution ; il ne reste que deux pavillons, séparés par une grille et formant autrefois le logement du concierge. Le parc, maintenant à l'anglaise, conserve des traces de son ancienne régularité française : des allées droites, des taillis encadrés dans des charmilles, lui donnent un air sérieux ; il plaît comme une ruine.

Hier au soir je me promenais seul ; le ciel ressemblait à un ciel d'automne ; un vent froid soufflait par intervalles. À la percée d'un fourré, je m'arrêtai pour regarder le soleil :

---

1. Pendant toute la Restauration, Chateaubriand ambitionnera de jouer un rôle politique majeur. Première déconvenue : *La Monarchie selon la Charte* est saisie par la police en 1816 et Chateaubriand est rayé de la liste des ministres d'État.

2. *Essais*, III, 4

3. Les restes de ce château, reconstruit en 1772 et détruit en 1795, sont encore très exactement dans l'état que décrit Chateaubriand. On les aperçoit depuis la Nationale 20, entre Chartres et Bonneval. En 1805, Édouard de Colbert, héritier des Montboissier par sa femme, racheta la terre. Mme de Colbert-Montboissier était petite-fille de Malesherbes et, à ce titre, cousine par alliance de Chateaubriand. Chateaubriand et sa femme séjournèrent à Montboissier du 3 juillet au 2 août 1817

il s'enfonçait dans des nuages au-dessus de la tour d'Al-
luye [1], d'où Gabrielle, habitante de cette tour, avait vu
comme moi le soleil se coucher il y a deux cents ans. Que
sont devenus Henri et Gabrielle ? Ce que je serai devenu
quand ces *Mémoires* seront publiés.

Je fus tiré de mes réflexions par le gazouillement d'une
grive perchée sur la plus haute branche d'un bouleau. À
l'instant, ce son magique fit reparaître à mes yeux le
domaine paternel ; j'oubliai les catastrophes dont je venais
d'être le témoin, et, transporté subitement dans le passé,
je revis ces campagnes où j'entendis si souvent siffler la
grive. Quand je l'écoutais alors, j'étais triste de même
qu'aujourd'hui ; mais cette première tristesse était celle qui
naît d'un désir vague de bonheur, lorsqu'on est sans expérience ; la tristesse que j'éprouve actuellement vient de la
connaissance des choses appréciées et jugées. Le chant de
l'oiseau dans les bois de Combourg m'entretenait d'une
félicité que je croyais atteindre ; le même chant dans le parc
de Montboissier me rappelait des jours perdus à la poursuite de cette félicité insaisissable. Je n'ai plus rien à
apprendre, j'ai marché plus vite qu'un autre, et j'ai fait le
tour de la vie. Les heures fuient et m'entraînent ; je n'ai pas
même la certitude de pouvoir achever ces *Mémoires*. Dans
combien de lieux ai-je déjà commencé à les écrire, et dans
quel lieu les finirai-je ? Combien de temps me promène-
rai-je au bord des bois ? Mettons à profit le peu d'instants
qui me restent ; hâtons-nous de peindre ma jeunesse, tandis que j'y touche encore : le navigateur, abandonnant pour
jamais un rivage enchanté, écrit son journal à la vue de la
terre qui s'éloigne et qui va bientôt disparaître [2].

---

1. Alluyes, à trois kilomètres de Montboissier, sur le Loir, possède une
imposante tour médiévale de 30 mètres de haut. La marquise d'Alluyes
était la tante de Gabrielle d'Estrées, maîtresse d'Henri IV À noter que
l'irruption de la célèbre grive se greffe sur une première méditation du
passé, historique celui-là : chute de l'Empire, échecs de la Restauration,
destructions de la Révolution, Henri IV. Les différentes dimensions du
passé s'entre-tissent ici de manière très subtile.
2. Image qui clôt déjà *René*, souvenir du départ en Amérique (voir fin du
livre V).

2

Collège de Dinan.
Broussais. – Je reviens chez mes parents.

J'ai dit mon retour à Combourg, et comment je fus accueilli par mon père, ma mère et ma sœur Lucile.

On n'a peut-être pas oublié que mes trois autres sœurs s'étaient mariées, et qu'elles vivaient dans les terres de leurs nouvelles familles, aux environs de Fougères. Mon frère, dont l'ambition commençait à se développer, était plus souvent à Paris qu'à Rennes. Il acheta d'abord une charge de maître des requêtes [1] qu'il revendit afin d'entrer dans la carrière militaire. Il entra dans le régiment de Royal-Cavalerie ; il s'attacha au corps diplomatique et suivit le comte de La Luzerne à Londres, où il se rencontra avec André Chénier [2] : il était sur le point d'obtenir l'ambassade de Vienne, lorsque nos troubles éclatèrent ; il sollicita celle de Constantinople ; mais il eut un concurrent redoutable, Mirabeau, à qui cette ambassade fut promise pour prix de sa réunion au parti de la cour [3]. Mon frère avait donc à peu près quitté Combourg au moment où je vins l'habiter.

Cantonné dans sa seigneurie, mon père n'en sortait plus, pas même pendant la tenue des États [4]. Ma mère allait tous

---

1. Le tribunal des Requêtes de l'Hôtel était chargé de rapporter les requêtes des particuliers au Conseil du Roi. Il était présidé par le chancelier. Il était composé de deux présidents et de treize conseillers et formait une des chambres du parlement de Paris
2. Anne-César, chevalier de La Luzerne (1741-1791), neveu de Malesherbes, fut ambassadeur à Londres en 1788. Le poète André Chénier était son secrétaire particulier. C'est le frère aîné, César-Henri (1737-1799), ministre de la Marine, qui était comte de La Luzerne. Le corps diplomatique comptait en 1790 trente-quatre ambassadeurs ou ministres en poste Un ambassadeur gagnait de 30 000 à 50 000 livres, un secrétaire d'ambassade 3 000 livres.
3. Mirabeau (voir V, 12) eut en effet une correspondance secrète avec Louis XVI, dont il était devenu le conseiller dès 1790. Cette correspondance fut découverte dans une « armoire de fer » aux Tuileries en novembre 1793. Mirabeau, également détesté des révolutionnaires et des royalistes, fut considéré comme un « vendu ».
4. Les États sont des assemblées périodiques où se réunissaient les trois ordres pour l'administration de la province et notamment pour le vote

les ans passer six semaines à Saint-Malo, au temps de Pâques ; elle attendait ce moment comme celui de sa délivrance, car elle détestait Combourg. Un mois avant ce voyage, on en parlait comme d'une entreprise hasardeuse ; on faisait des préparatifs ; on laissait reposer les chevaux. La veille du départ, on se couchait à sept heures du soir, pour se lever à deux heures du matin. Ma mère, à sa grande satisfaction, se mettait en route à trois heures, et employait toute la journée pour faire douze lieues [1].

Lucile reçue chanoinesse [2] au chapitre de l'Argentière, devait passer dans celui de Remiremont : en attendant ce changement, elle restait ensevelie à la campagne.

Pour moi, je déclarai, après mon escapade de Brest, ma volonté ferme d'embrasser l'état ecclésiastique : la vérité est que je ne cherchais qu'à gagner du temps, car j'ignorais ce que je voulais. On m'envoya au collège de Dinan achever mes humanités. Je savais mieux le latin que mes maîtres ; mais je commençai à apprendre l'hébreu [3]. L'abbé de Rouillac était principal du collège, et l'abbé Duhamel mon professeur.

Dinan, orné de vieux arbres, remparé de vieilles tours, est bâti dans un site pittoresque, sur une haute colline au pied de laquelle coule la Rance, que remonte la mer ; il domine des vallées à pentes agréablement boisées. Les eaux minérales de Dinan ont quelque renom. Cette ville, tout historique, et qui a donné le jour à Duclos [4], montrait parmi

---

des impôts. Seules quelques provinces étaient encore *pays d'états* : la Flandre, le Cambrésis, l'Artois, la Bretagne, la Bourgogne, le Dauphiné, la Provence, le Languedoc, le Béarn, le comté de Foix et quelques autres petites provinces des Pyrénées

1. Une lieue = 4,5 km.

2 Les chanoinesses ne sont pas des religieuses, elles ne font pas de vœux ; elles vivent en communautés selon la règle de saint Augustin. La plupart de ces chapitres étaient réservés aux filles nobles ; il fallait ainsi huit degrés (*quartiers*) de noblesse du côté paternel et trois du côté maternel pour entrer au chapitre de l'Argentière, dans les Alpes. Le chapitre de Remiremont, un des plus illustres de France, était plus exigeant encore. Lucile ne réussit jamais à y entrer Les chanoinesses étaient appelées *madame* et portaient le titre de *comtesse*. L'institution disparut définitivement à la Révolution

3. Cette étude, continuée lors de l'émigration à Londres, lui servit pour le *Génie du christianisme*.

4. Charles Pinot Duclos (1704-1772), un des Philosophes, secrétaire perpétuel de l'Académie française, historiographe du Roi, auteur de romans

ses antiquités le cœur de du Guesclin : poussière héroïque qui fut dérobée pendant la Révolution, au moment d'être broyée par un vitrier pour servir à faire de la peinture [1] ; la destinait-on aux tableaux des victoires remportées sur les ennemis de la patrie ?

M. Broussais [2], mon compatriote, étudiait avec moi à Dinan ; on menait les écoliers baigner tous les jeudis, comme les clercs sous le pape Adrien Ier, ou tous les dimanches, comme les prisonniers sous l'empereur Honorius [3]. Une fois, je pensai me noyer ; une autre fois, M. Broussais fut mordu par d'ingrates sangsues, imprévoyantes de l'avenir [4]. Dinan était à égale distance de Combourg et de Plancouët. J'allais tour à tour voir mon oncle de Bedée à Monchoix, et ma famille à Combourg. M. de Chateaubriand, qui trouvait économie à me garder, ma mère qui désirait ma persistance dans la vocation religieuse, mais qui se serait fait scrupule de me presser, n'insistèrent plus sur ma résidence au collège, et je me trouvai insensiblement fixé au foyer paternel.

Je me complairais encore à rappeler les mœurs de mes parents, ne me fussent-elles qu'un touchant souvenir ; mais j'en reproduirai d'autant plus volontiers le tableau qu'il semblera calqué sur les vignettes des manuscrits du Moyen Âge : du temps présent au temps que je vais peindre, il y a des siècles.

---

libertins (*Les Confessions du comte de* ***, 1741), de *Considérations sur les Mœurs* (1751), d'un point de vue modéré.

1. Le cœur des grands hommes, des rois de France par exemple, était souvent conservé dans des monuments distincts des tombeaux. Beaucoup de ces cœurs furent achetés par des peintres pendant la Révolution : broyés avec de l'huile, ils donnaient une substance, la mumie, qui servait de vernis aux tableaux.

2. Célèbre médecin (1772-1838), républicain pendant la Révolution, il sera au service de la Grande Armée sous l'Empire, puis terminera sa carrière comme professeur. Il publie en 1816 un *Examen des doctrines médicales*.

3. Adrien Ier, pape de 772 à 795. Honorius, empereur romain d'Occident de 395 à 423.

4. Broussais fit un grand usage thérapeutique des saignées avec sangsues.

3

Montboissier, juillet 1817.
Revu en décembre 1846.

Vie à Combourg. – Journées et soirées.

À mon retour de Brest, quatre maîtres (mon père, ma mère, ma sœur et moi) habitaient le château de Combourg. Une cuisinière, une femme de chambre, deux laquais et un cocher composaient tout le domestique : un chien de chasse et deux vieilles juments étaient retranchés dans un coin de l'écurie. Ces douze êtres vivants disparaissaient dans un manoir où l'on aurait à peine aperçu cent chevaliers, leurs dames, leurs écuyers, leurs valets, les destriers et la meute du roi Dagobert.

Dans tout le cours de l'année aucun étranger ne se présentait au château, hormis quelques gentilshommes, le marquis de Monlouet, le comte de Goyon-Beaufort [1], qui demandaient l'hospitalité en allant plaider au parlement. Ils arrivaient l'hiver, à cheval, pistolets aux arçons, couteau de chasse au côté, et suivis d'un valet également à cheval, ayant en croupe un gros porte-manteau [2] de livrée.

Mon père, toujours très cérémonieux, les recevait tête nue sur le perron, au milieu de la pluie et du vent. Les campagnards introduits racontaient leurs guerres de Hanovre [3], les affaires de leur famille et l'histoire de leurs procès. Le soir, on les conduisait dans la tour du nord, à l'appartement de la *reine Christine*, chambre d'honneur occupée par un lit de sept pieds [4] en tous sens, à doubles rideaux de gaze verte et de soie cramoisie, et soutenu par quatre amours dorés. Le lendemain matin, lorsque je descendais dans la grand'salle, et qu'à travers les fenêtres je regardais la cam-

---

1. François de Monlouet (1728-1787), commissaire des États de Bretagne. Luc de Goyon-Beaufort (1725-1794), issu d'une grande famille bretonne. Inculpé dans la conspiration de La Rouërie, il fut guillotiné.
2. Valise.
3. Campagnes lors de la guerre de Sept Ans, en 1757.
4. 1 pied = 0,324 m.

pagne inondée ou couverte de frimas, je n'apercevais que deux ou trois voyageurs sur la chaussée solitaire de l'étang : c'étaient nos hôtes chevauchant vers Rennes.

Ces étrangers ne connaissaient pas beaucoup les choses de la vie ; cependant notre vue s'étendait par eux à quelques lieues au-delà de l'horizon de nos bois. Aussitôt qu'ils étaient partis, nous étions réduits, les jours ouvrables au tête à tête de famille, le dimanche à la société des bourgeois du village et des gentilshommes voisins.

Le dimanche, quand il faisait beau, ma mère, Lucile et moi, nous nous rendions à la paroisse à travers le petit Mail, le long d'un chemin champêtre ; lorsqu'il pleuvait, nous suivions l'abominable rue de Combourg. Nous n'étions pas traînés, comme l'abbé de Marolles, dans un chariot léger que menaient quatre chevaux blancs, pris sur les Turcs en Hongrie [1]. Mon père ne descendait qu'une fois l'an à la paroisse pour faire ses Pâques [2] ; le reste de l'année, il entendait la messe à la chapelle du château. Placés dans le banc du seigneur, nous recevions l'encens et les prières en face du sépulcre de marbre noir de Renée de Rohan, attenant à l'autel : image des honneurs de l'homme ; quelques grains d'encens devant un cercueil !

Les distractions du dimanche expiraient avec la journée ; elles n'étaient pas même régulières. Pendant la mauvaise saison, des mois entiers s'écoulaient sans qu'aucune créature humaine frappât à la porte de notre forteresse. Si la tristesse était grande sur les bruyères de Combourg, elle était encore plus grande au château : on éprouvait, en pénétrant sous ses voûtes, la même sensation qu'en entrant à la chartreuse de Grenoble. Lorsque je visitai celle-ci en 1805, je traversai un désert, lequel allait toujours croissant ; je crus qu'il se terminerait au monastère ; mais on me montra, dans les murs mêmes du couvent, les jardins des Char-

---

1. Allusion à un passage des *Mémoires* de l'abbé de Marolles (1600-1681), publiés en 1656.
2. Jusqu'au début du XXᵉ siècle, on ne communiait généralement qu'une fois l'an, souvent à Pâques, et uniquement après s'être confessé. Le Christ étant mort et ressuscité lors de la fête juive de la Pâque, qui commémorait la sortie d'Égypte, le mot a aussi désigné le sacrifice eucharistique de la messe, qui commémore celui du Christ. *Faire ses Pâques* signifie donc *aller recevoir la communion*.

treux encore plus abandonnés que les bois. Enfin, au centre
du monument, je trouvai enveloppé dans les replis de toutes
ces solitudes, l'ancien cimetière des cénobites ; sanctuaire
d'où le silence éternel, divinité du lieu, étendait sa puissance sur les montagnes et dans les forêts d'alentour [1].

Le calme morne du château de Combourg était augmenté par l'humeur taciturne et insociable de mon père. Au
lieu de resserrer sa famille et ses gens autour de lui, il les
avait dispersés à toutes les aires de vent de l'édifice. Sa
chambre à coucher était placée dans la petite tour de l'est,
et son cabinet dans la petite tour de l'ouest. Les meubles
de ce cabinet consistaient en trois chaises de cuir noir et
une table couverte de titres et de parchemins. Un arbre
généalogique de la famille des Chateaubriand tapissait le
manteau de la cheminée, et dans l'embrasure d'une fenêtre
on voyait toutes sortes d'armes depuis le pistolet jusqu'à
l'espingole [2]. L'appartement de ma mère régnait au-dessus de la grand'salle, entre les deux petites tours : il était
parqueté et orné de glaces de Venise à facettes. Ma sœur
habitait un cabinet dépendant de l'appartement de ma mère.
La femme de chambre couchait loin de là, dans le corps
de logis des grandes tours. Moi, j'étais niché dans une
espèce de cellule isolée, au haut de la tourelle de l'escalier
qui communiquait de la cour intérieure aux diverses parties du château. Au bas de cet escalier, le valet de chambre
de mon père et le domestique gisaient dans des caveaux
voûtés, et la cuisinière tenait garnison dans la grosse tour
de l'ouest.

Mon père se levait à quatre heures du matin, hiver
comme été : il venait dans la cour intérieure appeler et
éveiller son valet de chambre, à l'entrée de l'escalier de la
tourelle. On lui apportait un peu de café à cinq heures ; il
travaillait ensuite dans son cabinet jusqu'à midi. Ma mère
et ma sœur déjeunaient chacune dans leur chambre, à huit
heures du matin. Je n'avais aucune heure fixe, ni pour me
lever, ni pour déjeuner ; j'étais censé étudier jusqu'à midi :
la plupart du temps je ne faisais rien [3].

---

1. Voir XVII, 5.
2. Fusil court à canon évasé.
3. Sur les horaires quotidiens sous l'Ancien Régime, voir p. 70, n. 2.

À onze heures et demie, on sonnait le dîner que l'on servait à midi. La grand'salle était à la fois salle à manger et salon : on dînait et l'on soupait à l'une de ses extrémités du côté de l'est ; après les repas, on se venait placer à l'autre extrémité du côté de l'ouest, devant une énorme cheminée. La grand'salle était boisée, peinte en gris blanc et ornée de vieux portraits depuis le règne de François Ier jusqu'à celui de Louis XIV ; parmi ces portraits, on distinguait ceux de Condé et de Turenne : un tableau, représentant Hector tué par Achille sous les murs de Troie, était suspendu au-dessus de la cheminée.

Le dîner fait, on restait ensemble jusqu'à deux heures. Alors, si l'été, mon père prenait le divertissement de la pêche, visitait ses potagers, se promenait dans l'étendue du vol du chapon [1] ; si l'automne et l'hiver, il partait pour la chasse, ma mère se retirait dans la chapelle, où elle passait quelques heures en prières. Cette chapelle était un oratoire sombre, embelli de bons tableaux des plus grands maîtres, qu'on ne s'attendrait guère à trouver dans un château féodal, au fond de la Bretagne. J'ai aujourd'hui, en ma possession, une *Sainte Famille* de l'Albane [2], peinte sur cuivre, tirée de cette chapelle : c'est tout ce qui me reste de Combourg.

Mon père parti et ma mère en prières, Lucile s'enfermait dans sa chambre ; je regagnais ma cellule, ou j'allais courir les champs.

À huit heures, la cloche annonçait le souper. Après le souper, dans les beaux jours, on s'asseyait sur le perron. Mon père, armé de son fusil, tirait les chouettes qui sortaient des créneaux à l'entrée de la nuit. Ma mère, Lucile et moi, nous regardions le ciel, les bois, les derniers rayons du soleil, les premières étoiles. À dix heures, on rentrait et l'on se couchait.

Les soirées d'automne et d'hiver étaient d'une autre nature. Le souper fini et les quatre convives revenus de la table à la cheminée, ma mère se jetait, en soupirant, sur un vieux lit de jour de siamoise flambée [3] ; on mettait devant

---

1. Locution de droit coutumier = un demi-hectare.
2. L'Albane (1578-1660), élève des Carrache à Bologne.
3. Tissu de coton chiné imitant la siamoise, qui était elle-même un mélange de soie et de coton

elle un guéridon avec une bougie. Je m'asseyais auprès du feu avec Lucile ; les domestiques enlevaient le couvert et se retiraient. Mon père commençait alors une promenade, qui ne cessait qu'à l'heure de son coucher. Il était vêtu d'une robe de ratine [1] blanche, ou plutôt d'une espèce de manteau que je n'ai vu qu'à lui. Sa tête, demi-chauve, était couverte d'un grand bonnet blanc qui se tenait tout droit. Lorsqu'en se promenant, il s'éloignait du foyer, la vaste salle était si peu éclairée par une seule bougie qu'on ne le voyait plus ; on l'entendait seulement encore marcher dans les ténèbres : puis il revenait lentement vers la lumière et émergeait peu à peu de l'obscurité, comme un spectre, avec sa robe blanche, son bonnet blanc, sa figure longue et pâle. Lucile et moi, nous échangions quelques mots à voix basse, quand il était à l'autre bout de la salle ; nous nous taisions quand il se rapprochait de nous. Il nous disait, en passant : « De quoi parliez-vous ? » Saisis de terreur, nous ne répondions rien ; il continuait sa marche. Le reste de la soirée, l'oreille n'était plus frappée que du bruit mesuré de ses pas, des soupirs de ma mère et du murmure du vent.

Dix heures sonnaient à l'horloge du château : mon père s'arrêtait ; le même ressort, qui avait soulevé le marteau de l'horloge, semblait avoir suspendu ses pas. Il tirait sa montre, la montait [2], prenait un grand flambeau d'argent surmonté d'une grande bougie, entrait un moment dans la petite tour de l'ouest, puis revenait, son flambeau à la main, et s'avançait vers sa chambre à coucher dépendante de la petite tour de l'est. Lucile et moi, nous nous tenions sur son passage ; nous l'embrassions, en lui souhaitant une bonne nuit. Il penchait vers nous sa joue sèche et creuse sans nous répondre, continuait sa route et se retirait au fond de la tour, dont nous entendions les portes se refermer sur lui.

Le talisman était brisé ; ma mère, ma sœur et moi, transformés en statues par la présence de mon père, nous recouvrions les fonctions de la vie. Le premier effet de notre désenchantement se manifestait par un débordement de

---

1 Étoffe de laine d'aspect granuleux. La version de 1826 insiste moins sur l'aspect fantomatique que revêt ici M. de Chateaubriand.
2. Remontait. L'expression provient des mécanismes des anciennes horloges, où il fallait remonter les contrepoids.

paroles : si le silence nous avait opprimés, il nous le payait cher.

Ce torrent de paroles écoulé, j'appelais la femme de chambre, et je reconduisais ma mère et ma sœur à leur appartement. Avant de me retirer, elles me faisaient regarder sous les lits, dans les cheminées, derrière les portes, visiter les escaliers, les passages et les corridors voisins. Toutes les traditions du château, voleurs et spectres, leur revenaient en mémoire. Les gens étaient persuadés qu'un certain comte de Combourg, à jambe de bois, mort depuis trois siècles, apparaissait à certaines époques, et qu'on l'avait rencontré dans le grand escalier de la tourelle ; sa jambe de bois se promenait aussi quelquefois seule avec un chat noir [1].

4

Montboissier, août 1817.

Mon donjon.

Ces récits occupaient tout le temps du coucher de ma mère et de ma sœur : elles se mettaient au lit mourantes de peur ; je me retirais au haut de ma tourelle ; la cuisinière rentrait dans la grosse tour, et les domestiques descendaient dans leur souterrain.

La fenêtre de mon donjon s'ouvrait sur la cour intérieure ; le jour, j'avais en perspective les créneaux de la courtine opposée, où végétaient des scolopendres et croissait un prunier sauvage. Quelques martinets qui, durant l'été, s'enfonçaient en criant dans les trous des murs, étaient mes seuls compagnons. La nuit, je n'apercevais qu'un petit morceau du ciel et quelques étoiles. Lorsque la lune brillait et qu'elle s'abaissait à l'occident, j'en étais averti par ses rayons, qui venaient à mon lit au travers des carreaux losangés de la fenêtre. Des chouettes, voletant d'une tour à l'autre, passant et repassant entre la lune et moi, dessinaient

1. Ce conte de revenant, ainsi que d'autres, était plus développé dans les versions dont Chateaubriand donna lecture en 1834 et qui ont en partie disparu.

sur mes rideaux l'ombre mobile de leurs ailes. Relégué dans l'endroit le plus désert, à l'ouverture des galeries, je ne perdais pas un murmure des ténèbres. Quelquefois, le vent semblait courir à pas légers ; quelquefois il laissait échapper des plaintes ; tout à coup, ma porte était ébranlée avec violence, les souterrains poussaient des mugissements, puis ces bruits expiraient pour recommencer encore. À quatre heures du matin, la voix du maître du château, appelant le valet de chambre à l'entrée des voûtes séculaires, se faisait entendre comme la voix du dernier fantôme de la nuit. Cette voix remplaçait pour moi la douce harmonie au son de laquelle le père de Montaigne éveillait son fils [1].

L'entêtement du comte de Chateaubriand à faire coucher un enfant seul au haut d'une tour pouvait avoir quelque inconvénient ; mais il tourna à mon avantage. Cette manière violente de me traiter me laissa le courage d'un homme, sans m'ôter cette sensibilité d'imagination dont on voudrait aujourd'hui priver la jeunesse. Au lieu de chercher à me convaincre qu'il n'y avait point de revenants, on me força de les braver. Lorsque mon père me disait avec un sourire ironique : « Monsieur le chevalier aurait-il peur ? » il m'eût fait coucher avec un mort. Lorsque mon excellente mère me disait : « Mon enfant, tout n'arrive que par la permission de Dieu ; vous n'avez rien à craindre des mauvais esprits, tant que vous serez bon chrétien », j'étais mieux rassuré que par tous les arguments de la philosophie. Mon succès fut si complet que les vents de la nuit, dans ma tour déshabitée, ne servaient que de jouets à mes caprices et d'ailes à mes songes. Mon imagination allumée, se propageant sur tous les objets, ne trouvait nulle part assez de nourriture et aurait dévoré la terre et le ciel. C'est cet état moral qu'il faut maintenant décrire. Replongé dans ma jeunesse je vais essayer de me saisir dans le passé, de me montrer tel que j'étais, tel peut-être que je regrette de n'être plus, malgré les tourments que j'ai endurés.

---

1. Voir *Essais*, I, 26. Cette page, rendue célèbre par les premières lectures des *Mémoires*, est au fondement de l'imaginaire sonore de Chateaubriand.

5

Passage de l'enfant à l'homme.

À peine étais-je revenu de Brest à Combourg, qu'il se fit dans mon existence une révolution ; l'enfant disparut et l'homme se montra avec ses joies qui passent et ses chagrins qui restent.

D'abord tout devint passion chez moi, en attendant les passions mêmes. Lorsque après un dîner silencieux où je n'avais osé ni parler ni manger, je parvenais à m'échapper, mes transports étaient incroyables ; je ne pouvais descendre le perron d'une seule traite : je me serais précipité. J'étais obligé de m'asseoir sur une marche pour laisser se calmer mon agitation ; mais aussitôt que j'avais atteint la Cour verte et les bois, je me mettais à courir, à sauter, à bondir, à fringuer, à m'éjouir jusqu'à ce que je tombasse épuisé de forces, palpitant, enivré de folâtreries et de liberté.

Mon père me menait quant à lui à la chasse. Le goût de la chasse me saisit et je le portai jusqu'à la fureur ; je vois encore le champ où j'ai tué mon premier lièvre. Il m'est souvent arrivé en automne de demeurer quatre ou cinq heures dans l'eau jusqu'à la ceinture, pour attendre au bord d'un étang des canards sauvages ; même aujourd'hui, je ne suis pas de sang-froid lorsqu'un chien tombe en arrêt. Toutefois, dans ma première ardeur pour la chasse, il entrait un fond d'indépendance ; franchir les fossés, arpenter les champs, les marais, les bruyères, me trouver avec un fusil dans un lieu désert, ayant puissance et solitude, c'était ma façon d'être naturelle. Dans mes courses, je pointais si loin que, ne pouvant plus marcher, les gardes étaient obligés de me rapporter sur des branches entrelacées.

Cependant le plaisir de la chasse ne me suffisait plus ; j'étais agité d'un désir de bonheur que je ne pouvais ni régler, ni comprendre ; mon esprit et mon cœur s'achevaient de former comme deux temples vides, sans autels et sans sacrifices ; on ne savait encore quel Dieu y serait

adoré. Je croissais auprès de ma sœur Lucile ; notre amitié
était toute notre vie [1].

6

Lucile.

Lucile était grande et d'une beauté remarquable, mais
sérieuse. Son visage pâle était accompagné de longs cheveux noirs ; elle attachait souvent au ciel ou promenait
autour d'elle des regards pleins de tristesse ou de feu. Sa
démarche, sa voix, son sourire, sa physionomie avaient
quelque chose de rêveur et de souffrant.

Lucile et moi nous nous étions inutiles. Quand nous
parlions du monde, c'était de celui que nous portions au-
dedans de nous et qui ressemblait bien peu au monde
véritable. Elle voyait en moi son protecteur, je voyais en
elle mon amie. Il lui prenait des accès de pensées noires
que j'avais peine à dissiper : à dix-sept ans, elle déplo-
rait la perte de ses jeunes années ; elle se voulait ense-
velir dans un cloître. Tout lui était souci, chagrin, blessure : une expression qu'elle cherchait, une chimère
qu'elle s'était faite, la tourmentaient des mois entiers.
Je l'ai souvent vue, un bras jeté sur sa tête, rêver immobile et inanimée ; retirée vers son cœur, sa vie cessait de
paraître au-dehors ; son sein même ne se soulevait plus.
Par son attitude, sa mélancolie, sa vénusté [2], elle ressemblait à un Génie funèbre. J'essayais alors de la consoler, et l'instant d'après je m'abîmais dans des désespoirs
inexplicables.

Lucile aimait à faire seule, vers le soir, quelque lecture
pieuse : son oratoire de prédilection était l'embranchement de
deux routes champêtres, marqué par une croix de pierre et par

---

1. La tranche de vie décrite dans ces chapitres 5 à 14 est transposée dans
la matière romanesque de *René*. L'équivoque sur les sentiments inces-
tueux entre René et sa sœur Amélie est loin d'être levée par l'enchaîne-
ment de ces deux chapitres.
2. Grâce (latinisme). Le Génie funèbre est-il un souvenir du fameux
tombeau de Clément XIII de Canova ? Mme de Staël compare souvent les
personnages de ses romans à des statues ou à des tableaux.

un peuplier dont le long style [1] s'élevait dans le ciel comme un pinceau. Ma dévote mère toute charmée, disait que sa fille lui représentait une chrétienne de la primitive Église, priant à ces stations appelées *Laures*.

De la concentration de l'âme naissaient chez ma sœur des effets d'esprit extraordinaires : endormie, elle avait des songes prophétiques ; éveillée, elle semblait lire dans l'avenir. Sur un palier de l'escalier de la grande tour, battait une pendule qui sonnait le temps au silence ; Lucile, dans ses insomnies, s'allait asseoir sur une marche, en face de cette pendule : elle regardait le cadran à la lueur de sa lampe posée à terre. Lorsque les deux aiguilles unies à minuit enfantaient dans leur conjonction formidable l'heure des désordres et des crimes, Lucile entendait des bruits qui lui révélaient des trépas lointains. Se trouvant à Paris quelques jours avant le 10 août, et demeurant avec mes autres sœurs dans le voisinage du couvent des Carmes, elle jette les yeux sur une glace, pousse un cri et dit : « Je viens de voir entrer la mort. » Dans les bruyères de la Calédonie, Lucile eût été une femme céleste de Walter Scott, douée de la seconde vue ; dans les bruyères armoricaines, elle n'était qu'une solitaire avantagée de beauté, de génie et de malheur [2].

7

Premier souffle de la muse.

La vie que nous menions à Combourg, ma sœur et moi, augmentait l'exaltation de notre âge et de notre caractère. Notre principal désennui consistait à nous promener côte à côte dans le grand Mail, au printemps sur un tapis de primevères, en automne sur un lit de feuilles séchées, en

---

1. Colonne (hellénisme).
2. Chateaubriand trace ici de sa sœur un portrait éminemment littéraire, en faisant une sorte de Cassandre, ou un personnage d'Ossian. Lucile est effectivement un personnage curieux, à la psychologie fragile et tourmentée. Sa vie est une suite de déceptions sentimentales et de mariages ratés. On consultera A. Cahuet, *Un Werther féminin, Lucile de Chateaubriand*, Fasquelle, 1935.

hiver sur une nappe de neige que bordait la trace des oiseaux, des écureuils et des hermines. Jeunes comme les primevères, tristes comme la feuille séchée, purs comme la neige nouvelle, il y avait harmonie [1] entre nos récréations et nous.

Ce fut dans une de ces promenades, que Lucile, m'entendant parler avec ravissement de la solitude, me dit : « Tu devrais peindre tout cela. » Ce mot me révéla la muse ; un souffle divin passa sur moi. Je me mis à bégayer des vers, comme si c'eût été ma langue naturelle ; jour et nuit je chantais mes plaisirs, c'est-à-dire mes bois et mes vallons ; je composais une foule de petites idylles ou tableaux de la nature * [2]. J'ai écrit longtemps en vers avant d'écrire en prose : M. de Fontanes prétendait que j'avais reçu les deux instruments.

Ce talent que me promettait l'amitié s'est-il jamais levé pour moi ? Que de choses j'ai vainement attendues ! Un esclave, dans l'*Agamemnon* d'Eschyle, est placé en sentinelle au haut du palais d'Argos ; ses yeux cherchent à découvrir le signal convenu du retour des vaisseaux ; il chante pour solacier [3] ses veilles, mais les heures s'envolent et les astres se couchent, et le flambeau ne brille pas. Lorsque, après maintes années, sa lumière tardive apparaît sur les flots, l'esclave est courbé sous le poids du temps ; il ne lui reste plus qu'à recueillir des malheurs, et

---

1. À l'époque où Chateaubriand écrit, ce mot est déjà passé de mode. Il fut surtout diffusé par Bernardin de Saint-Pierre (1737-1814), auteur des *Études de la Nature* et des *Harmonies de la Nature*. Bernardin définit ainsi l'harmonie : « De l'opposition des contraires naît la discorde, et de leur réunion l'harmonie. » Chateaubriand est un fidèle disciple de Bernardin dans *Atala* et dans le *Génie du christianisme*. Dans cet ouvrage, il consacre un livre aux « Harmonies de la religion chrétienne avec les scènes de la nature et les passions du cœur humain ». Il utilise aussi souvent le mot *rapport* en ce sens. L'harmonie est un rapport indéterminé mais essentiel entre deux choses qui peuvent appartenir à des ordres de réalité différents. La théorie des harmonies est l'ancêtre de celle des correspondances.
* Voyez mes *Œuvres complètes*. [Paris, note de 1837.]
2. L'ensemble des dix *Tableaux de la Nature* fut écrit entre 1784 et 1789. L'*Almanach des Muses* publia en 1789 une de ces idylles, l'*Amour de la campagne*. Fontanes (1757-1821), l'ami de Chateaubriand, grand-maître de l'université, était lui-même auteur d'idylles et d'élégies campagnardes.
3. Consoler (archaïsme).

le chœur lui dit : « qu'un vieillard est une ombre errante à la clarté du jour. Ὄναρ ἡμερόφαντον ἀλαίνει [1] ».

8

Manuscrit de Lucile.

Dans les premiers enchantements de l'inspiration, j'invitai Lucile à m'imiter. Nous passions des jours à nous consulter mutuellement, à nous communiquer ce que nous avions fait, ce que nous comptions faire. Nous entreprenions des ouvrages en commun ; guidés par notre instinct, nous traduisîmes les plus beaux et les plus tristes passages de Job et de Lucrèce sur la vie : le *Taedet animam meam vitae meae*, l'*Homo natus de muliere*, le *Tum porro puer, ut saevis projectus ab undis navita*, etc. [2] Les pensées de Lucile n'étaient que des sentiments ; elles sortaient avec difficulté de son âme ; mais quand elle parvenait à les exprimer, il n'y avait rien au-dessus. Elle a laissé une trentaine de pages manuscrites ; il est impossible de les lire sans être profondément ému. L'élégance, la suavité, la rêverie, la sensibilité passionnée de ces pages offrent un mélange du génie grec et du génie germanique.

L'AURORE

« Quelle douce clarté vient éclairer l'Orient ! Est-ce la jeune aurore qui entr'ouvre au monde ses beaux yeux chargés des langueurs du sommeil ? Déesse charmante, hâte-toi ! quitte la couche nuptiale, prends la robe de pourpre ; qu'une ceinture moelleuse la retienne dans ses nœuds ; que nulle chaussure ne presse tes pieds délicats ; qu'aucun ornement ne profane tes belles mains faites pour entr'ouvrir les portes du jour. Mais tu te lèves déjà sur la colline ombreuse. Tes cheveux d'or tombent en boucles humides sur ton col de rose. De ta bouche s'exhale un souffle pur et parfumé.

---

1. Eschyle, *Agamemnon*, v. 82
2. Respectivement Job, 9, 1 : « Mon âme est dégoûtée de ma vie » ; Job, 14, 1 : « L'homme, né de la femme » (est misérable) ; Lucrèce, *De Rerum Natura*, V, 222 : « De plus, l'enfant, comme un marin rejeté par la fureur des flots… »

Tendre déité, toute la nature sourit à ta présence ; toi seule verses des larmes, et les fleurs naissent. »

À LA LUNE

« Chaste déesse ! déesse si pure, que jamais même les roses de la pudeur ne se mêlent à tes tendres clartés, j'ose te prendre pour confidente de mes sentiments. Je n'ai point, non plus que toi, à rougir de mon propre cœur. Mais quelquefois le souvenir du jugement injuste et aveugle des hommes couvre mon front de nuages, ainsi que le tien. Comme toi, les erreurs et les misères de ce monde inspirent mes rêveries. Mais plus heureuse que moi, citoyenne des cieux, tu conserves toujours la sérénité ; les tempêtes et les orages qui s'élèvent de notre globe glissent sur ton disque paisible. Déesse aimable à ma tristesse, verse ton froid repos dans mon âme. »

L'INNOCENCE

« Fille du ciel, aimable innocence, si j'osais de quelques-uns de tes traits essayer une faible peinture, je dirais que tu tiens lieu de vertu à l'enfance, de sagesse au printemps de la vie, de beauté à la vieillesse et de bonheur à l'infortune ; qu'étrangère à nos erreurs, tu ne verses que des larmes pures, et que ton sourire n'a rien que de céleste. Belle innocence ! mais quoi, les dangers t'environnent, l'envie t'adresse tous ses traits : trembleras-tu modeste innocence ? chercheras-tu à te dérober aux périls qui te menacent ? Non, je te vois debout, endormie, la tête appuyée sur un autel [1]. »

Mon frère accordait quelquefois de courts instants aux ermites de Combourg ; il avait coutume d'amener avec lui un jeune conseiller au parlement de Bretagne, M. de Malfilâtre, cousin de l'infortuné poète de ce nom [2]. Je crois que

1. Chateaubriand publia certains textes de Lucile dans le *Mercure* du 12 mars 1803. On les trouvera dans l'ouvrage mentionné plus haut. Cette prose poétique aux motifs néoclassiques nous paraît peu intéressante aujourd'hui.
2. Alexandre-Henri de Malfilâtre (1757-1803) émigra et entra dans les ordres. Son cousin Charles-Louis (1732-1767), traducteur de Virgile (on publia ses adaptations à titre posthume en 1810 sous le titre *Génie de Virgile*), vécut dans la misère et mourut d'un accident de cheval. Son chef-d'œuvre est un poème en quatre chants, *Narcisse ou l'île de Vénus* (publié en 1769).

Lucile, à son insu, avait ressenti une passion secrète pour
cet ami de mon frère, et que cette passion étouffée était au
fond de la mélancolie de ma sœur. Elle avait d'ailleurs la
manie de Rousseau sans en avoir l'orgueil : elle croyait que
tout le monde était conjuré contre elle. Elle vint à Paris en
1789, accompagnée de cette sœur Julie dont elle a déploré
la perte avec une tendresse empreinte de sublime. Quiconque la connut, l'admira, depuis M. de Malesherbes jusqu'à Chamfort. Jetée dans les cryptes révolutionnaires à
Rennes, elle fut au moment d'être renfermée au château
de Combourg, devenu cachot pendant la Terreur. Délivrée
de prison, elle se maria à M. de Caud, qui la laissa veuve
au bout d'un an. Au retour de mon émigration, je revis
l'amie de mon enfance : je dirai comment elle disparut,
quand il plut à Dieu de m'affliger.

9

Vallée-aux-Loups, novembre 1817.

Dernières lignes écrites à la Vallée-aux-Loups.
Révélation sur le mystère de ma vie.

Revenu de Montboissier, voici les dernières lignes que
je trace dans mon ermitage ; il le faut abandonner tout rempli des beaux adolescents qui déjà dans leurs rangs pressés cachaient et couronnaient leur père. Je ne verrai plus
le magnolia qui promettait sa rose à la tombe de ma Flori-
dienne, le pin de Jérusalem et le cèdre du Liban consacrés
à la mémoire de Jérôme, le laurier de Grenade, le platane
de la Grèce, le chêne de l'Armorique, au pied desquels je
peignis Blanca, chantai Cymodocée, inventai Velléda. Ces
arbres naquirent et crûrent avec mes rêveries ; elles en
étaient les Hamadryades [1]. Ils vont passer sous un autre
empire : leur nouveau maître les aimera-t-il comme je les
aimais ? Il les laissera dépérir, il les abattra peut-être : je
ne dois rien conserver sur la terre. C'est en disant adieu aux

_____

1. Nymphes des arbres

bois d'Aulnay que je vais rappeler l'adieu que je dis autrefois aux bois de Combourg : tous mes jours sont des
adieux [1].

Le goût que Lucile m'avait inspiré pour la poésie fut de
l'huile jetée sur le feu. Mes sentiments prirent un nouveau
degré de force ; il me passa par l'esprit des vanités de
renommée ; je crus un moment à mon *talent*, mais bientôt,
revenu à une juste défiance de moi-même, je me mis à dou-
ter de ce talent, ainsi que j'en ai toujours douté. Je regar-
dai mon travail comme une mauvaise tentation ; j'en voulus à Lucile d'avoir fait naître en moi un penchant
malheureux : je cessai d'écrire, et je me pris à pleurer ma
gloire à venir, comme on pleurerait sa gloire passée.

Rentré dans ma première oisiveté, je sentis davantage ce
qui manquait à ma jeunesse : je m'étais un mystère. Je ne
pouvais voir une femme sans être troublé ; je rougissais si
elle m'adressait la parole. Ma timidité déjà excessive avec
tout le monde était si grande avec une femme que j'aurais
préféré je ne sais quel tourment à celui de demeurer seul
avec cette femme : elle n'était pas plus tôt partie, que je la
rappelais de tous mes vœux. Les peintures de Virgile, de
Tibulle et de Massillon, se présentaient bien à ma
mémoire : mais l'image de ma mère et de ma sœur, cou-
vrant tout de sa pureté, épaississait les voiles que la nature
cherchait à soulever ; la tendresse filiale et fraternelle me
trompait sur une tendresse moins désintéressée. Quand on
m'aurait livré les plus belles esclaves du sérail, je n'aurais
su que leur demander : le hasard m'éclaira.

Un voisin de la terre de Combourg était venu passer
quelques jours au château avec sa femme, fort jolie. Je ne
sais ce qui advint dans le village ; on courut à l'une des
fenêtres de la grand'salle pour regarder. J'y arrivai le premier, l'étrangère se précipitait sur mes pas, je voulus lui
céder la place et je me tournai vers elle ; elle me barra invo-

---

1. Chateaubriand, à court d'argent, mit la Vallée-aux-Loups en vente en
avril 1817. La propriété fut finalement rachetée l'année suivante par son
ami Matthieu de Montmorency. Chateaubriand y avait rassemblé des
essences rapportées de ses différents voyages et y avait écrit, entre autres,
Les Aventures du dernier Abencérage – dont l'héroïne est Blanca – et
Les Martyrs – ouvrage qui oppose deux incarnations de la féminité, Cymodocée et Velléda. Ce prologue fait écho à celui du tout premier chapitre.

lontairement le chemin, et je me sentis pressé entre elle et la fenêtre. Je ne sus plus ce qui se passa autour de moi [1].

Dès ce moment, j'entrevis que d'aimer et d'être aimé d'une manière qui m'était inconnue, devait être la félicité suprême. Si j'avais fait ce que font les autres hommes, j'aurais bientôt appris les peines et les plaisirs de la passion dont je portais le germe ; mais tout prenait en moi un caractère extraordinaire. L'ardeur de mon imagination, ma timidité, la solitude firent qu'au lieu de me jeter au-dehors, je me repliai sur moi-même ; faute d'objet réel, j'invoquai par la puissance de mes vagues désirs un fantôme qui ne me quitta plus. Je ne sais si l'histoire du cœur humain offre un autre exemple de cette nature.

10

Fantôme d'amour.

Je me composai donc une femme de toutes les femmes que j'avais vues : elle avait la taille, les cheveux et le sourire de l'étrangère qui m'avait pressé contre son sein ; je lui donnai les yeux de telle jeune fille du village, la fraîcheur de telle autre. Les portraits des grandes dames du temps de François Ier, de Henri IV et de Louis XIV, dont le salon était orné, m'avaient fourni d'autres traits, et j'avais dérobé des grâces jusqu'aux tableaux des Vierges suspendus dans les églises.

Cette charmeresse me suivait partout invisible ; je m'entretenais avec elle, comme avec un être réel ; elle variait au gré de ma folie : Aphrodite sans voile, Diane vêtue d'azur et de rosée, Thalie au masque riant, Hébé à la coupe de la jeunesse, souvent elle devenait une fée qui me soumettait la nature. Sans cesse, je retouchais ma toile ; j'enlevais un appas à ma beauté pour le remplacer par un autre. Je changeais aussi ses parures ; j'en empruntais à tous les pays, à tous les siècles, à tous les arts, à toutes les religions.

---

1. Scène analogue dans *Les Natchez* (livre III). Chateaubriand, contrairement à Rousseau, reste discret sur son initiation amoureuse. C'est ici la seule page où il se permette une confession.

Puis, quand j'avais fait un chef-d'œuvre, j'éparpillais de nouveau mes dessins et mes couleurs ; ma femme unique se transformait en une multitude de femmes, dans lesquelles j'idolâtrais séparément les charmes que j'avais adorés réunis.

Pygmalion fut moins amoureux de sa statue : mon embarras était de plaire à la mienne. Ne me reconnaissant rien de ce qu'il fallait pour être aimé, je me prodiguais ce qui me manquait. Je montais à cheval comme Castor et Pollux, je jouais de la lyre comme Apollon ; Mars maniait ses armes avec moins de force et d'adresse : héros de roman ou d'histoire, que d'aventures fictives j'entassais sur des fictions ! Les ombres des filles de Morven [1], les sultanes de Bagdad et de Grenade, les châtelaines des vieux manoirs ; bains, parfums, danses, délices de l'Asie, tout m'était approprié par une baguette magique.

Voici venir une jeune reine, ornée de diamants et de fleurs (c'était toujours ma sylphide) ; elle me cherche à minuit, au travers des jardins d'oranger, dans les galeries d'un palais baigné des flots de la mer, au rivage embaumé de Naples ou de Messine, sous un ciel d'amour que l'astre d'Endymion [2] pénètre de sa lumière ; elle s'avance, statue animée de Praxitèle, au milieu des statues immobiles, des pâles tableaux et des fresques silencieusement blanchies par les rayons de la lune : le bruit léger de sa course sur les mosaïques des marbres se mêle au murmure insensible de la vague. La jalousie royale nous environne. Je tombe aux genoux de la souveraine des campagnes d'Enna [3] ; les ondes de soie de son diadème dénoué viennent caresser mon front, lorsqu'elle penche sur mon visage sa tête de seize années, et que ses mains s'appuient sur mon sein palpitant de respect et de volupté [4].

---

1 Royaume écossais des poèmes d'Ossian.
2 La lune Diane, amoureuse d'Endymion, le visitait la nuit pendant qu'il dormait, sous la forme des rayons de la lune. C'est le sujet d'un célèbre tableau de Girodet exposé au Salon en 1792.
3. Citadelle située au centre de la Sicile. La mythologie classique y voit le lieu de l'enlèvement de Proserpine
4. Sur ce personnage imaginaire de la sylphide, voir le dossier, p. 303-315.

Au sortir de ces rêves, quand je me retrouvais un pauvre petit Breton obscur, sans gloire, sans beauté, sans talents, qui n'attirerait les regards de personne, qui passerait ignoré, qu'aucune femme n'aimerait jamais, le désespoir s'emparait de moi : je n'osais plus lever les yeux sur l'image brillante que j'avais attachée à mes pas.

11

Deux années de délire. – Occupations et chimères.

Ce délire dura deux années entières, pendant lesquelles les facultés de mon âme arrivèrent au plus haut point d'exaltation. Je parlais peu, je ne parlai plus ; j'étudiais encore, je jetai là les livres ; mon goût pour la solitude redoubla. J'avais tous les symptômes d'une passion violente ; mes yeux se creusaient ; je maigrissais ; je ne dormais plus ; j'étais distrait, triste, ardent, farouche. Mes jours s'écoulaient d'une manière sauvage, bizarre, insensée, et pourtant pleine de délices.

Au nord du château s'étendait une lande semée de pierres druidiques ; j'allais m'asseoir sur une de ces pierres au soleil couchant. La cime dorée des bois, la splendeur de la terre, l'étoile du soir scintillant à travers les nuages de rose, me ramenaient à mes songes : j'aurais voulu jouir de ce spectacle avec l'idéal objet de mes désirs. Je suivais en pensée l'astre du jour ; je lui donnais ma beauté à conduire afin qu'il la présentât radieuse avec lui aux hommages de l'univers. Le vent du soir qui brisait les réseaux tendus par l'insecte sur la pointe des herbes, l'alouette de bruyère qui se posait sur un caillou, me rappelaient à la réalité : je reprenais le chemin du manoir, le cœur serré, le visage abattu.

Les jours d'orage en été, je montais au haut de la grosse tour de l'ouest. Le roulement du tonnerre sous les combles du château, les torrents de pluie qui tombaient en grondant sur le toit pyramidal des tours, l'éclair qui sillonnait la nue et marquait d'une flamme électrique les girouettes d'airain, excitaient mon enthousiasme : comme Ismen sur les remparts de Jéru-

salem, j'appelais la foudre ; j'espérais qu'elle m'appor-
terait Armide [1].

Le ciel était-il serein ? je traversais le grand Mail, autour
duquel étaient des prairies divisées par des haies plantées
de saules. J'avais établi un siège, comme un nid, dans un
de ces saules : là, isolé entre le ciel et la terre, je passais des
heures avec des fauvettes ; ma nymphe était à mes côtés.
J'associais également son image à la beauté de ces nuits
de printemps toutes remplies de la fraîcheur de la rosée, des
soupirs du rossignol et du murmure des brises.

D'autres fois, je suivais un chemin abandonné, une onde
ornée de ses plantes rivulaires ; j'écoutais les bruits qui sortent des lieux infréquentés ; je prêtais l'oreille à chaque arbre ;
je croyais entendre la clarté de la lune chanter dans les bois :
je voulais redire ces plaisirs, et les paroles expiraient sur mes
lèvres. Je ne sais comment je retrouvais encore ma déesse
dans les accents d'une voix, dans les frémissements d'une
harpe, dans les sons veloutés ou liquides d'un cor ou d'un
harmonica [2]. Il serait trop long de raconter les beaux voyages
que je faisais avec ma fleur d'amour ; comment main en main
nous visitions les ruines célèbres, Venise, Rome, Athènes,
Jérusalem, Memphis, Carthage ; comment nous franchissions
les mers ; comment nous demandions le bonheur aux pal-
miers d'Otahiti [3], aux bosquets embaumés d'Amboine et de
Tidor [4] ; comment au sommet de l'Himalaya nous allions

---

1. Ismen, magicien qui défend Jérusalem contre les Croisés dans la *Jérusalem délivrée* du Tasse Armide est la magicienne qui enchante et séduit
le héros Renaud
2. Chateaubriand est particulièrement sensible à la voix. Il écrit ainsi (VI,
4) : « Quiconque n'est pas sûr de sa vie se garde de l'exposer ainsi jamais !
on ne peut savoir ce que c'est que la passion infiltrée avec la mélodie dans
le sein d'un homme » La harpe et le cor sont deux instruments particulièrement à la mode au tournant du siècle et qui reviennent à plusieurs
reprises dans les *Mémoires*. L'harmonica n'est pas l'instrument que nous
connaissons sous ce nom, mais l'*harmonica de verre*, également très à la
mode à l'époque : il s'agit d'un ensemble de verres, accordés par niveau
d'eau, et mis en vibration avec le doigt.
3. Le *Voyage autour du monde* de Bougainville fut publié en 1771 et le
Supplément, quelque peu libertin, de Diderot en 1773. Le XIXe siècle porte
aussi un grand intérêt à l'Orient (Chine et Inde), aux antiquités orientales
(Égypte, Palestine, Syrie) et aux religions orientales.
4. Îles de l'archipel des Moluques.

réveiller l'aurore ; comment nous descendions les *fleuves saints* dont les vagues épandues entourent les pagodes aux boules d'or ; comment nous dormions aux rives du Gange, tandis que le bengali, perché sur le mât d'une nacelle de bambou, chantait sa barcarolle indienne.

La terre et le ciel ne m'étaient plus rien ; j'oubliais surtout le dernier : mais si je ne lui adressais plus mes vœux, il écoutait la voix de ma secrète misère : car je souffrais, et les souffrances prient.

12

Mes joies de l'automne [1].

Plus la saison était triste, plus elle était en rapport [2] avec moi : le temps des frimas, en rendant les communications moins faciles, isole les habitants des campagnes : on se sent mieux à l'abri des hommes.

Un caractère moral s'attache aux scènes de l'automne : ces feuilles qui tombent comme nos ans, ces fleurs qui se fanent comme nos heures, ces nuages qui fuient comme nos illusions, cette lumière qui s'affaiblit comme notre intelligence, ce soleil qui se refroidit comme nos amours, ces fleuves qui se glacent comme notre vie, ont des rapports secrets avec nos destinées.

Je voyais avec un plaisir indicible le retour de la saison des tempêtes, le passage des cygnes et des ramiers, le rassemblement des corneilles dans la prairie de l'étang, et leur perchée [3] à l'entrée de la nuit sur les plus hauts chênes du grand Mail. Lorsque le soir élevait une vapeur bleuâtre au carrefour des forêts, que les complaintes ou les lais [4] du vent gémissaient dans les mousses flétries, j'entrais en pleine possession des sympathies [5] de ma nature. Rencontrais-je

---

1. Sur ce chapitre, voir le dossier, p 317-330.
2. Voir p. 149, n. 1.
3. Terme de chasse : réunion d'oiseaux perchés.
4. Forme narrative et poétique du Moyen Âge.
5. Correspondances On est encore dans la théorie pseudo-scientifique des harmonies : il y a des relations privilégiées et objectives entre ma per-

quelque laboureur au bout d'un guéret [1] ? je m'arrêtais pour regarder cet homme germé à l'ombre des épis parmi lesquels il devait être moissonné, et qui retournant la terre de sa tombe avec le soc de la charrue, mêlait ses sueurs brûlantes aux pluies glacées de l'automne : le sillon qu'il creusait était le monument destiné à lui survivre. Que faisait à cela mon élégante démone ? Par sa magie, elle me transportait au bord du Nil, me montrait la pyramide égyptienne noyée dans le sable, comme un jour le sillon armoricain caché sous la bruyère : je m'applaudissais d'avoir placé les fables de ma félicité hors du cercle des réalités humaines.

Le soir je m'embarquais sur l'étang, conduisant seul mon bateau au milieu des joncs et des larges feuilles flottantes du nénuphar. Là, se réunissaient les hirondelles prêtes à quitter nos climats. Je ne perdais pas un seul de leurs gazouillis : Tavernier [2] enfant était moins attentif au récit d'un voyageur. Elles se jouaient sur l'eau au tomber du soleil, poursuivaient les insectes, s'élançaient ensemble dans les airs, comme pour éprouver leurs ailes, se rabattaient à la surface du lac, puis se venaient suspendre aux roseaux que leur poids courbait à peine, et qu'elles remplissaient de leur ramage confus [3].

13

Incantation.

La nuit descendait ; les roseaux agitaient leurs champs de quenouilles et de glaives, parmi lesquels la caravane emplumée, poules d'eau, sarcelles, martins-pêcheurs, bécassines, se taisait ; le lac battait ses bords ; les grandes voix de l'automne sortaient des marais et des bois :

---

sonne ou telle partie de ma personne et d'autres personnes ou d'autres objets ou technique).
2. Célèbre voyageur, Jean-Baptiste Tavernier (1605-1686) publia en 1679 des *Voyages de Tavernier en Turquie, en Perse et aux Indes*, qui furent très lus pendant tout le XVIIIe siècle (par Montesquieu par exemple).
3. Chateaubriand a toujours présenté une grande attention aux oiseaux. Plusieurs chapitres du *Génie du christianisme* leur sont consacrés (II, 5).

j'échouais mon bateau au rivage et retournais au château. Dix heures sonnaient. À peine retiré dans ma chambre, ouvrant mes fenêtres, fixant mes regards au ciel, je commençais une incantation. Je montais avec ma magicienne sur les nuages : roulé dans ses cheveux et dans ses voiles, j'allais, au gré des tempêtes, agiter la cime des forêts, ébranler le sommet des montagnes, ou tourbillonner sur les mers. Plongeant dans l'espace, descendant du trône de Dieu aux portes de l'abîme, les mondes étaient livrés à la puissance de mes amours. Au milieu du désordre des éléments, je mariais avec ivresse la pensée du danger à celle du plaisir. Les souffles de l'aquilon ne m'apportaient que les soupirs de la volupté ; le murmure de la pluie m'invitait au sommeil sur le sein d'une femme. Les paroles que j'adressais à cette femme auraient rendu des sens à la vieillesse, et réchauffé le marbre des tombeaux. Ignorant tout, sachant tout, à la fois vierge et amante, Ève innocente, Ève tombée, l'enchanteresse par qui me venait ma folie était un mélange de mystères et de passions : je la plaçais sur un autel et je l'adorais. L'orgueil d'être aimé d'elle augmentait encore mon amour. Marchait-elle ? Je me prosternais pour être foulé sous ses pieds, ou pour en baiser la trace. Je me troublais à son sourire ; je tremblais au son de sa voix ; je frémissais de désir, si je touchais ce qu'elle avait touché. L'air exhalé de sa bouche humide pénétrait dans la moelle de mes os, coulait dans mes veines au lieu de sang. Un seul de ses regards m'eût fait voler au bout de la terre ; quel désert ne m'eût suffi avec elle ! À ses côtés, l'antre des lions se fût changé en palais, et des millions de siècles eussent été trop courts pour épuiser les feux dont je me sentais embrasé.

À cette fureur se joignait une idolâtrie morale : par un autre jeu de mon imagination, cette Phryné [1] qui m'enlaçait dans ses bras, était aussi pour moi la gloire et surtout l'honneur ; la vertu, lorsqu'elle accomplit ses plus nobles sacrifices, le génie, lorsqu'il enfante la pensée la plus rare, donneraient à peine une idée de cette autre sorte de bonheur. Je trouvais à la fois dans ma création merveilleuse

---

1. Courtisane athénienne célèbre, maîtresse et modèle du sculpteur Praxitèle, selon la légende.

toutes les blandices [1] des sens et toutes les jouissances de l'âme. Accablé et comme submergé de ces doubles délices, je ne savais plus quelle était ma véritable existence ; j'étais homme et n'étais pas homme ; je devenais le nuage, le vent, le bruit ; j'étais un pur esprit, un être aérien, chantant la souveraine félicité. Je me dépouillais de ma nature pour me fondre avec la fille de mes désirs, pour me transformer en elle, pour toucher plus intimement la beauté, pour être à la fois la passion reçue et donnée, l'amour et l'objet de l'amour [2].

Tout à coup, frappé de ma folie, je me précipitais sur ma couche ; je me roulais dans ma douleur ; j'arrosais mon lit de larmes cuisantes que personne ne voyait et qui coulaient misérables, pour un néant.

14

Tentation.

Bientôt, ne pouvant plus rester dans ma tour, je descendais à travers les ténèbres, j'ouvrais furtivement la porte du perron comme un meurtrier, et j'allais errer dans le grand bois.

Après avoir marché à l'aventure, agitant mes mains, embrassant les vents qui m'échappaient ainsi que l'ombre, objet de mes poursuites, je m'appuyais contre le tronc d'un hêtre ; je regardais les corbeaux que je faisais envoler d'un arbre pour se poser sur un autre, ou la lune se traînant sur la cime dépouillée de la futaie : j'aurais voulu habiter ce monde mort, qui réfléchissait la pâleur du sépulcre. Je ne sentais ni le froid, ni l'humidité de la nuit ; l'haleine glaciale de l'aube ne m'aurait pas même tiré du fond de mes pensées, si à cette heure la cloche du village ne s'était fait entendre.

---

1. Flatteries (archaïsme).
2. Ce mélange de surnaturel et de sensualité passionnée se retrouve dans le personnage de Velléda dans *Les Martyrs*. De même, le balancement entre la passion charnelle et le remords est typique d'Eudore. Voir le dossier, p. 303-315.

Dans la plupart des villages de la Bretagne, c'est ordinairement à la pointe du jour que l'on sonne pour les trépassés. Cette sonnerie compose, de trois notes répétées, un petit air monotone, mélancolique et champêtre [1]. Rien ne convenait mieux à mon âme malade et blessée, que d'être rendue aux tribulations de l'existence par la cloche qui en annonçait la fin. Je me représentais le pâtre expiré dans sa cabane inconnue, ensuite déposé dans un cimetière non moins ignoré. Qu'était-il venu faire sur la terre ? moi-même, que faisais-je dans ce monde ? Puisqu'enfin je devais passer, ne valait-il pas mieux partir à la fraîcheur du matin, arriver de bonne heure, que d'achever le voyage sous le poids et pendant la chaleur du jour ? Le rouge du désir me montait au visage ; l'idée de n'être plus me saisissait le cœur à la façon d'une joie subite. Au temps des erreurs de ma jeunesse, j'ai souvent souhaité ne pas survivre au bonheur : il y avait dans le premier succès un degré de félicité qui me faisait aspirer à la destruction.

De plus en plus garrotté à mon fantôme, ne pouvant jouir de ce qui n'existait pas, j'étais comme ces hommes mutilés qui rêvent des béatitudes pour eux insaisissables, et qui se créent un songe dont les plaisirs égalent les tortures de l'enfer [2]. J'avais en outre le pressentiment des misères de mes futures destinées : ingénieux à me forger des souffrances, je m'étais placé entre deux désespoirs ; quelquefois je ne me croyais qu'un être nul, incapable de s'élever au-dessus du vulgaire ; quelquefois il me semblait sentir en moi des qualités qui ne seraient jamais appréciées. Un secret instinct m'avertissait qu'en avançant dans le monde, je ne trouverais rien de ce que je cherchais.

Tout nourrissait l'amertume de mes dégoûts : Lucile

---

1. *René* contient une très célèbre page sur les cloches : « Les dimanches et les jours de fête, j'ai souvent entendu dans le grand bois, à travers les arbres, les sons de la cloche lointaine… » (p. 170). C'est un motif important du sentiment religieux du début du siècle. Un chapitre du *Génie du christianisme* y est consacré (IV, 1, 1) et l'instrument revient souvent chez Chateaubriand ou Mme de Staël. Les cloches possédaient à la fin de l'Ancien Régime un langage beaucoup plus développé que ce que nous connaissons. Sur cette question, voir A. Corbin, *Les Cloches de la Terre*, Albin Michel, 1994.
2. Souvenir des *Lettres persanes* (lettre LIII) ?

était malheureuse ; ma mère ne me consolait pas ; mon père
me faisait éprouver les affres de la vie. Sa morosité augmentait avec l'âge ; la vieillesse raidissait son âme comme
son corps ; il m'épiait sans cesse pour me gourmander.
Lorsque je revenais de mes courses sauvages et que je
l'apercevais assis sur le perron, on m'aurait plutôt tué que
de me faire rentrer au château. Ce n'était néanmoins que
différer mon supplice : obligé de paraître au souper, je
m'asseyais tout interdit sur le coin de ma chaise, mes joues
battues de la pluie, ma chevelure en désordre. Sous les
regards de mon père, je demeurais immobile et la sueur
couvrait mon front : la dernière lueur de la raison
m'échappa.

Me voici arrivé à un moment où j'ai besoin de quelque
force pour confesser ma faiblesse [1]. L'homme qui attente
à ses jours montre moins la vigueur de son âme que la
défaillance de sa nature.

Je possédais un fusil de chasse dont la détente usée partait souvent au repos. Je chargeai ce fusil de trois balles,
et je me rendis dans un endroit écarté du grand Mail. J'ar-
mai le fusil, j'introduisis le bout du canon dans ma bouche,
je frappai la crosse contre terre ; je réitérai plusieurs fois
l'épreuve : le coup ne partit pas ; l'apparition d'un garde
suspendit ma résolution. Fataliste sans le vouloir et sans
le savoir, je supposai que mon heure n'était pas arrivée, et
je remis à un autre jour l'exécution de mon projet. Si je
m'étais tué, tout ce que j'ai été s'ensevelissait avec moi ;
on ne saurait rien de l'histoire qui m'aurait conduit à ma
catastrophe ; j'aurais grossi la foule des infortunés sans
nom, je ne me serais pas fait suivre à la trace de mes chagrins comme un blessé à la trace de son sang.

Ceux qui seraient troublés par ces peintures et tentés
d'imiter ces folies [2], ceux qui s'attacheraient à ma mémoire

---

1. Problématique des *Confessions* de Rousseau. Pourquoi Chateaubriand
éprouve-t-il le besoin de *confesser* cela ?
2. Chateaubriand fut agacé et même effrayé des disciples que *René* avait
suscités. Il écrit dans les *Mémoires* (XIII, 10) : « Si *René* n'existait pas,
je ne l'écrirais plus ; s'il m'était possible de le détruire, je le détruirais.
Une famille de René poètes et de René prosateurs a pullulé : on n'a plus
entendu que des phrases lamentables et décousues ; il n'a plus été question que de vents et d'orages, que de maux inconnus livrés aux nuages et

par mes chimères, se doivent souvenir qu'ils n'entendent que la voix d'un mort. Lecteur, que je ne connaîtrai jamais, rien n'est demeuré : il ne reste de moi que ce que je suis entre les mains du Dieu vivant qui m'a jugé.

15

Maladie. – Je crains et refuse de m'engager dans l'état ecclésiastique. Projet de passage aux Indes.

Une maladie, fruit de cette vie désordonnée, mit fin aux tourments par qui m'arrivèrent les premières inspirations de la muse et les premières attaques des passions. Ces passions dont mon âme était surmenée, ces passions vagues encore, ressemblaient aux tempêtes de mer qui affluent de tous les points de l'horizon : pilote sans expérience, je ne savais de quel côté présenter la voile à des vents indécis. Ma poitrine se gonfla, la fièvre me saisit ; on envoya chercher à Bazouches, petite ville éloignée de Combourg de cinq à six lieues, un excellent médecin nommé Cheftel, dont le fils a joué un rôle dans l'affaire du marquis de La Rouërie * [1]. Il m'examina attentivement, ordonna des remèdes et déclara qu'il était surtout nécessaire de m'arracher à mon genre de vie.

à la nuit Il n'y a pas de grimaud sortant du collège qui n'ait rêvé d'être le plus malheureux des hommes ; de bambin qui à seize ans n'ait épuisé la vie, qui ne se soit cru tourmenté par son génie. » Pourquoi, alors, Chateaubriand récrit-il ces événements dans ses *Mémoires* ? On aura soin de distinguer les genres littéraires : la fiction romanesque entraîne l'identification du lecteur avec le héros, l'autobiographie rapporte des faits réels, avec la distance temporelle de l'âge, avec le jugement de la personne sur elle-même (on est bien ici dans la logique de la confession).

* À mesure que j'avance dans la vie, je retrouve des personnages de mes Mémoires : la veuve du fils du médecin Cheftel vient d'être reçue à l'infirmerie de *Marie-Thérèse* ; c'est un témoin de plus de ma véracité. [Note de Paris, 1834.]

1. Le fils de ce médecin réputé dénonça à Danton la conspiration de La Rouërie (voir p. 280, n. 1). Il mourut en 1834. L'*Infirmerie de Marie-Thérèse*, actuellement 88, rue Denfert-Rochereau, est une maison de retraite fondée par Mme de Chateaubriand. C'est dans un de ses bâtiments que Chateaubriand et elle vécurent de 1826 à 1838.

Je fus six semaines en péril. Ma mère vint un matin s'asseoir au bord de mon lit, et me dit : « Il est temps de vous décider ; votre frère est à même de vous obtenir un bénéfice [1] ; mais avant d'entrer au séminaire, il faut vous bien consulter, car si je désire que vous embrassiez l'état ecclésiastique, j'aime encore mieux vous voir homme du monde que prêtre scandaleux. »

D'après ce qu'on vient de lire, on peut juger si la proposition de ma pieuse mère tombait à propos. Dans les événements majeurs de ma vie, j'ai toujours su promptement ce que je devais éviter ; un mouvement d'honneur me pousse. Abbé ? je me parus ridicule. Évêque ? la majesté du sacerdoce m'imposait et je reculais avec respect devant l'autel. Ferais-je comme évêque des efforts afin d'acquérir des vertus, ou me contenterais-je de cacher mes vices ? Je me sentais trop faible pour le premier parti, trop franc pour le second. Ceux qui me traitent d'hypocrite et d'ambitieux me connaissent peu : je ne réussirai jamais dans le monde, précisément parce qu'il me manque une passion et un vice, l'ambition et l'hypocrisie. La première serait tout au plus chez moi de l'amour-propre piqué ; je pourrais désirer quelquefois être ministre ou roi pour me rire de mes ennemis ; mais au bout de vingt-quatre heures je jetterais mon portefeuille et ma couronne par la fenêtre.

Je dis donc à ma mère que je n'étais pas assez fortement appelé à l'état ecclésiastique. Je variais pour la seconde fois dans mes projets : je n'avais point voulu me faire marin, je ne voulais plus être prêtre. Restait la carrière militaire ; je l'aimais : mais comment supporter la perte de mon indépendance et la contrainte de la discipline européenne ? Je m'avisai d'une chose saugrenue : je déclarai que j'irais au Canada défricher des forêts, ou aux Indes chercher du service dans les armées des princes de ce pays.

Par un de ces contrastes qu'on remarque chez tous les hommes, mon père, si raisonnable d'ailleurs, n'était jamais trop choqué d'un projet aventureux. Il gronda ma mère de mes tergiversations, mais il se décida à me faire passer aux

---

1. Voir p. 52, n. 1.

Indes. On m'envoya à Saint-Malo ; on y préparait un armement pour Pondichéry [1].

16

Un moment dans ma ville natale.
Souvenir de la Villeneuve et des tribulations de mon enfance.
Je suis rappelé à Combourg.
Dernière entrevue avec mon père.
J'entre au service. – Adieux à Combourg.

Deux mois s'écoulèrent : je me retrouvai seul dans mon île maternelle ; la Villeneuve y venait de mourir. En allant la pleurer au bord du lit vide et pauvre où elle expira, j'aperçus le petit chariot d'osier dans lequel j'avais appris à me tenir debout sur ce triste globe. Je me représentais ma vieille bonne, attachant du fond de sa couche ses regards affaiblis sur cette corbeille roulante : ce premier monument de ma vie en face du dernier monument de la vie de ma seconde mère, l'idée des souhaits de bonheur que la bonne Villeneuve adressait au ciel pour son nourrisson en quittant le monde, cette preuve d'un attachement si constant, si désintéressé, si pur, me brisaient le cœur de tendresse, de regrets et de reconnaissance.

Du reste, rien de mon passé à Saint-Malo : dans le port je cherchais en vain les navires aux cordes desquels je me jouais ; ils étaient partis ou dépecés ; dans la ville, l'hôtel où j'étais né avait été transformé en auberge. Je touchais presque à mon berceau et déjà tout un monde s'était écoulé. Étranger aux lieux de mon enfance, en me rencontrant on demandait qui j'étais, par l'unique raison que ma tête s'élevait de quelques lignes de plus au-dessus du sol vers lequel elle s'inclinera de nouveau dans peu d'années. Combien rapidement et que de fois nous changeons d'existence et de

---

1. Ce comptoir de la Compagnie des Indes, resté français jusqu'en 1954, avait été pris par les Anglais en 1761, après la capitulation de Lally-Tollendal. Les comptoirs furent restitués à la France au traité de Versailles en 1783. Plusieurs Français engagés comme officiers au service des princes locaux firent fortune.

chimère ! Des amis nous quittent, d'autres leur succèdent ;
nos liaisons varient : il y a toujours un temps où nous ne
possédions rien de ce que nous possédons, un temps où
nous n'avons rien de ce que nous eûmes. L'homme n'a pas
une seule et même vie ; il en a plusieurs mises bout à bout,
et c'est sa misère.

Désormais sans compagnon, j'explorais l'arène qui vit
mes châteaux de sable : *campos ubi Troja fuit* [1]. Je marchais
sur la plage désertée de la mer. Les grèves abandonnées
du flux m'offraient l'image de ces espaces désolés que les
illusions laissent autour de nous lorsqu'elles se retirent.
Mon compatriote Abailard regardait comme moi ces flots,
il y a huit cents ans, avec le souvenir de son Héloïse [2] ;
comme moi il voyait fuir quelque vaisseau (*ad horizontis
undas* [3]), et son oreille était bercée ainsi que la mienne de
l'unisonance des vagues. Je m'exposais au brisement de
la lame en me livrant aux imaginations funestes que j'avais
apportées des bois de Combourg. Un cap, nommé Lavarde,
servait de terme à mes courses : assis sur la pointe de ce
cap, dans les pensées les plus amères, je me souvenais que
ces mêmes rochers servaient à me cacher dans mon
enfance, à l'époque des fêtes ; j'y dévorais mes larmes, et
mes camarades s'enivraient de joie. Je ne me sentais ni plus
aimé, ni plus heureux. Bientôt j'allais quitter ma patrie pour
émietter mes jours en divers climats. Ces réflexions me
navraient à mort, et j'étais tenté de me laisser tomber dans
les flots.

Une lettre me rappelle à Combourg : j'arrive, je soupe
avec ma famille ; monsieur mon père ne me dit pas un mot,
ma mère soupire, Lucile paraît consternée ; à dix heures
on se retire. J'interroge ma sœur ; elle ne savait rien. Le lendemain à huit heures du matin on m'envoie chercher. Je
descends : mon père m'attendait dans son cabinet.

---

1. « Les champs où fut Troie » (*Énéide*, III, 11).
2. Pierre Abélard (1079-1142) était né près de Nantes et mourut abbé de
Saint-Gildas-de-Rhuys. Il est donc le compatriote de Chateaubriand en
tant que Breton. Les lettres qu'il écrivit à son amante Héloïse connaissaient un regain d'intérêt depuis que le poète anglais Pope en avait fait
une adaptation, traduite en français par Colardeau en 1757. Chateaubriand
y consacre un chapitre du *Génie du christianisme* (II, 3, 5).
3. « Vers les flots à l'horizon... » : citation d'une lettre d'Abélard.

« Monsieur le chevalier, me dit-il, il faut renoncer à vos folies. Votre frère a obtenu pour vous un brevet de sous-lieutenant au régiment de Navarre. Vous allez partir pour Rennes, et de là pour Cambrai. Voilà cent louis ; ménagez-les. Je suis vieux et malade ; je n'ai pas longtemps à vivre. Conduisez-vous en homme de bien et ne déshonorez jamais votre nom. »

Il m'embrassa. Je sentis ce visage ridé et sévère se presser avec émotion contre le mien : c'était pour moi le dernier embrassement paternel.

Le comte de Chateaubriand, homme si redoutable à mes yeux, ne me parut dans ce moment que le père le plus digne de ma tendresse. Je me jetai sur sa main décharnée et pleurai. Il commençait d'être attaqué d'une paralysie ; elle le conduisit au tombeau ; son bras gauche avait un mouvement convulsif qu'il était obligé de contenir avec sa main droite. Ce fut en retenant ainsi son bras et après m'avoir remis sa vieille épée, que sans me donner le temps de me reconnaître, il me conduisit au cabriolet qui m'attendait dans la Cour verte. Il m'y fit monter devant lui. Le postillon partit, tandis que je saluais des yeux ma mère et ma sœur qui fondaient en larmes sur le perron.

Je remontai la chaussée de l'étang ; je vis les roseaux de mes hirondelles, le ruisseau du moulin et la prairie ; je jetai un regard sur le château. Alors, comme Adam après son péché, je m'avançai sur la terre inconnue : le monde était tout devant moi : *and the world was all before him* [1].

Depuis cette époque, je n'ai revu Combourg que trois fois : après la mort de mon père, nous nous y trouvâmes en deuil, pour partager notre héritage et nous dire adieu [2]. Une autre fois j'accompagnai ma mère à Combourg : elle s'occupait de l'ameublement du château ; elle attendait mon frère, qui devait amener ma belle-sœur en Bretagne. Mon frère ne vint point ; il eut bientôt avec sa jeune épouse, de

---

1. En réalité, le vers – l'un des derniers du *Paradis perdu* de Milton – est *and the world was all before them* : « Le monde entier était devant eux. » Cette épopée chrétienne (1667) fut diffusée en France dans diverses traductions. Chateaubriand en fit une en 1836. Il cite et analyse abondamment le *Paradis perdu* dans la deuxième partie du *Génie du christianisme*.
2. Voir *infra*, IV, 5.

la main du bourreau, un autre chevet que l'oreiller préparé
des mains de ma mère. Enfin, je traversai une troisième fois
Combourg, en allant m'embarquer à Saint-Malo pour
l'Amérique. Le château était abandonné, je fus obligé de
descendre chez le régisseur. Lorsque, en errant dans le
grand Mail, j'aperçus du fond d'une vallée obscure le perron désert, la porte et les fenêtres fermées, je me trouvai
mal. Je regagnai avec peine le village ; j'envoyai chercher
mes chevaux et je partis au milieu de la nuit [1].

Après quinze années d'absence, avant de quitter de nouveau la France et de passer en Terre sainte, je courus
embrasser à Fougères ce qui me restait de ma famille [2]. Je
n'eus pas le courage d'entreprendre le pèlerinage des
champs où la plus vive partie de mon existence fut attachée. C'est dans les bois de Combourg que je suis devenu
ce que je suis, que j'ai commencé à sentir la première
atteinte de cet ennui que j'ai traîné toute ma vie, de cette
tristesse qui a fait mon tourment et ma félicité. Là, j'ai cherché un cœur qui pût entendre le mien ; là, j'ai vu se réunir,
puis se disperser ma famille. Mon père y rêva son nom réta-
bli, la fortune de sa maison renouvelée : autre chimère que
le temps et les révolutions ont dissipée. De six enfants que
nous étions, nous ne restons plus que trois : mon frère, Julie
et Lucile ne sont plus, ma mère est morte de douleur, les
cendres de mon père ont été arrachées de son tombeau [3].

Si mes ouvrages me survivent, si je dois laisser un nom,
peut-être un jour, guidé par ces *Mémoires*, quelque voyageur viendra visiter les lieux que j'ai peints. Il pourra reconnaître le château ; mais il cherchera vainement le grand
bois : le berceau de mes songes a disparu comme ces
songes. Demeuré seul debout sur son rocher, l'antique donjon pleure les chênes, vieux compagnons qui l'environnaient et le protégeaient contre la tempête. Isolé comme lui,
j'ai vu comme lui tomber autour de moi la famille qui

---

1. Cet ultime passage à Combourg se retrouve transposé dans *René*, peu
avant la cérémonie des vœux d'Amélie.
2. Juin 1806. Ses deux sœurs Bénigne de Chateaubourg et Marie-Anne de
Marigny habitaient toujours Fougères.
3. Sur la mort de sa mère, voir XI, 4. D'après un témoignage de Lamennais, le cercueil de M. de Chateaubriand aurait été déterré en 1794 et brûlé.

embellissait mes jours et me prêtait son abri : heureusement ma vie n'est pas bâtie sur la terre aussi solidement que les tours où j'ai passé ma jeunesse, et l'homme résiste moins aux orages que les monuments élevés par ses mains.

1

Berlin, mars 1821.

Revu en juillet 1846.

Berlin. – Potsdam. – Frédéric.

Il y a loin de Combourg à Berlin, d'un jeune rêveur à un vieux ministre. Je retrouve dans ce qui précède ces paroles : « Dans combien de lieux ai-je commencé à écrire ces *Mémoires*, et dans quel lieu les finirai-je ? »

Près de quatre ans ont passé entre la date des faits que je viens de raconter et celle où je reprends ces *Mémoires*.

Mille choses sont survenues ; un second homme s'est trouvé en moi, l'homme politique : j'y suis fort peu attaché. J'ai défendu les libertés de la France, qui seules peuvent faire durer le trône légitime. Avec *Le Conservateur* j'ai mis M. de Villèle au pouvoir ; j'ai vu mourir le duc de Berry et j'ai honoré sa mémoire. Afin de tout concilier, je me suis éloigné ; j'ai accepté l'ambassade de Berlin [1].

J'étais hier à Potsdam [2], caserne ornée, aujourd'hui sans soldats : j'étudiais le faux Julien dans sa fausse Athènes. On m'a montré à *Sans-Souci* la table où un grand monarque allemand mettait en petits vers français les maximes encyclopédiques ; la chambre de Voltaire, décorée de singes et de perroquets de bois, le moulin que se fit un jeu de respecter celui qui ravageait des provinces [3], le tombeau du

---

1. En 1816, *La Monarchie selon la Charte* prône un respect scrupuleux de la Charte et de la liberté de la presse Louis XVIII, qui vient de dissoudre la Chambre Introuvable, à majorité ultra, ne l'entend pas de cette oreille, fait saisir l'ouvrage et raye Chateaubriand de la liste des ministres d'État En 1818, Chateaubriand fonde *Le Conservateur*, qui paraîtra jusqu'en 1820. Il y mène une campagne acharnée contre le ministère Decazes, modéré. L'assassinat du duc de Berry le 13 février 1820 – à l'occasion duquel Chateaubriand publia des *Mémoires sur la vie et la mort de Mgr le duc de Berry* – contribua à la chute de Decazes et à l'installation du ministère Richelieu (ultra modéré) en novembre 1820, où Villèle, chef du parti ultra, est ministre sans portefeuille et où Chateaubriand reçoit l'ambassade de Berlin. Chateaubriand arrivé à Berlin le 11 janvier 1821 s'y ennuya ferme et préféra partir le 19 avril. À la mort de Richelieu en 1822, Villèle parvint enfin au pouvoir ; Chateaubriand sera alors ministre des Affaires étrangères. La position politique de Chateaubriand est loin d'être claire Il se donne dans les *Mémoires* le beau rôle de libéral légitimiste et se plaint constamment de l'ingratitude des Bourbons, qui se méfiaient de lui. Il semble qu'il ait surtout été poursuivi de l'ambition de jouer un rôle majeur. Sur ces questions, consulter J -P. Clément, *Chateaubriand et Le Conservateur*, et, plus négatif, J. Cabanis, *Charles X roi ultra*, Gallimard, 1973. Pour le détail des événements, voir livres XXV et XXVI.
2. Potsdam est le Versailles des rois de Prusse. La palais de Sans-Souci y fut achevé par Frédéric II en 1757. Ce roi (1712-1786) fut à la fois un des plus grands militaires de son temps et un protecteur des Philosophes Il accueillit ainsi Voltaire et composa plusieurs ouvrages en français. Athènes et Julien sont des allusions à sa qualité de philosophe. Julien l'Apostat fut empereur romain de 361 à 363 ; de culture philosophique, il rejeta et combattit le christianisme. Voir *Génie du christianisme*, I, 1, 1.
3. Un meunier refusa de céder au Roi son terrain. L'anecdote avait été popularisée par un conte en vers d'Andrieux (1759-1833) et une fable de Florian (I, 8).

cheval *César* et des levrettes *Diane*, *Amourette*, *Biche*, *Superbe* et *Pax*. Le royal impie se plut à profaner même la religion des tombeaux, en élevant des mausolées à ses chiens ; il avait marqué sa sépulture auprès d'eux, moins par mépris des hommes que par ostentation du néant.

On m'a conduit au nouveau palais, déjà tombant [1]. On respecte dans l'ancien château de Potsdam les taches de tabac, les fauteuils déchirés et souillés, enfin toutes les traces de la malpropreté du prince renégat. Ces lieux immortalisent à la fois la saleté du cynisme, l'impudence de l'athée, la tyrannie du despote et la gloire du soldat.

Une seule chose a attiré mon attention : l'aiguille d'une pendule fixée sur la minute où Frédéric expira ; j'étais trompé par l'immobilité de l'image : les heures ne suspendent point leur fuite ; ce n'est pas l'homme qui arrête le temps, c'est le temps qui arrête l'homme. Au surplus, peu importe le rôle que nous avons joué dans la vie ; l'éclat ou l'obscurité de nos doctrines, nos richesses ou nos misères, nos joies ou nos douleurs ne changent rien à la mesure de nos jours. Que l'aiguille circule sur un cadran d'or ou de bois, que le cadran plus ou moins large remplisse le chaton d'une bague ou la rosace d'une basilique, l'heure n'a que la même durée.

Dans un caveau de l'église protestante, immédiatement au-dessous de la chaire du schismatique défroqué [2], j'ai vu le cercueil du sophiste à couronne. Ce cercueil est de bronze ; quand on le frappe, il retentit. Le gendarme qui dort dans ce lit d'airain, ne serait pas même arraché à son sommeil par le bruit de sa renommée ; il ne se réveillera qu'au son de la trompette, lorsqu'elle l'appellera sur son dernier champ de bataille, en face du Dieu des armées.

J'avais un tel besoin de changer d'impression que j'ai trouvé du soulagement à visiter la Maison-de-Marbre. Le roi qui la fit construire m'adressa autrefois quelques paroles honorables, quand, pauvre officier, je traversai son

---

1. Outre Sans-Souci, il y a deux autres palais à Potsdam : le Nouveau Palais, construit de 1763 à 1769 et le Palais de Marbre construit de 1787 à 1790, sous le règne de Frédéric-Guillaume II (1744-1797).
2. Luther, ancien moine augustin.

armée [1]. Du moins, ce roi partagea les faiblesses ordinaires des hommes ; vulgaire comme eux, il se réfugia dans les plaisirs. Les deux squelettes se mettent-ils en peine aujourd'hui de la différence qui fut entre eux jadis, lorsque l'un était le grand Frédéric, et l'autre Frédéric-Guillaume ? Sans-Souci et la Maison-de-Marbre sont également des ruines sans maître.

À tout prendre, bien que l'énormité des événements de nos jours ait rapetissé les événements passés, bien que Rosbach, Lissa, Liegnitz, Torgau [2], etc., ne soient plus que des escarmouches, auprès des batailles de Marengo, d'Austerlitz, d'Iéna, de la Moskowa, Frédéric souffre moins que d'autres personnages de la comparaison avec le géant enchaîné à Sainte-Hélène. Le roi de Prusse et Voltaire sont deux figures bizarrement groupées qui vivront : le second détruisait une société avec la philosophie qui servait au premier à fonder un royaume.

Les soirées sont longues à Berlin. J'habite un hôtel appartenant à madame la duchesse de Dino [3]. Dès l'entrée de la nuit, mes secrétaires m'abandonnent. Quand il n'y a pas de fête à la cour pour le mariage du grand-duc et de la grande-duchesse Nicolas * [4], je reste chez moi. Enfermé seul auprès d'un poêle à figure morne, je n'entends que le cri de la sentinelle de la porte de Brandebourg, et les pas sur la neige de l'homme qui siffle les heures. À quoi passerai-je mon temps ? Des livres ? je n'en ai guère : si je continuais mes *Mémoires* ?

Vous m'avez laissé sur le chemin de Combourg à Rennes : je débarquai dans cette dernière ville chez un de

---

1. Voir IX, 8 Frédéric-Guillaume II, monarque médiocre, dominé par ses maîtresses, fut un des premiers à déclarer la guerre à la France révolutionnaire, mais il abandonna la partie après la bataille de Valmy.
2. Batailles gagnées par Frédéric II lors de la guerre de Sept Ans : Rosbach, sur les Français le 5 novembre 1757, Torgau sur les Autrichiens le 3 novembre 1760. Ces victoires, souvent dues au seul génie de Frédéric II, faisaient l'admiration de Napoléon.
3. Nièce par alliance de Talleyrand, dont elle tint le salon à Paris (1795-1862).
* Aujourd'hui l'empereur et l'impératrice de Russie. [Paris, note de 1832.]
4. Nicolas Ier (1796-1855) succéda à son frère en 1825. Sa femme était fille du roi de Prusse, Frédéric-Guillaume III.

mes parents. Il m'annonça tout joyeux, qu'une dame de sa connaissance, allant à Paris, avait une place à donner dans sa voiture, et qu'il se faisait fort de déterminer cette dame à me prendre avec elle. J'acceptai, en maudissant la courtoisie de mon parent. Il conclut l'affaire et me présenta bientôt à ma compagne de voyage, marchande de modes, leste et désinvolte, qui se prit à rire en me regardant. À minuit les chevaux arrivèrent et nous partîmes [1].

Me voilà dans une chaise de poste, seul avec une femme, au milieu de la nuit. Moi, qui de ma vie n'avais regardé une femme sans rougir, comment descendre de la hauteur de mes songes à cette effrayante vérité ? Je ne savais où j'étais ; je me collais dans l'angle de la voiture de peur de toucher la robe de madame Rose. Lorsqu'elle me parlait, je balbutiais sans lui pouvoir répondre. Elle fut obligée de payer le postillon, de se charger de tout, car je n'étais capable de rien. Au lever du jour, elle regarda avec un nouvel ébahissement ce nigaud dont elle regrettait de s'être emberloquée [2].

Dès que l'aspect du paysage commença de changer et que je ne reconnus plus l'habillement et l'accent des paysans bretons, je tombai dans un abattement profond, ce qui augmenta le mépris que madame Rose avait de moi. Je m'aperçus du sentiment que j'inspirais, et je reçus de ce premier essai du monde une impression que le temps n'a pas complètement effacée. J'étais né sauvage et non vergogneux [3] ; j'avais la modestie de mes années, je n'en avais pas l'embarras. Quand je devinai que j'étais ridicule par mon bon côté, ma sauvagerie se changea en une timidité insurmontable. Je ne pouvais plus dire un mot : je sentais que j'avais quelque chose à cacher, et que ce quelque chose était une vertu ; je pris le parti de me cacher moi-même pour porter en paix mon innocence.

Nous avancions vers Paris. À la descente de Saint-Cyr,

---

1. À la fin du XVIIIe siècle, on mettait en moyenne trois jours pour aller de Rennes à Paris en diligence. Chateaubriand partit de Rennes le 9 août 1787.
2. Ce mot n'existe pas dans le *Littré*. Le *Dictionnaire de Trévoux* donne comme signification : coiffer (pop.). On dirait *s'affubler*.
3. Vergogne : honte.

je fus frappé de la grandeur des chemins et de la régularité des plantations. Bientôt nous atteignîmes Versailles : l'orangerie et ses escaliers de marbre m'émerveillèrent. Les succès de la guerre d'Amérique avaient ramené des triomphes au château de Louis XIV ; la Reine y régnait dans l'éclat de la jeunesse et de la beauté ; le trône, si près de sa chute, semblait n'avoir jamais été plus solide. Et moi, passant obscur, je devais survivre à cette pompe, je devais demeurer pour voir les bois de Trianon aussi déserts que ceux dont je sortais alors.

Enfin, nous entrâmes dans Paris. Je trouvais à tous les visages un air goguenard : comme le gentilhomme périgourdin [1], je croyais qu'on me regardait pour se moquer de moi. Madame Rose se fit conduire rue du Mail [2], à l'*Hôtel de l'Europe*, et s'empressa de se débarrasser de son imbécile. À peine étais-je descendu de voiture, qu'elle dit au portier : « Donnez une chambre à ce monsieur. – Votre servante », ajouta-t-elle, en me faisant une révérence courte. Je n'ai de mes jours revu madame Rose.

2

Berlin, mars 1821.

Mon frère. – Mon cousin Moreau.
Ma sœur la comtesse de Farcy.

Une femme monta devant moi un escalier noir et raide, tenant une clef étiquetée à la main ; un Savoyard [3] me suivit portant ma petite malle. Arrivée au troisième étage, la servante ouvrit une chambre ; le Savoyard posa la malle en travers sur les bras d'un fauteuil. La servante me dit :

---

1 Cf. *Monsieur de Pourceaugnac* de Molière, I, 5 On comparera ces impressions de provincial avec celles de Rousseau, au livre IV des *Confessions*, ou à la lettre de Saint-Preux sur Paris dans *La Nouvelle Héloïse* (II, 14).
2. Cette rue, qui porte toujours le même nom, se situe entre la place des Victoires et la rue Réaumur
3 Les Savoyards composaient une grande partie des petits emplois domestiques : porteurs, porteurs d'eau, ramoneurs, etc.

« Monsieur veut-il quelque chose ? » Je répondis : « Non. »
Trois coups de sifflet partirent ; la servante cria : « On y
va ! », sortit brusquement, ferma la porte et dégringola l'escalier avec le Savoyard. Quand je me vis seul enfermé, mon
cœur se serra d'une si étrange sorte qu'il s'en fallut peu que
je ne reprisse le chemin de la Bretagne. Tout ce que j'avais
entendu dire de Paris me revenait dans l'esprit ; j'étais
embarrassé de cent manières. Je m'aurais voulu coucher et
le lit n'était point fait ; j'avais faim et je ne savais comment dîner. Je craignais de manquer aux usages : fallait-il
appeler les gens de l'hôtel ? fallait-il descendre ? à qui
m'adresser ? Je me hasardai à mettre la tête à la fenêtre : je
n'aperçus qu'une petite cour intérieure profonde comme un
puits, où passaient et repassaient des gens qui ne songeaient
de leur vie au prisonnier du troisième étage. Je vins me ras-
seoir auprès de la sale alcôve où je me devais coucher,
réduit à contempler les personnages du papier peint qui en
tapissait l'intérieur. Un bruit lointain de voix se fait
entendre, augmente, approche ; ma porte s'ouvre : entrent
mon frère et un de mes cousins, fils d'une sœur de ma mère
qui avait fait un assez mauvais mariage. Madame Rose avait
pourtant eu pitié du benêt, elle avait fait dire à mon frère,
dont elle avait su l'adresse à Rennes, que j'étais arrivé à
Paris. Mon frère m'embrassa. Mon cousin Moreau [1] était
un grand et gros homme, tout barbouillé de tabac, mangeant
comme un ogre, parlant beaucoup, toujours trottant, souf-
flant, étouffant, la bouche entr'ouverte, la langue à moitié
tirée, connaissant toute la terre, vivant dans les tripots, les
antichambres et les salons. « Allons, chevalier, s'écria-t-il,
vous voilà à Paris ; je vais vous mener chez madame de
Chastenay ! » Qu'était-ce que cette femme dont j'entendais
prononcer le nom pour la première fois ? Cette proposition
me révolta contre mon cousin Moreau. « Le chevalier a sans
doute besoin de repos, dit mon frère ; nous irons voir
madame de Farcy, puis il reviendra dîner et se coucher. »

---

1. Julie de Bedée, sœur de Mme de Chateaubriand, épousa en 1744 Jean-
François Moreau, procureur au parlement de Rennes. Annibal Moreau
(1749-après 1808), cousin germain de l'auteur, fut condamné dans l'affaire La Chalotais. Il était receveur des tabacs à Fougères et fréquentait beaucoup les Chateaubriand À la Révolution, il émigra, servit dans l'armée
des Princes (où Chateaubriand le retrouve, voir IX, 12), puis en Russie.

Un sentiment de joie entra dans mon cœur : le souvenir de ma famille au milieu d'un monde indifférent me fut un baume. Nous sortîmes. Le cousin Moreau tempêta au sujet de ma mauvaise chambre, et enjoignit à mon hôte de me faire descendre au moins d'un étage. Nous montâmes dans la voiture de mon frère, et nous nous rendîmes au couvent qu'habitait madame de Farcy [1].

Julie se trouvait depuis quelque temps à Paris pour consulter les médecins. Sa charmante figure, son élégance et son esprit l'avaient bientôt fait rechercher. J'ai déjà dit qu'elle était née avec un vrai talent pour la poésie. Elle est devenue une sainte, après avoir été une des femmes les plus agréables de son siècle : l'abbé Carron a écrit sa vie [*] [2]. Ces apôtres qui vont partout à la recherche des âmes, ressentent pour elles l'amour qu'un Père de l'Église attribue au Créateur : « Quand une âme arrive au ciel », dit ce Père, avec la simplicité de cœur d'un chrétien primitif, et la naïveté du génie grec, « Dieu la prend sur ses genoux et l'appelle sa fille. »

Lucile a laissé une poignante lamentation : *À la sœur que je n'ai plus*. L'admiration de l'abbé Carron pour Julie explique et justifie les paroles de Lucile. Le récit du saint prêtre montre aussi que j'ai dit vrai dans la préface du *Génie du christianisme*, et sert de preuve à quelques parties de mes *Mémoires*.

Julie innocente se livra aux mains du repentir ; elle consacra les trésors de ses austérités au rachat de ses frères ; et à l'exemple de l'illustre Africaine sa patronne, elle se fit martyre [3].

---

1. Les couvents, qui avaient de grands biens immobiliers, louaient des appartements.
* J'ai placé la vie de ma sœur Julie au supplément de ces *Mémoires*
2. On n'a pas reproduit dans cette édition les suppléments L'abbé Carron (1760-1821) est l'auteur d'ouvrages de piété, entre autres huit volumes de *Vies des justes dans les différentes conditions de la vie*, Paris, 1817. La vie de Julie de Farcy se trouve au tome IV.
3. Sainte Julie, martyre du ve siècle, originaire du Maghreb, vendue comme esclave, crucifiée en Corse. Dans la préface du *Génie du christianisme*, Chateaubriand prétend que la mort de sa mère et celle de Julie déclenchèrent sa conversion. Cette affirmation suscita force polémiques. Ce texte est cité par l'abbé Carron à la fin de sa vie de Julie.

L'abbé Carron, l'auteur de la *Vie des justes*, est cet ecclésiastique mon compatriote, le François de Paule [1] de l'exil, dont la renommée, révélée par les affligés, perça même à travers la renommée de Bonaparte. La voix d'un pauvre vicaire proscrit n'a point été étouffée par les retentissements d'une révolution qui bouleversait la société ; il parut être revenu tout exprès de la terre étrangère pour écrire les vertus de ma sœur : il a cherché parmi nos ruines, il a découvert une victime et une tombe oubliées.

Lorsque le nouvel hagiographe fait la peinture des religieuses cruautés de Julie, on croit entendre Bossuet dans le sermon sur la profession de foi de mademoiselle de La Vallière :

« Osera-t-elle toucher à ce corps si tendre, si chéri, si ménagé ? N'aura-t-on point pitié de cette complexion délicate ? Au contraire ! c'est à lui principalement que l'âme s'en prend comme à son plus dangereux séducteur ; elle se met des bornes ; resserrée de toutes parts, elle ne peut plus respirer que du côté du Ciel. »

Je ne puis me défendre d'une certaine confusion en retrouvant mon nom dans les dernières lignes tracées par la main du vénérable historien de Julie. Qu'ai-je à faire avec mes faiblesses auprès de si hautes perfections ? Ai-je tenu tout ce que le billet de ma sœur m'avait fait promettre, lorsque je le reçus pendant mon émigration à Londres ? Un livre suffit-il à Dieu ? n'est-ce pas ma vie que je devrais lui présenter ? Or, cette vie est-elle conforme au *Génie du christianisme* ? Qu'importe que j'aie tracé des images plus ou moins brillantes de la religion, si mes passions jettent une ombre sur ma foi ! Je n'ai pas été jusqu'au bout ; je n'ai pas endossé le cilice [2] : cette tunique de mon viatique [3] aurait bu et séché mes sueurs. Mais, voyageur

---

1. Saint François de Paule (1416-1507), fondateur de l'ordre des Minimes, saint thaumaturge. L'abbé Carron, né à Rennes, émigra en Angleterre pendant la Révolution, fonda à Londres deux institutions d'éducation pour les enfants des émigrés pauvres. Il transféra cette œuvre à Paris à son retour en 1814.
2. Ceinture de crin que l'on porte à même la peau, sous les vêtements, par mortification.
3. Argent nécessaire pour un voyage. Par extension, voyage.

lassé, je me suis assis au bord du chemin : fatigué ou non, il faudra bien que je me relève, que j'arrive où ma sœur est arrivée.

Il ne manque rien à la gloire de Julie : l'abbé Carron a écrit sa vie ; Lucile a pleuré sa mort.

3

Berlin, 30 mars 1821.

Julie mondaine. – Dîner. – Pommereul.
Madame de Chastenay.

Quand je retrouvai Julie à Paris, elle était dans la pompe de la mondanité ; elle se montrait couverte de ces fleurs, parée de ces colliers, voilée de ces tissus parfumés que saint Clément défend aux premières chrétiennes. Saint Basile veut que le milieu de la nuit soit pour le solitaire, ce que le matin est pour les autres, afin de profiter du silence de la nature [1]. Ce milieu de la nuit était l'heure où Julie allait à des fêtes dont ses vers, accentués par elle avec une merveilleuse euphonie, faisaient la principale séduction.

Julie était infiniment plus jolie que Lucile ; elle avait des yeux bleus caressants et des cheveux bruns à gaufrures ou à grandes ondes. Ses mains et ses bras, modèles de blancheur et de forme, ajoutaient par leurs mouvements gracieux quelque chose de plus charmant encore à sa taille charmante. Elle était brillante, animée, riait beaucoup, sans affectation, et montrait en riant des dents perlées. Une foule de portraits de femmes du temps de Louis XIV ressemblaient à Julie, entre autres ceux des trois Mortemart [2] ; mais elle avait plus d'élégance que madame de Montespan.

---

1. Clément d'Alexandrie (v. 150-v. 215), *Le Pédagogue*, II, 8 ; saint Basile de Césarée (330-379), lettre II. Chateaubriand connaît bien les Pères de l'Église latins et grecs qu'il a étudiés pour le *Génie du christianisme* – où il cite cette lettre de Basile de Césarée (III, 4, 2). On sait que sa bibliothèque de la Vallée-aux-Loups était assez bien fournie dans ce domaine.
2. Mme de Montespan (1641-1707), née Mortemart, maîtresse de Louis XIV, et ses deux sœurs étaient célèbres pour leur beauté et leur esprit.

Julie me reçut avec cette tendresse qui n'appartient qu'à une sœur. Je me sentis protégé en étant serré dans ses bras, ses rubans, son bouquet de roses et ses dentelles. Rien ne remplace l'attachement, la délicatesse et le dévouement d'une femme ; on est oublié de ses frères et de ses amis ; on est méconnu de ses compagnons, on ne l'est jamais de sa mère, de sa sœur ou de sa femme. Quand Harold fut tué à la bataille d'Hastings, personne ne le pouvait indiquer dans la foule des morts ; il fallut avoir recours à une jeune fille, sa bien-aimée. Elle vint, et l'infortuné prince fut retrouvé par Édith au cou de cygne : *Editha swanes-hales, quod sonat collum cycni* [1].

Mon frère me ramena à mon hôtel ; il donna des ordres pour mon dîner et me quitta. Je dînai solitaire, je me couchai triste. Je passai ma première nuit à Paris à regretter mes bruyères et à trembler devant l'obscurité de mon avenir.

À huit heures, le lendemain matin, mon gros cousin arriva ; il était déjà à sa cinquième ou sixième course. « Eh bien ! chevalier, nous allons déjeuner ; nous dînerons avec Pommereul et, ce soir, je vous mène chez madame de Chastenay. » Ceci me parut un sort, et je me résignai. Tout se passa comme le cousin l'avait voulu. Après déjeuner, il prétendit me montrer Paris, et me traîna dans les rues les plus sales des environs du Palais-Royal, me racontant les dangers auxquels était exposé un jeune homme. Nous fûmes ponctuels au rendez-vous du dîner, chez le restaurateur [2]. Tout ce qu'on servit me parut mauvais. La conversation et les convives me montrèrent un autre monde. Il fut question de la cour, des projets de finances, des séances de l'Académie, des femmes et des intrigues du jour, de la pièce nou-

---

1. « *Editha swanes-hales*, ce qui veut dire col de cygne. » Cette citation est empruntée à l'*Histoire de la conquête de l'Angleterre par les Normands*, d'Augustin Thierry, parue en 1825. A. Thierry (1795-1856), admirateur de Chateaubriand, et en particulier des *Martyrs*, est le fondateur de l'école historique du XIXᵉ siècle. Chateaubriand en parle à plusieurs reprises dans les *Mémoires* (XXX, 14 ; XXXV, 9 ; XXXVI, 11).
2. Le premier *restaurant* moderne ouvrit à Paris en 1765. Il y en avait une centaine à la fin de l'Ancien Régime, les plus importants étant groupés autour du Palais-Royal, alors centre très animé de Paris (théâtres, marchandes de modes, de gravures, mais aussi prostituées).

velle, des succès des acteurs, des actrices et des auteurs.

Plusieurs Bretons étaient au nombre des convives, entre autres le chevalier de Guer [1] et Pommereul. Celui-ci était un beau parleur, lequel a écrit quelques campagnes de Bonaparte, et que j'étais destiné à retrouver à la tête de la Librairie.

Pommereul sous l'Empire, a joui d'une sorte de renom par sa haine pour la noblesse. Quand un gentilhomme s'était fait chambellan, il s'écriait, plein de joie : « Encore un pot de chambre sur la tête de ces nobles ! » Et pourtant Pommereul prétendait, et avec raison, être gentilhomme. Il signait *Pommereux*, se faisant descendre de la famille Pommereux des lettres de madame de Sévigné [2].

Mon frère, après le dîner, voulut me mener au spectacle, mais mon cousin me réclama pour madame de Chastenay, et j'allai avec lui chez ma destinée.

Je vis une belle femme qui n'était plus de la première jeunesse, mais qui pouvait encore inspirer un attachement. Elle me reçut bien, tâcha de me mettre à l'aise, me questionna sur ma province et sur mon régiment. Je fus gauche et embarrassé ; je faisais des signes à mon cousin pour abréger la visite. Mais lui, sans me regarder, ne tarissait point sur mes mérites, affirmant que j'avais fait des vers dans le sein de ma mère, et m'invitant à célébrer madame de Chastenay. Elle me débarrassa de cette situation pénible, me demanda pardon d'être obligée de sortir, et m'invita à revenir la voir le lendemain matin, avec un son de voix si doux que je promis involontairement d'obéir.

Je revins le lendemain seul chez elle : je la trouvai couchée dans une chambre élégamment arrangée. Elle me dit qu'elle était un peu souffrante, et qu'elle avait la mauvaise habitude de se lever tard. Je me trouvais pour la première

---

1. (1748-1816.) Agitateur royaliste, en particulier lors des États de Bretagne (voir *infra*, V, 7).
2. Chateaubriand commence à régler ses comptes. Les pages qui suivent sont un jeu de massacre de l'intelligentsia de la fin du siècle. François-René de Pommereul (1745-1823), préfet sous l'Empire et directeur de l'Imprimerie et de la Librairie. Chateaubriand lui écrivit en 1810 pour rééditer l'*Essai sur les Révolutions* (voir *Mémoires*, XVIII, 9). Cette correspondance est conservée dans la préface de l'ouvrage. Pommereul fut proscrit en 1815.

fois au bord du lit d'une femme qui n'était ni ma mère ni ma sœur. Elle avait remarqué la veille ma timidité, elle la vainquit au point que j'osai m'exprimer avec une sorte d'abandon. J'ai oublié ce que je lui dis ; mais il me semble que je vois encore son air étonné. Elle me tendit un bras demi-nu et la plus belle main du monde, en me disant avec un sourire : « Nous vous apprivoiserons. » Je ne baisai pas même cette belle main ; je me retirai tout troublé. Je partis le lendemain pour Cambrai. Qui était cette dame de Chastenay [1] ? Je n'en sais rien : elle a passé comme une ombre charmante dans ma vie.

4

Berlin, mars 1821.

Cambrai. – Le régiment de Navarre.
La Martinière.

Le courrier de la malle me conduisit à ma garnison. Un de mes beaux-frères, le vicomte de Châteaubourg (il avait épousé ma sœur Bénigne, restée veuve du comte de Québriac) m'avait donné des lettres de recommandation pour des officiers de mon régiment. Le chevalier de Guénan, homme de fort bonne compagnie, me fit admettre à une table où mangeaient des officiers distingués par leurs talents, MM. Achard, des Mahis, La Martinière [2]. Le marquis de Mortemart était colonel du régiment, le comte d'Andrezel, major : j'étais particulièrement placé sous la tutelle de celui-ci. Je les ai retrouvés tous deux dans la suite : l'un est devenu mon collègue à la chambre des pairs,

---

1 Cette dame de Chastenay a conservé le mystère équivoque dont Chateaubriand a tenu à l'entourer. Il parle plus loin de cette visite avec humour (XVIII, 5).
2. Sur La Martinière, que l'on retrouvera au chapitre 10 du même livre, on ne sait rien de plus que ce qu'en dit Chateaubriand. Victor de Mortemart (1753-1823), colonel-commandant au régiment de Navarre en 1784, émigra en 1792, servit dans l'armée des Princes et fut nommé pair de France en 1815. Christophe d'Andrezel, né en 1746, émigra, servit à l'armée des Princes et fut nommé sous-préfet en 1815.

l'autre s'est adressé à moi pour quelques services que j'ai été heureux de lui rendre. Il y a un plaisir triste à rencontrer des personnes que l'on a connues à diverses époques de la vie, et à considérer le changement opéré dans leur existence et dans la nôtre. Comme des jalons laissés en arrière, ils nous tracent le chemin que nous avons suivi dans le désert du passé.

Arrivé en habit bourgeois au régiment, vingt-quatre heures après j'avais pris l'habit de soldat ; il me semblait l'avoir toujours porté. Mon uniforme était bleu et blanc, comme jadis la jaquette de mes vœux : j'ai marché sous les mêmes couleurs, jeune homme et enfant. Je ne subis aucune des épreuves à travers lesquelles les sous-lieutenants étaient dans l'usage de faire passer un nouveau venu ; je ne sais pourquoi on n'osa se livrer avec moi à ces enfantillages militaires. Il n'y avait pas quinze jours que j'étais au corps, qu'on me traitait comme un *ancien*. J'appris facilement le maniement des armes et la théorie ; je franchis mes grades de caporal et de sergent aux applaudissements de mes instructeurs. Ma chambre devint le rendez-vous des vieux capitaines comme des jeunes sous-lieutenants : les premiers me faisaient faire leurs campagnes, les autres me confiaient leurs amours.

La Martinière me venait chercher pour passer avec lui devant la porte d'une belle Cambrésienne qu'il adorait ; cela nous arrivait cinq à six fois par jour. Il était très laid et avait le visage labouré par la petite vérole. Il me racontait sa passion en buvant de grands verres d'eau de groseille, que je payais quelquefois.

Tout aurait été à merveille sans ma folle ardeur pour la toilette : on affectait alors le rigorisme de la tenue prussienne : petit chapeau, petites boucles serrées à la tête, queue attachée raide, habit strictement agrafé. Cela me déplaisait fort ; je me soumettais le matin à ces entraves, mais le soir, quand j'espérais n'être pas vu des chefs, je m'affublais d'un plus grand chapeau ; le barbier descendait les boucles de mes cheveux et desserrait ma queue ; je déboutonnais et croisais les revers de mon habit ; dans ce tendre négligé, j'allais faire ma cour pour La Martinière, sous la fenêtre de sa cruelle Flamande. Voilà qu'un jour je me rencontre nez à nez avec M. d'Andrezel : « Qu'est-ce que cela, monsieur ? » me dit le terrible major : « Vous garderez trois jours les arrêts. » Je fus un peu humilié ; mais je reconnus la vérité du proverbe, qu'à quelque chose malheur est bon ; il me délivra des amours de mon camarade.

Auprès du tombeau de Fénelon, je relus *Télémaque* : je n'étais pas trop en train de l'historiette philanthropique de la vache et du prélat [1].

Le début de ma carrière amuse mes ressouvenirs. En traversant Cambrai avec le Roi, après les Cent-Jours, je cherchai la maison que j'avais habitée et le café que je fréquentais : je ne les pus retrouver ; tout avait disparu, hommes et monuments [2].

5

Mort de mon père.

L'année même où je faisais à Cambrai mes premières armes, on apprit la mort de Frédéric II [3] : je suis ambassadeur auprès du neveu de ce grand roi, et j'écris à Berlin cette partie de mes *Mémoires*. À cette nouvelle importante pour le public, succéda une autre nouvelle, douloureuse pour moi : Lucile m'annonça que mon père avait été emporté d'une attaque d'apoplexie, le surlendemain de cette fête de l'Angevine, une des joies de mon enfance.

Parmi les pièces authentiques qui me servent de guide, je trouve les actes de décès de mes parents. Ces actes marquant aussi d'une façon particulière le *décès du siècle*, je les consigne ici comme une page d'histoire.

―――――――

1. Fénelon mourut archevêque de Cambrai où il fut enterré. Chateaubriand, comme la plupart de ses contemporains, a beaucoup lu son *Télémaque* qu'il étudie dans l'*Essai sur les Révolutions* et dans le *Génie du christianisme*. L'histoire de Fénelon et de la vache est tirée de l'*Éloge de Fénelon* de l'abbé Maury (1746-1817) : un pauvre paysan réfugié à Cambrai craignant que sa vache ne fût volée par des pillards, Fénelon se rendit à pied dans son village et en ramena la vache pour la mettre en lieu sûr. L'anecdote est reprise dans le *Cours de Littérature* de La Harpe.
2. Voir *Mémoires*, XXIII, 20. Monument est à entendre au sens étymologique : témoin.
3. 17 août 1786.

« Extrait du registre de décès de la paroisse de Combourg, pour 1786, où est écrit ce qui suit, folio 8, verso :

« Le corps de haut et puissant messire René de Chateaubriand, chevalier, comte de Combourg, seigneur de Gaugres, le Plessis-l'Épine, Boulet, Malestroit en Dol et autres lieux, époux de haute et puissante dame Apolline-Jeanne-Suzanne de Bedée de La Bouëtardais, dame comtesse de Combourg, âgé de soixante-neuf ans environ, mort en son château de Combourg, le six septembre, environ les huit heures du soir, a été inhumé le huit, dans le caveau de ladite seigneurie, placé dans le chasseau de notre église de Combourg, en présence de messieurs les gentilshommes, de messieurs les officiers de la juridiction et autres notables bourgeois soussignants. Signé au registre : le comte du Petitbois, de Monlouët, de Chateaudassy, Delaunay, Morault, Nourry de Mauny, avocat ; Hermer, procureur ; Petit, avocat et procureur fiscal ; Robiou, Portal, Le Douarin de Trevelec, recteur doyen de Dingé ; Sévin, recteur. »

Dans le *collationné* délivré en 1812 par M. Lodin, maire de Combourg, les dix-neuf mots portant titres : *haut et puissant messire*, etc., sont biffés.

« Extrait du registre des décès de la ville de Saint-Servan, premier arrondissement du département d'Ille-et-Vilaine, pour l'an VI de la République, folio 35, recto, où est écrit ce qui suit :

« Le douze prairial, an six de la République française, devant moi, Jacques Bourdasse, officier municipal de la commune de Saint-Servan, élu officier public le quatre floréal dernier, sont comparus Jean Baslé, jardinier, et Joseph Boulin, journalier, lesquels m'ont déclaré qu'Apolline-Jeanne-Suzanne de Bedée, veuve de René-Auguste de Chateaubriand, est décédée au domicile de la citoyenne Gouyon, situé à La Ballue, en cette commune, ce jour, à une heure après midi. D'après cette déclaration, dont je me suis assuré de la vérité, j'ai rédigé le présent acte, que Jean Baslé a seul signé avec moi, Joseph Boulin ayant déclaré ne le savoir faire, de ce interpellé.

Fait en la maison commune lesdits jour et an. Signé : Jean Baslé et Bourdasse. »

Dans le premier extrait, l'ancienne société subsiste :
M. de Chateaubriand est un *haut et puissant seigneur*, etc.,
etc., les témoins sont des *gentilshommes* et de *notables
bourgeois* ; je rencontre parmi les signataires ce marquis de
Monlouët, qui s'arrêtait l'hiver au château de Combourg,
le curé Sévin, qui eut tant de peine à me croire l'auteur du
Génie du christianisme, hôtes fidèles de mon père jusqu'à
sa dernière demeure. Mais mon père ne coucha pas longtemps dans son linceul : il en fut jeté hors quand on jeta la
vieille France à la voirie [1].

Dans l'extrait mortuaire de ma mère, la terre roule sur
d'autres pôles : nouveau monde, nouvelle ère ; le comput
des années et les noms mêmes des mois sont changés.
Madame de Chateaubriand n'est plus qu'une pauvre femme
qui obite [2] au domicile de la *citoyenne* Gouyon ; un jardinier, et un journalier qui ne sait pas signer, attestent seuls
la mort de ma mère : de parents et d'amis, point ; nulle
pompe funèbre ; pour tout assistant, la Révolution *.

6

Berlin, mars 1821.

Regrets. – Mon père m'eût-il apprécié ?

Je pleurai M. de Chateaubriand : sa mort me montra
mieux ce qu'il valait ; je ne me souvins ni de ses rigueurs
ni de ses faiblesses. Je croyais encore le voir se promener
le soir dans la salle de Combourg ; je m'attendrissais à la
pensée de ces scènes de famille. Si l'affection de mon père
pour moi se ressentait de la sévérité du caractère, au fond
elle n'en était pas moins vive. Le farouche maréchal de
Montluc qui, rendu camard [3] par des blessures effrayantes,
était réduit à cacher, sous un morceau de suaire, l'horreur

---

1. Voir p. 169, n. 3.
2. Mourir (archaïsme, du latin *obire*).
* Mon neveu à la mode de Bretagne, Frédéric de Chateaubriand, fils de
mon cousin Armand, a acheté La Ballue, où mourut ma mère.
3. Qui a le nez écrasé.

de sa gloire, cet homme de carnage se reproche sa dureté
envers un fils qu'il venait de perdre.

« Ce pauvre garçon, disait-il, n'a rien veu de moy
qu'une contenance refroignée et pleine de mespris ; il a
emporté cette créance, que je n'ay sceu ny l'aymer ny
l'estimer selon son mérite. À qui garday-je à descouvrir
cette singulière affection que je luy portay dans mon
âme ? Estait-ce pas luy qui en devait avoir tout le plaisir
et toute l'obligation ? Je me suis contraint et gehenné [1]
pour maintenir ce vain masque, et y ay perdu le plaisir
de sa conversation, et sa volonté, quant et quant [2], qu'il
ne me peut avoir portée autre que bien froide, n'ayant
jamais receu de moy que rudesse, ny senti qu'une façon
tyrannique [3]. »

Ma volonté ne fut point portée bien froide envers mon
père, et je ne doute point que, malgré sa façon tyrannique,
il ne m'aimât tendrement : il m'eût, j'en suis sûr, regretté,
la Providence m'appelant avant lui. Mais lui, restant sur la
terre avec moi, eût-il été sensible au bruit qui s'est élevé de
ma vie ? Une renommée littéraire aurait blessé sa gentil-
hommerie ; il n'aurait vu dans les aptitudes de son fils
qu'une dégénération ; l'ambassade même de Berlin,
conquête de la plume, non de l'épée, l'eût médiocrement
satisfait. Son sang breton le rendait d'ailleurs frondeur en
politique, grand opposant des taxes et violent ennemi de
la cour. Il lisait la *Gazette de Leyde* [4], le *Journal de Franc-*

---

1 Torturé.
2 En même temps.
3. Cité par Montaigne, *Essais*, II, 8. Blaise de Montluc (v. 1500-1577),
maréchal de France, auteur de *Commentaires*, mémoires historiques de
son temps et notamment des guerres de religion.
4. *La Gazette de Leyde* parut de 1680 à 1798, *Le Journal historique et littéraire*, publié à Francfort, de 1782 à 1785. Ce sont des revues internatio-
nales d'information. Le *Mercure de France*, plus connu, était un journal
très officiel d'informations littéraires. Il fut entre autres dirigé par l'abbé Raynal de 1750 à 1754, par Marmontel de 1758 à 1760, tous deux de tendance
philosophique. L'abbé Raynal est en outre l'auteur de l'*Histoire philosophique des deux Indes*, à laquelle participèrent Diderot et d'Holbach, violent pamphlet philosophique antireligieux et antimonarchique. Extraordinaire
succès, cet ouvrage parut en six volumes en 1770, fut réédité et augmenté
en 1774 et en 1780. Mis à l'index en 1774 il fut aussi condamné par le parlement de Paris en 1781. L'abbé Raynal (1713-1796), dernier des philosophes des Lumières, désavoua la Révolution dès mai 1791 et dut se cacher.

fort, le *Mercure de France* et l'*Histoire philosophique des deux Indes*, dont les déclamations le charmaient ; il appelait l'abbé Raynal un *maître homme*. En diplomatie il était anti-musulman ; il affirmait que quarante mille *polissons russes* passeraient sur le ventre des janissaires et prendraient Constantinople. Bien que turcophage, mon père avait nonobstant rancune au cœur contre les *polissons russes*, à cause de ses rencontres à Dantzick [1].

Je partage le sentiment de M. de Chateaubriand sur les réputations littéraires ou autres, mais par des raisons différentes des siennes. Je ne sache pas dans l'histoire une renommée qui me tente : fallût-il me baisser pour ramasser à mes pieds et à mon profit la plus grande gloire du monde, je ne m'en donnerais pas la fatigue. Si j'avais pétri mon limon, peut-être me fussé-je créé femme, en passion d'elles ; ou si je m'étais fait homme, je me serais octroyé d'abord la beauté ; ensuite, par précaution contre l'ennui mon ennemi acharné, il m'eût assez convenu d'être un artiste supérieur, mais inconnu, et n'usant de mon talent qu'au bénéfice de ma solitude. Dans la vie pesée à son poids léger, aunée de sa courte mesure, dégagée de toute piperie, il n'est que deux choses vraies : la religion avec l'intelligence, l'amour avec la jeunesse, c'est-à-dire l'avenir et le présent : le reste n'en vaut pas la peine.

Avec mon père finissait le premier acte de ma vie : les foyers paternels devenaient vides ; je les plaignais, comme s'ils eussent été capables de sentir l'abandon et la solitude. Désormais j'étais sans maître et jouissant de ma fortune : cette liberté m'effraya. Qu'en allais-je faire ? À qui la donnerais-je ? Je me défiais de ma force ; je reculais devant moi.

---

1. Voir I, 1 et p. 58, n. 1.

7

Berlin, mars 1821.

Retour de Bretagne. – Séjour chez ma sœur aînée.
Mon frère m'appelle à Paris.

J'obtins un congé. M. d'Andrezel, nommé lieutenant-colonel du régiment de Picardie, quittait Cambrai : je lui servis de courrier. Je traversai Paris, où je ne voulus pas m'arrêter un quart d'heure ; je revis les landes de ma Bretagne avec plus de joie qu'un Napolitain banni dans nos climats ne reverrait les rives de Portici, les campagnes de Sorrente. Ma famille se rassembla à Combourg ; on régla les partages ; cela fait, nous nous dispersâmes, comme des oiseaux s'envolent du nid paternel. Mon frère arrivé de Paris y retourna ; ma mère se fixa à Saint-Malo ; Lucile suivit Julie ; je passai une partie de mon temps chez mesdames de Marigny, de Châteaubourg et de Farcy. Marigny, château de ma sœur aînée, à trois lieues de Fougères, était agréablement situé entre deux étangs parmi des bois, des rochers et des prairies ¹. J'y demeurai quelques mois tranquille : une lettre de Paris vint troubler mon repos.

Au moment d'entrer au service et d'épouser mademoiselle de Rosambo, mon frère n'avait pourtant point encore quitté la robe ² ; par cette raison il ne pouvait monter dans les carrosses. Son ambition pressée lui suggéra l'idée de me faire jouir des honneurs de la cour, afin de mieux préparer les voies à son élévation. Les preuves de noblesse avaient

---

1. Ce domaine très important était situé à 8 km au nord-ouest de Fougères, à Saint-Germain-en-Coglès Le château, reconstruit au XVIIIᵉ siècle, fut acheté en 1810 par le Pommereul dont il est question plus haut (IV, 10) Il fut détruit dans l'entre-deux-guerres.
2. La *magistrature* parlementaire. On se rappelle en effet que J.-B. de Chateaubriand avait acheté une charge de maître des requêtes (III, 2). La noblesse dite « de robe » était considérée comme de moindre prestige que la noblesse ancienne dite « d'épée ». J.-B. de Chateaubriand, avant de revendre sa charge, de passer dans l'armée et d'être présenté au Roi, veut déjà faire connaître son nom en faisant présenter son frère. Pour être présenté au Roi et avoir le privilège de « monter dans les carrosses », il fallait prouver ses quartiers de noblesse et avoir au moins le rang de capitaine de cavalerie (III, 9).

été faites pour Lucile, lorsqu'elle fut reçue au chapitre de l'Argentière ; de sorte que tout était prêt : le maréchal de Duras devait être mon patron. Mon frère m'annonçait que j'entrais dans la route de la fortune ; que déjà j'obtenais le rang de capitaine de cavalerie, rang honorifique et de cour- toisie ; qu'il serait ensuite aisé de m'attacher à l'ordre de Malte, au moyen de quoi je jouirais de gros bénéfices [1].

Cette lettre me frappa comme un coup de foudre : retour- ner à Paris, être présenté à la cour, – et je me trouvais presque mal quand je rencontrais trois ou quatre personnes inconnues dans un salon ! Me faire comprendre l'ambition, à moi qui ne rêvais que de vivre oublié !

Mon premier mouvement fut de répondre à mon frère qu'étant l'aîné, c'était à lui de soutenir son nom ; que, quant à moi, obscur cadet de Bretagne, je ne me retirerais pas du service, parce qu'il y avait des chances de guerre ; mais que si le Roi avait besoin d'un soldat dans son armée, il n'avait pas besoin d'un pauvre gentilhomme à sa cour.

Je m'empressai de lire cette réponse romanesque à madame de Marigny, qui jeta les hauts cris ; on appela madame de Farcy, qui se moqua de moi ; Lucile m'aurait bien voulu soutenir, mais elle n'osait combattre ses sœurs. On m'arracha ma lettre, et toujours faible quand il s'agit de moi, je mandai à mon frère que j'allais partir.

Je partis en effet ; je partis pour être présenté à la pre- mière cour de l'Europe, pour débuter dans la vie de la manière la plus brillante, et j'avais l'air d'un homme que l'on traîne aux galères, ou sur lequel on va prononcer une sentence de mort.

8

Berlin, mars 1821.

Ma vie solitaire à Paris.

J'entrai dans Paris par le chemin que j'avais suivi la pre- mière fois ; j'allai descendre au même hôtel, rue du Mail :

---

1. Voir I, 1 et p. 52, n. 1.

je ne connaissais que cela. Je fus logé à la porte de mon ancienne chambre, mais dans un appartement un peu plus grand et donnant sur la rue.

Mon frère, soit qu'il fût embarrassé de mes manières, soit qu'il eût pitié de ma timidité, ne me mena point dans le monde et ne me fit faire connaissance avec personne. Il demeurait rue des Fossés-Montmartre ; j'allais tous les jours dîner chez lui à trois heures ; nous nous quittions ensuite, et nous ne nous revoyions que le lendemain. Mon gros cousin Moreau n'était plus à Paris. Je passai deux ou trois fois devant l'hôtel de madame de Chastenay, sans oser demander au suisse ce qu'elle était devenue.

L'automne commençait. Je me levais à six heures ; je passais au manège ; je déjeunais. J'avais heureusement alors la rage du grec : je traduisais l'*Odyssée* et la *Cyropédie* jusqu'à deux heures, en entremêlant mon travail d'études historiques [1]. À deux heures je m'habillais, je me rendais chez mon frère ; il me demandait ce que j'avais fait, ce que j'avais vu ; je répondais : « Rien. » Il haussait les épaules et me tournait le dos.

Un jour, on entend du bruit au-dehors ; mon frère court à la fenêtre et m'appelle : je ne voulus jamais quitter le fauteuil dans lequel j'étais étendu au fond de la chambre. Mon pauvre frère me prédit que je mourrais inconnu, inutile à moi et à ma famille.

À quatre heures, je rentrais chez moi ; je m'asseyais derrière ma croisée. Deux jeunes personnes de quinze ou seize ans venaient à cette heure dessiner à la fenêtre d'un hôtel bâti en face, de l'autre côté de la rue. Elles s'étaient aperçues de ma régularité, comme moi de la leur. De temps en temps, elles levaient la tête pour regarder leur voisin ; je leur savais un gré infini de cette marque d'attention : elles étaient ma seule société à Paris.

Quand la nuit approchait, j'allais à quelque spectacle ; le désert de la foule me plaisait, quoiqu'il m'en coûtât toujours un peu de prendre mon billet à la porte et de me mêler aux hommes [2]. Je rectifiai les idées que je m'étais formées

---

1. On se rappelle que Chateaubriand avait fait du grec au collège de Dol. La *Cyropédie* de Xénophon raconte l'enfance de Cyrus.
2. Le séjour de René à Paris se passe de la même manière.

du théâtre à Saint-Malo. Je vis madame Saint-Huberti [1]
dans le rôle d'Armide ; je sentis qu'il avait manqué quelque
chose à la magicienne de ma création. Lorsque je ne m'em-
prisonnais pas dans la salle de l'Opéra ou des Français, je
me promenais de rue en rue ou le long des quais, jusqu'à
dix et onze heures du soir. Je n'aperçois pas encore aujour-
d'hui la file des réverbères de la place Louis XV à la barrière des Bons-Hommes [2], sans me souvenir des angoisses
dans lesquelles j'étais, quand je suivis cette route pour me
rendre à Versailles lors de ma présentation.

Rentré au logis, je demeurais une partie de la nuit la tête
penchée sur mon feu qui ne me disait rien : je n'avais pas,
comme les Persans, l'imagination assez riche pour me figu-
rer que la flamme ressemblait à l'anémone, et la braise à
la grenade. J'écoutais les voitures allant, venant, se croisant, leur roulement lointain imitait le murmure de la mer
sur les grèves de ma Bretagne, ou du vent dans mes bois
de Combourg. Ces bruits du monde qui rappelaient ceux
de la solitude réveillaient mes regrets ; j'évoquais mon
ancien mal, ou bien mon imagination inventait l'histoire
des personnages que ces chars emportaient : j'apercevais
des salons radieux, des bals, des amours, des conquêtes.
Bientôt, retombé sur moi-même, je me retrouvais, délaissé
dans une hôtellerie, voyant le monde par la fenêtre et l'entendant aux échos de mon foyer.

Rousseau croit devoir à sa sincérité, comme à l'ensei-
gnement des hommes, la confession des voluptés suspectes
de sa vie ; il suppose même qu'on l'interroge gravement
et qu'on lui demande compte de ses péchés avec les *donne
pericolanti* de Venise [3]. Si je m'étais prostitué aux courti-
sanes de Paris, je ne me croirais pas obligé d'en instruire

---

1. La Saint-Huberty (1756-1812) fut une des plus grandes cantatrices de
la fin du siècle. Elle chanta le rôle-titre de l'*Armide* de Gluck, créée en
1777, de 1784 à 1792.
2. De la place de la Concorde à l'actuel palais de Chaillot, en suivant le
quai de la Seine. La barrière des Bonshommes ou des Minimes ouvrait
sur l'avenue de Versailles. C'était une des portes de la nouvelle enceinte
de Paris dite « des Fermiers généraux ». Paris était éclairé la nuit depuis
1666. Au XVIIIe siècle, les réverbères modernes, alors à huile, apparaissent. Il y a 3 000 réverbères en 1761.
3. *Confessions*, livre VII.

la postérité ; mais j'étais trop timide d'un côté, trop exalté de l'autre, pour me laisser séduire à des filles de joie. Quand je traversais les troupeaux de ces malheureuses attaquant les passants pour les hisser à leurs entresols, comme les cochers de Saint-Cloud pour faire monter les voyageurs dans leurs voitures, j'étais saisi de dégoût et d'horreur. Les plaisirs d'aventure ne m'auraient convenu qu'aux temps passés.

Dans les XIVᵉ, XVᵉ, XVIᵉ et XVIIᵉ siècles, la civilisation imparfaite, les croyances superstitieuses, les usages étrangers et demi-barbares, mêlaient le roman partout : les caractères étaient forts, l'imagination puissante, l'existence mystérieuse et cachée. La nuit, autour des hauts murs des cimetières et des couvents, sous les remparts déserts de la ville, le long des chaînes et des fossés des marchés, à l'orée des quartiers clos, dans les rues étroites et sans réverbères, où des voleurs et des assassins se tenaient embusqués, où des rencontres avaient lieu tantôt à la lumière des flambeaux, tantôt dans l'épaisseur des ténèbres, c'était au péril de sa tête qu'on cherchait le rendez-vous donné par quelque Héloïse. Pour se livrer au désordre, il fallait aimer véritablement ; pour violer les mœurs générales, il fallait faire de grands sacrifices. Non seulement il s'agissait d'affronter des dangers fortuits et de braver le glaive des lois, mais on était obligé de vaincre en soi l'empire des habitudes régulières, l'autorité de la famille, la tyrannie des coutumes domestiques, l'opposition de la conscience, les terreurs et les devoirs du chrétien. Toutes ces entraves doublaient l'énergie des passions.

Je n'aurais pas suivi en 1788 une misérable affamée qui m'eût entraîné dans son bouge sous la surveillance de la police ; mais il est probable que j'eusse mis à fin, en 1606, une aventure du genre de celle qu'a si bien racontée Bassompierre [1].

« Il y avoit cinq ou six mois, dit le maréchal, que toutes les fois que je passois sur le Petit-Pont (car en ce temps-là

---

1. Le maréchal de Bassompierre (1579-1646), homme à bonnes fortunes, écrivit des *Mémoires*, publiés en 1665 et réédités en 1822 (voir le dossier, p. 287-301). Chateaubriand ne précise pas quand il a lu ces *Mémoires* et encore moins quand il est parti sur les traces de Bassompierre. Magnifique confusion des plans temporels !

le Pont-Neuf n'était point bâti), une belle femme, lingère à l'enseigne des *Deux-Anges*, me faisoit de grandes révérences et m'accompagnoit de la vue tant qu'elle pouvoit ; et comme j'eus pris garde à son action, je la regardois aussi et la saluois avec plus de soin.

« Il advint que lorsque j'arrivai de Fontainebleau à Paris, passant sur le Petit-Pont, dès qu'elle m'aperçut venir, elle se mit sur l'entrée de sa boutique et me dit, comme je passois : "Monsieur, je suis votre servante." Je lui rendis son salut, et me retournant de temps en temps, je vis qu'elle me suivoit de la vue aussi longtemps qu'elle pouvoit. »

Bassompierre obtient un rendez-vous : « Je trouvai, dit-il, une très belle femme, âgée de vingt ans, qui étoit coiffée de nuit, n'ayant qu'une très fine chemise sur elle et une petite jupe de revesche verte, et des mules aux pieds, avec un peignoir sur elle. Elle me plut bien fort. Je lui demandai si je ne pourrois pas la voir encore une autre fois. "Si vous voulez me voir une autre fois, me répondit-elle, ce sera chez une de mes tantes, qui se tient en la rue Bourg-l'Abbé, proche des Halles, auprès de la rue aux Ours, à la troisième porte du côté de la rue Saint-Martin ; je vous y attendrai depuis dix heures jusques à minuit ; et plus tard encore ; je laisserai la porte ouverte. À l'entrée, il y a une petite allée que vous passerez vite, car la porte de la chambre de ma tante y répond, et trouverez un degré qui vous mènera à ce second étage." Je vins à dix heures, et trouvai la porte qu'elle m'avoit marquée, et de la lumière bien grande, non seulement au second étage, mais au troisième et au premier encore ; mais la porte était fermée. Je frappai pour avertir de ma venue ; mais j'ouïs une voix d'homme qui me demanda qui j'étois. Je m'en retournai à la rue aux Ours, et étant retourné pour la deuxième fois, ayant trouvé la porte ouverte, j'entrai jusques au second étage, où je trouvai que cette lumière étoit la paille du lit que l'on y brûloit, et deux corps nus étendus sur la table de la chambre. Alors, je me retirai bien étonné, et en sortant je rencontrai des corbeaux (*enterreurs de morts*) qui me demandèrent ce que je cherchois ; et moi, pour les faire écarter, mis l'épée à la main et passai outre, m'en revenant à mon logis, un peu ému de ce spectacle inopiné. »

Je suis allé, à mon tour, à la découverte, avec l'adresse

donnée, il y a deux cent quarante ans, par Bassompierre.
J'ai traversé le Petit-Pont, passé les Halles, et suivi la rue
Saint-Denis jusqu'à la rue aux Ours, à main droite ; la première rue à main gauche, aboutissant rue aux Ours, est la
rue Bourg-l'Abbé. Son inscription, enfumée comme par le
temps et un incendie, m'a donné bonne espérance. J'ai
retrouvé la *troisième petite porte* du côté de la rue Saint-
Martin, tant les renseignements de l'historien sont fidèles.
Là, malheureusement, les deux siècles et demi que j'avais
cru d'abord restés dans la rue, ont disparu. La façade de la
maison est moderne ; aucune clarté ne sortait ni du premier,
ni du second, ni du troisième étage. Aux fenêtres de l'at-
tique, sous le toit, régnait une guirlande de capucines et de
pois de senteur ; au rez-de-chaussée, une boutique de coif-
feur offrait une multitude de tours de cheveux accrochés
derrière les vitres.

Tout déconvenu, je suis entré dans ce musée des Éponine [1] : depuis la conquête des Romains, les Gauloises ont
toujours vendu leurs tresses blondes à des fronts moins
parés ; mes compatriotes bretonnes se font tondre encore à
certains jours de foire, et troquent le voile naturel de leur
tête pour un mouchoir des Indes. M'adressant à un mer-
lan [2], qui filait une perruque sur un peigne de fer : « Monsieur, n'auriez-vous pas acheté les cheveux d'une jeune lingère, qui demeurait à l'enseigne des *Deux-Anges*, près du
Petit-Pont ? » Il est resté sous le coup, ne pouvant dire ni
oui, ni non. Je me suis retiré, avec mille excuses, à travers
un labyrinthe de toupets.

J'ai ensuite erré de porte en porte : point de lingère de
vingt ans, me faisant de *grandes révérences* ; point de jeune
femme franche, désintéressée, passionnée, *coiffée de nuit
n'ayant qu'une très fine chemise, une petite jupe de
revesche verte, et des mules aux pieds, avec un peignoir
sur elle.* Une vieille grognon, prête à rejoindre ses dents

---

1. Femme du chef gaulois Sabinus qu'elle cacha longtemps dans une
grotte pour le soustraire aux Romains, morte en 79. À noter qu'Éponine
est l'héroïne de *Ma république* de Delisle de Sales (1791). Cette référence
reviendra dans *Les Martyrs*.
2 Terme familier pour désigner un perruquier, par analogie entre la poudre
utilisée pour blanchir les perruques et la farine dans laquelle on roule les
merlans avant de les frire.

dans la tombe, m'a pensé battre avec sa béquille : c'était peut-être la tante du rendez-vous.

Quelle belle histoire que cette histoire de Bassompierre ! Il faut comprendre une des raisons pour laquelle il avait été si résolument aimé. À cette époque, les Français se séparaient encore en deux classes distinctes, l'une dominante, l'autre demi-serve. La lingère pressait Bassompierre dans ses bras, comme un demi-dieu descendu au sein d'une esclave : il lui faisait l'illusion de la gloire, et les Françaises seules de toutes les femmes, sont capables de s'enivrer de cette illusion.

Mais qui nous révélera les causes inconnues de la catastrophe ? Était-ce la gentille grisette des *Deux-Anges*, dont le corps gisait sur la table avec un autre corps ? Quel était l'autre corps ? Celui du mari, ou de l'homme dont Bassompierre entendit la voix ? La peste (car il y avait peste à Paris) ou la jalousie étaient-elles accourues dans la rue Bourg-l'Abbé avant l'amour ? L'imagination se peut exercer à l'aise sur un tel sujet. Mêlez aux inventions du poète le chœur populaire, les fossoyeurs arrivant, les *corbeaux* et l'épée de Bassompierre, un superbe mélodrame sortira de l'aventure [1].

Vous admirerez aussi la chasteté et la retenue de ma jeunesse à Paris : dans cette capitale, il m'était loisible de me livrer à tous mes caprices, comme dans l'abbaye de Thélème [2] où chacun agissait à sa volonté ; je n'abusai pas néanmoins de mon indépendance : je n'avais de commerce qu'avec une courtisane âgée de deux cent seize ans, jadis éprise d'un maréchal de France, rival du Béarnais, auprès de mademoiselle de Montmorency, et amant de mademoiselle d'Entragues, sœur de la marquise de Verneuil, qui parle si mal de Henri IV. Louis XVI, que j'allais voir, ne se doutait pas de mes rapports secrets avec sa famille.

---

1. Cette fantaisie historique témoigne de l'intérêt des romantiques pour le début du XVIIe siècle. La peste, en particulier, qui fournit à Manzoni un épisode très célèbre de son grand roman historique, *Les Fiancés* (*I promessi Sposi*, 1825), inspira à Chateaubriand un tableau analogue (*Mémoires*, XXXV, 15).
2. Rabelais, *Gargantua*, I, 57.

9

Berlin, mars 1821.

Présentation à Versailles. – Chasse avec le Roi.

Le jour fatal arriva ; il fallut partir pour Versailles plus mort que vif. Mon frère m'y conduisit la veille de ma présentation et me mena chez le maréchal de Duras, galant homme dont l'esprit était si commun qu'il réfléchissait quelque chose de bourgeois sur ses belles manières : ce bon maréchal me fit pourtant une peur horrible [1].

Le lendemain matin, je me rendis seul au château. On n'a rien vu quand on n'a pas vu la pompe de Versailles, même après le licenciement de l'ancienne maison du Roi : Louis XIV était toujours là [2].

La chose alla bien tant que je n'eus qu'à traverser les salles des gardes : l'appareil militaire m'a toujours plu et ne m'a

---

1 Versailles était ouvert à tout venant et le moindre sujet pouvait toujours venir voir le roi. Pour lui être *présenté*, il fallait montrer ses preuves de noblesse à la Maison du Roi et être parrainé par un courtisan, ici le maréchal de Duras (voir p 64, n 1). Les nobles présentés étaient agréés à la Cour et éventuellement invités à « monter dans les carrosses », c'est-à-dire à participer à la chasse royale. De 1732 à 1789, il y eut neuf cent quarante-deux présentations.

2 La cour de Versailles est, depuis Louis XIV, la plus brillante du monde et elle jette sous Louis XVI ses derniers feux : le roi, ses frères et sœurs, la reine sont jeunes et brillants Marie-Antoinette rayonne sur la cour de tout l'éclat de sa beauté et de sa grâce. Il n'y a jamais eu autant de fêtes à Versailles depuis Louis XIV Pourtant, Louis XVI, par esprit d'économie, réduisit considérablement le personnel de Versailles : une grande partie de la maison militaire du Roi est licenciée en 1775, les pages de la petite écurie et de la vénerie sont supprimés en 1787. Louis XVI et Marie-Antoinette tentèrent de développer la part privée et familiale de la vie royale au détriment du cérémonial, mais cette volonté de simplicité fut souvent mal perçue. Les trois quarts de l'année, Louis XVI séjourne ailleurs qu'à Versailles (Trianon, Marly, Fontainebleau, Compiègne). Quand il y est, le cérémonial du lever, du débotter (après la chasse), du grand couvert (souper en public le dimanche) et du coucher est toujours observé. Le lever a lieu dans la chambre du Roi, lieu symbolique de la royauté, où Louis XVI, comme déjà Louis XV, ne dort pas, en présence des gentilshommes de la Chambre et des personnes que le roi a désignées (ces *entrées* étaient une faveur recherchée).

jamais imposé. Mais quand j'entrai dans l'Œil-de-bœuf[1] et que je me trouvai au milieu des courtisans, alors commença ma détresse. On me regardait ; j'entendais demander qui j'étais. Il se faut souvenir de l'ancien prestige de la royauté pour se pénétrer de l'importance dont était alors une présentation. Une destinée mystérieuse s'attachait au *débutant* ; on lui épargnait l'air protecteur méprisant qui composait, avec l'extrême politesse, les manières inimitables du grand seigneur. Qui sait si ce débutant ne deviendra pas le favori du maître ? On respectait en lui la domesticité future dont il pouvait être honoré. Aujourd'hui, nous nous précipitons dans le palais avec encore plus d'empressement qu'autrefois et, ce qu'il y a d'étrange, sans illusion : un courtisan réduit à se nourrir de vérités est bien près de mourir de faim.

Lorsqu'on annonça le lever du Roi, les personnes non présentées se retirèrent ; je sentis un mouvement de vanité : je n'étais pas fier de rester, j'aurais été humilié de sortir. La chambre à coucher du Roi s'ouvrit : je vis le Roi, selon l'usage, achever sa toilette, c'est-à-dire prendre son chapeau de la main du premier gentilhomme de service. Le Roi s'avança allant à la messe ; je m'inclinai ; le maréchal de Duras me nomma : « Sire, le chevalier de Chateaubriand. » Le Roi me regarda, me rendit mon salut, hésita, eut l'air de vouloir s'arrêter pour m'adresser la parole. J'aurais répondu d'une contenance assurée : ma timidité s'était évanouie. Parler au général de l'armée, au chef de l'État, me paraissait tout simple, sans que je me rendisse compte de ce que j'éprouvais. Le Roi plus embarrassé que moi, ne trouvant rien à me dire, passa outre. Vanité des destinées humaines ! ce souverain que je voyais pour la première fois, ce monarque si puissant était Louis XVI à six ans de son échafaud ! Et ce nouveau courtisan qu'il regardait à peine, chargé de démêler les ossements parmi des ossements, après avoir été sur preuves de noblesse présenté aux grandeurs du fils de saint Louis, le serait un jour à sa poussière sur preuves de fidélité ! double tribut de respect à la double royauté du sceptre et de la palme ! Louis XVI pouvait répondre à ses juges comme le Christ aux Juifs : « Je vous ai fait voir beau-

---

1 Grande antichambre, précédant la chambre du Roi.

coup de bonnes œuvres ; pour laquelle me lapidez-vous [1] ? »

Nous courûmes à la galerie pour nous trouver sur le passage de la Reine lorsqu'elle reviendrait de la chapelle. Elle se montra bientôt entourée d'un radieux et nombreux cortège ; elle nous fit une noble révérence ; elle semblait enchantée de la vie. Et ces belles mains qui soutenaient alors avec tant de grâce le sceptre de tant de rois, devaient, avant d'être liées par le bourreau, ravauder les haillons de la veuve, prisonnière à la Conciergerie !

Si mon frère avait obtenu de moi un sacrifice, il ne dépendait pas de lui de me le faire pousser plus loin. Vainement il me supplia de rester à Versailles, afin d'assister le soir au jeu de la Reine : « Tu seras, me disait-il, nommé à la Reine, et le Roi te parlera. » Il ne me pouvait pas donner de meilleures raisons pour m'enfuir. Je me hâtai de venir cacher ma gloire dans mon hôtel garni, heureux d'être échappé à la Cour, mais voyant encore devant moi la terrible journée des carrosses, du 19 février 1787 [2].

Le duc de Coigny [3] me fit prévenir que je chasserais avec le Roi dans la forêt de Saint-Germain. Je m'acheminai de grand matin vers mon supplice, en uniforme de *débutant*, habit gris, veste et culotte rouges, manchettes de bottes [4], bottes à l'écuyère, couteau de chasse au côté, petit chapeau français à galon d'or. Nous nous trouvâmes quatre *débutants* au château de Versailles, moi, les deux messieurs de Saint-Marsault et le comte d'Hautefeuille * [5]. Le duc de

---

1. Tous les témoignages confirment la gentillesse, mais aussi la timidité et la gaucherie de Louis XVI. Chateaubriand fait allusion, dans ce paragraphe, à l'exhumation de Louis XVI, sous la Restauration, quand on chercha ses restes pour les transférer à Saint-Denis (voir XXII, 25). Quant à la comparaison avec le Christ (Jean, 10, 32), elle fut souvent faite par les partisans royalistes. Elle est déjà développée dans l'*Essai sur les Révolutions* (II, 17).
2. Cette reculade rappelle celle de Rousseau à Fontainebleau, refusant d'être présenté à Louis XV après le triomphe du *Devin de village* (*Confessions*, VIII).
3. (1737-1821) Premier écuyer du Roi, familier de Marie-Antoinette et, à ce titre, très impopulaire (d'où la remarque de Chateaubriand, voir *infra*).
4. Sortes de genouillères qu'on portait au-dessus des bottes hautes. Les bottes à l'écuyère remontent au-dessus du genou et ont une ouverture évasée.
* J'ai retrouvé M. le comte d'Hautefeuille ; il s'occupe de la traduction des morceaux choisis de Byron ; madame la comtesse d'Hautefeuille est l'auteur, plein de talent, de l'*Âme exilée*, etc., etc.
5. Charles-Texier d'Hautefeuille (1770-1865), capitaine de cavalerie, servit dans l'armée des Princes, fut député sous la Restauration et gentil-

Coigny nous donna nos instructions : il nous avisa de ne pas couper la chasse, le Roi s'emportant lorsqu'on passait entre lui et la bête. Le duc de Coigny portait un nom fatal à la Reine. Le rendez-vous était au Val, dans la forêt de Saint-Germain, domaine engagé par la couronne au maréchal de Beauvau. L'usage voulait que les chevaux de la première chasse à laquelle assistaient les hommes présentés fussent fournis des écuries du Roi *.

On bat aux champs [1] : mouvement d'armes, voix de commandement. On crie : *le Roi* ! Le Roi sort, monte dans son carrosse : nous roulons dans les carrosses à la suite. Il y avait loin de cette course et de cette chasse avec le roi de France à mes courses et à mes chasses dans les landes de la Bretagne ; et plus loin encore, à mes courses et à mes chasses avec les sauvages de l'Amérique : ma vie devait être remplie de ces contrastes.

Nous arrivâmes au point de ralliement, où de nombreux chevaux de selle, tenus en main sous les arbres, témoignaient leur impatience. Les carrosses arrêtés dans la forêt avec les gardes ; les groupes d'hommes et de femmes ; les meutes à peine contenues par les piqueurs ; les aboiements des chiens, le hennissement des chevaux, le bruit des cors, formaient une scène très animée. Les chasses de nos rois rappelaient à la fois les anciennes et les nouvelles mœurs de la monarchie, les rudes passe-temps de Clodion, de Chilpéric, de Dagobert, la galanterie de François Ier, de Henri IV et de Louis XIV.

J'étais trop plein de mes lectures pour ne pas voir partout des comtesses de Chateaubriand, des duchesses d'Étampes, des Gabrielle d'Estrées, des La Vallière, des Montespan. Mon imagination prit cette chasse historique-

---

homme de la Chambre du roi. Son épouse, Anne (1789-1862) est l'auteur d'un petit roman, *L'Âme exilée*, publié en 1837 et qui connut un certain succès. Elle était amie de Ballanche, par qui elle connut Chateaubriand.
* Dans la *Gazette de France* du mardi 27 février 1787, on lit ce qui suit : « Le comte d'Hautefeuille, le baron de Saint-Marsault, le baron de Saint-Marsault-Chatelaillon et le chevalier de Chateaubriand, qui précédemment avaient eu l'honneur d'être présentés au Roi, ont eu, le 19, celui de monter dans les voitures de Sa Majesté, et de la suivre à la chasse. »
1. « Le tambour bat aux champs quand, par une certaine batterie, on indique à un poste qu'il doit sortir pour rendre quelque honneur » (Littré).

ment, et je me sentis à l'aise : j'étais d'ailleurs dans une
forêt, j'étais chez moi.

Au descendu des carrosses, je présentai mon billet aux
piqueurs. On m'avait destiné une jument appelée l'*Heureuse*, bête légère, mais sans bouche [1], ombrageuse et
pleine de caprices ; assez vive image de ma fortune, qui
chauvit [2] sans cesse des oreilles. Le Roi mis en selle partit ; la chasse le suivit, prenant diverses routes. Je restai derrière à me débattre avec l'*Heureuse*, qui ne voulait pas se
laisser enfourcher par son nouveau maître ; je finis cependant par m'élancer sur son dos : la chasse était déjà loin.

Je maîtrisai d'abord assez bien l'*Heureuse* ; forcée de rac-
courcir son galop, elle baissait le cou, secouait le mors blan-
chi d'écume, s'avançait de travers à petits bonds ; mais lorsqu'elle approcha du lieu de l'action, il n'y eut plus moyen
de la retenir. Elle allonge le chanfrein [3], m'abat la main sur
le garrot, vient au grand galop donner dans une troupe de
chasseurs, écartant tout sur son passage, ne s'arrêtant qu'au
heurt du cheval d'une femme qu'elle faillit culbuter, au
milieu des éclats de rire des uns, des cris de frayeur des
autres. Je fais aujourd'hui d'inutiles efforts pour me rappeler le nom de cette femme, qui reçut poliment mes excuses.
Il ne fut plus question que de l'*aventure* du débutant.

Je n'étais pas au bout de mes épreuves. Environ une
demi-heure après ma déconvenue, je chevauchais dans une
longue percée à travers des parties de bois désertes : un
pavillon s'élevait au bout : voilà que je me mis à songer à
ces palais répandus dans les forêts de la couronne, en souvenir de l'origine des rois chevelus [4] et de leurs mystérieux
plaisirs : un coup de fusil part ; l'*Heureuse* tourne court,
brosse [5] tête baissée dans le fourré, et me porte juste à l'endroit où le chevreuil venait d'être abattu : le Roi paraît.

Je me souvins alors, mais trop tard, des injonctions du
duc de Coigny : la maudite *Heureuse* avait tout fait. Je saute

---

1. Pour un cheval, ne pas avoir de bouche, c'est avoir la bouche *forte*,
c'est-à-dire une bouche qui résiste aux injonctions du cavalier sur le mors
2. Chauvir de l'oreille : dresser les oreilles.
3. Partie antérieure de la tête du cheval, des yeux aux naseaux.
4. Premiers rois francs : Clodion le chevelu, Pharamond, Mérovée, etc
Plusieurs livres des *Martyrs* se déroulent chez les Francs
5. S'échapper, s'esquiver de travers (familier).

à terre, d'une main poussant en arrière ma cavale, de l'autre tenant mon chapeau bas. Le Roi regarde, et ne voit qu'un débutant arrivé avant lui aux fins de la bête ; il avait besoin de parler ; au lieu de s'emporter, il me dit avec un ton de bonhomie et un gros rire : « Il n'a pas tenu longtemps. » C'est le seul mot que j'aie jamais obtenu de Louis XVI. On vint de toutes parts ; on fut étonné de me trouver *causant* avec le Roi. Le débutant Chateaubriand fit du bruit par ses deux *aventures* ; mais, comme il lui est toujours arrivé depuis, il ne sut profiter ni de la bonne ni de la mauvaise fortune.

Le Roi força trois autres chevreuils. Les débutants ne pouvant courre que la première bête, j'allai attendre au Val avec mes compagnons le retour de la chasse.

Le Roi revint au Val ; il était gai et contait les accidents de la chasse. On reprit le chemin de Versailles. Nouveau désappointement pour mon frère : au lieu d'aller m'habiller pour me trouver au débotté, moment de triomphe et de faveur, je me jetai au fond de ma voiture et rentrai dans Paris plein de joie d'être délivré de mes honneurs et de mes maux. Je déclarai à mon frère que j'étais déterminé à retourner en Bretagne.

Content d'avoir fait connaître son nom, espérant amener un jour à maturité, par sa présentation, ce qu'il y avait d'avorté dans la mienne, il ne s'opposa pas au départ d'un frère d'un esprit aussi biscornu *.

Telle fut ma première vue de la ville et de la cour. La société me parut plus odieuse encore que je ne l'avais imaginé ; mais si elle m'effraya, elle ne me découragea pas ; je sentis confusément que j'étais supérieur à ce que j'avais aperçu. Je pris pour la cour un dégoût invincible ; ce dégoût, ou plutôt ce mépris que je n'ai pu cacher, m'empêchera de réussir, ou me fera tomber du plus haut point de ma carrière.

Au reste, si je jugeais le monde sans le connaître, le monde, à son tour, m'ignorait. Personne ne devina à mon

---

* Le *Mémorial historique de la Noblesse* a publié un document inédit annoté de la main du roi, tiré des archives du royaume, section historique, registre M 813 et carton M 814 ; il contient les *Entrées*. On y voit mon nom et celui de mon frère : il prouve que ma mémoire m'avait bien servi pour les dates. [Note de Paris, 1840.]

début ce que je pouvais valoir, et quand je revins à Paris, on ne le devina pas davantage. Depuis ma triste célébrité, beaucoup de personnes m'ont dit : « Comme nous vous eussions remarqué, si nous vous avions rencontré dans votre jeunesse ! » Cette obligeante prétention n'est que l'illusion d'une renommée déjà faite. Les hommes se ressemblent à l'extérieur : en vain Rousseau nous dit qu'il possédait deux petits yeux tout charmants : il n'en est pas moins certain, témoin ses portraits, qu'il avait l'air d'un maître d'école ou d'un cordonnier grognon.

Pour en finir avec la cour, je dirai qu'après avoir revu la Bretagne et m'être venu fixer à Paris avec mes sœurs cadettes, Lucile et Julie, je m'enfonçai plus que jamais dans mes habitudes solitaires. On me demandera ce que devint l'histoire de ma présentation. Elle resta là. – Vous ne chassâtes donc plus avec le Roi ? – Pas plus qu'avec l'empereur de la Chine. – Vous ne retournâtes donc plus à Versailles ? – J'allai deux fois jusqu'à Sèvres ; le cœur me faillit, et je revins à Paris. – Vous ne tirâtes donc aucun parti de votre position ? – Aucun. – Que faisiez-vous donc ? – Je m'ennuyais. – Ainsi, vous ne vous sentiez aucune ambition ? – Si fait : à force d'intrigues et de soucis, j'arrivai à la gloire d'insérer dans l'*Almanach des Muses* une idylle dont l'apparition me pensa tuer d'espérance et de crainte [1]. J'aurais donné tous les carrosses du Roi pour avoir composé la romance : *Ô ma tendre musette !* ou : *De mon berger volage.*

Propre à tout pour les autres, bon à rien pour moi : me voilà.

---

1. *L'Amour de la campagne*, publié en 1790, grâce à la protection de Delisle de Sales, dont il va être question.

10

Paris, juin 1821.

Passage en Bretagne. – Garnison de Dieppe.
Retour à Paris avec Lucile et Julie.

Tout ce qu'on vient de lire de ce livre quatrième a été
écrit à Berlin. Je suis revenu à Paris pour le baptême du duc
de Bordeaux, et j'ai donné la démission de mon ambassade
par fidélité politique à M. de Villèle sorti du ministère [1].
Rendu à mes loisirs, écrivons. À mesure que ces *Mémoires*
se remplissent de mes années écoulées, ils me représentent le globe inférieur d'un sablier constatant ce qu'il y a
de poussière tombée de ma vie : quand tout le sable sera
passé, je ne retournerais pas mon horloge de verre, Dieu
m'en eût-il donné la puissance.

La nouvelle solitude dans laquelle j'entrai en Bretagne
après ma présentation n'était plus celle de Combourg ; elle
n'était ni aussi entière, ni aussi sérieuse, et pour tout dire,
ni aussi forcée : il m'était loisible de la quitter ; elle perdait de sa valeur. Une vieille châtelaine armoriée, un vieux
baron blasonné gardant dans un manoir féodal leur dernière
fille et leur dernier fils, offraient ce que les Anglais appellent des *caractères* : rien de provincial, de rétréci dans cette
vie, parce qu'elle n'était pas la vie commune.

Chez mes sœurs, la province se retrouvait au milieu des
champs : on allait dansant de voisins en voisins, jouant la
comédie, dont j'étais quelquefois un mauvais acteur. L'hiver, il fallait subir à Fougères la société d'une petite ville,
les bals, les assemblées, les dîners, et je ne pouvais pas,
comme à Paris, être oublié.

D'un autre côté, je n'avais pas vu l'armée, la cour, sans
qu'un changement se fût opéré dans mes idées : en dépit de

---

1. Le duc de Bordeaux est le fils posthume du duc de Berry, futur comte
de Chambord (1820-1883). Il fut baptisé le 1ᵉʳ mai 1821. Villèle, entré
dans le ministère Richelieu en février 1820, en démissionna en juillet
1821. Chateaubriand, solidaire, démissionne de son ambassade le
27 juillet.

mes goûts naturels, je ne sais quoi se débattant en moi contre l'obscurité me demandait de sortir de l'ombre. Julie avait la province en détestation ; l'instinct du génie et de la beauté poussait Lucile sur un plus grand théâtre.

Je sentais donc dans mon existence un malaise par qui j'étais averti que cette existence n'était pas ma destinée.

Cependant, j'aimais toujours la campagne, et celle de Marigny était charmante *. Mon régiment avait changé de résidence : le premier bataillon tenait garnison au Havre, le second à Dieppe ; je rejoignis celui-ci : ma présentation faisait de moi un personnage. Je pris goût à mon métier ; je travaillais à la manœuvre ; on me confia des recrues que j'exerçais sur les galets au bord de la mer : cette mer a formé le fond du tableau dans presque toutes les scènes de ma vie.

La Martinière ne s'occupait à Dieppe ni de son homonyme *Lamartinière*, ni du P. Simon, lequel écrivait contre Bossuet, Port-Royal et les bénédictins, ni de l'anatomiste Pecquet, que madame de Sévigné appelle le petit Pecquet [1], mais La Martinière était amoureux à Dieppe comme à Cambrai : il dépérissait aux pieds d'une forte Cauchoise, dont la coiffe et le toupet avaient une demi-toise [2] de haut. Elle n'était pas jeune : par un singulier hasard, elle s'appelait Cauchie, petite-fille apparemment de cette Dieppoise, Anne Cauchie, qui en 1645 était âgée de cent cinquante ans [3].

C'était en 1647 qu'Anne d'Autriche, voyant comme moi la mer par les fenêtres de sa chambre, s'amusait à regar-

---

* Marigny a beaucoup changé depuis l'époque où ma sœur l'habitait. Il a été vendu et appartient aujourd'hui à MM. de Pommereul, qui l'ont fait rebâtir et l'ont fort embelli.

1. Ces trois personnages ont en commun d'être tous dieppois. Antoine de Lamartinière (1673-1749) est l'auteur d'un *Grand Dictionnaire géographique et critique* en dix volumes (1726-1730). Richard Simon (1638-1712), oratorien, est un exégète très important, car il fut le premier à appliquer à la Bible les méthodes de philologie scientifique. Bossuet fit condamner son *Histoire critique du Vieux Testament* (1678). Jean Pecquet (1622-1674) fut un médecin célèbre (Lettres de Mme de Sévigné de déc. 1664, janv. 1665, 11 oct. et 19 nov. 1672).

2. 1 toise = 6 pieds = 1,949 m.

3. La source de cette anecdote est la *Nouvelle Description géographique et historique de la France* de Piganiol de La Force, que Chateaubriand utilise abondamment pour ce genre de notices.

der les brûlots se consumer pour la divertir. Elle laissait les peuples qui avaient été fidèles à Henri IV garder le jeune Louis XIV ; elle donnait à ces peuples des bénédictions infinies, *malgré leur vilain langage normand* [1].

On retrouvait à Dieppe quelques redevances féodales que j'avais vu payer à Combourg : il était dû au bourgeois Vauquelin trois têtes de porcs ayant chacun une orange entre les dents, et trois sous marqués de la plus ancienne monnaie connue.

Je revins passer un semestre à Fougères. Là régnait une fille noble, appelée mademoiselle de La Belinaye, tante de cette comtesse de Tronjoli, dont j'ai déjà parlé. Une agréable laide, sœur d'un officier au régiment de Condé, attira mes admirations : je n'aurais pas été assez téméraire pour élever mes vœux jusqu'à la beauté ; ce n'est qu'à la faveur des imperfections d'une femme que j'osais risquer un respectueux hommage [2].

Madame de Farcy, toujours souffrante, prit enfin la résolution d'abandonner la Bretagne. Elle détermina Lucile à la suivre ; Lucile, à son tour, vainquit mes répugnances : nous prîmes la route de Paris ; douce association des trois plus jeunes oiseaux de la couvée.

Mon frère était marié [3] ; il demeurait chez son beau-père, le président de Rosambo, rue de Bondy. Nous convînmes de nous placer dans son voisinage : par l'entremise de M. Delisle de Sales, logé dans les pavillons de Saint-Lazare, au haut du faubourg Saint-Denis, nous arrêtâmes un appartement dans ces mêmes pavillons.

---

1. *Mémoires de Mme de Motteville* (gouvernante de Louis XIV). Ces mémoires faisaient aussi partie de la collection Petitot (1824).
2. Pour la comtesse de Tronjoli, voir II, 7. La première Dulcinée de Chateaubriand est sans doute Victoire des Alleux (1756-1858) qui mourut centenaire et ne se maria jamais, peut-être par fidélité envers Chateaubriand.
3. Chateaubriand n'a pas mentionné le mariage de son frère, qui intervint en novembre 1787, contrairement à celui de chacune de ses sœurs. Jean-Baptiste épousa Aline Le Peletier de Rosambo, dont la mère était fille de Malesherbes et le père président à mortier au parlement de Paris.

11

Paris, juin 1821.

Delisle de Sales.
Flins. – Vie d'un homme de lettres.

Madame de Farcy s'était accointée, je ne sais comment, avec Delisle de Sales, lequel avait été mis jadis à Vincennes pour des niaiseries philosophiques. À cette époque, on devenait un personnage quand on avait barbouillé quelques lignes de prose ou inséré un quatrain dans l'*Almanach des Muses*. Delisle de Sales, très brave homme, très cordialement médiocre, avait un grand relâchement d'esprit, et laissait aller sous lui ses années ; ce vieillard s'était composé une belle bibliothèque avec ses ouvrages, qu'il brocantait à l'étranger et que personne ne lisait à Paris. Chaque année, au printemps, il faisait ses remontes d'idées en Allemagne. Gras et débraillé, il portait un rouleau de papier crasseux que l'on voyait sortir de sa poche ; il y consignait au coin des rues sa pensée du moment. Sur le piédestal de son buste en marbre, il avait tracé de sa main cette inscription, empruntée au buste de Buffon : *Dieu, l'homme, la nature, il a tout expliqué.* Delisle de Sales tout expliqué ! Ces orgueils sont bien plaisants, mais bien décourageants. Qui se peut flatter d'avoir un talent véritable ? Ne pouvons-nous pas être, tous tant que nous sommes, sous l'empire d'une illusion semblable à celle de Delisle de Sales ? Je parierais que tel auteur qui lit cette phrase, se croit un écrivain de génie, et n'est pourtant qu'un sot [1].

Si je me suis trop longuement étendu sur le compte du digne homme des pavillons de Saint-Lazare, c'est qu'il fut le premier littérateur que je rencontrai : il m'introduisit dans la société des autres.

La présence de mes deux sœurs me rendit le séjour de

---

1. Portrait au vitriol de quelqu'un qui influença beaucoup Chateaubriand à ses débuts Sainte-Beuve a relevé son injustice et s'interroge sur les raisons de cette hargne. Sur cet auteur et tous ceux qui sont cités dans ces chapitres, on renvoie au dossier, p. 331-339

Paris moins insupportable; mon penchant pour l'étude affaiblit encore mes dégoûts. Delisle de Sales me semblait un aigle. Je vis chez lui Carbon Flins des Oliviers, qui tomba amoureux de madame de Farcy. Elle s'en moquait; il prenait bien la chose, car il se piquait d'être de bonne compagnie. Flins me fit connaître Fontanes, son ami, qui est devenu le mien.

Fils d'un maître des eaux et forêts de Reims, Flins avait reçu une éducation négligée; au demeurant, homme d'esprit et parfois de talent. On ne pouvait voir quelque chose de plus laid : court et bouffi, de gros yeux saillants, des cheveux hérissés, des dents sales, et malgré cela l'air pas trop ignoble. Son genre de vie, qui était celui de presque tous les gens de lettres de Paris à cette époque, mérite d'être raconté.

Flins occupait un appartement rue Mazarine, assez près de Laharpe, qui demeurait rue Guénégaud. Deux Savoyards, travestis en laquais par la vertu d'une casaque de livrée, le servaient; le soir, ils le suivaient, et introduisaient les visites chez lui le matin. Flins allait régulièrement au Théâtre-Français, alors placé à l'Odéon, et excellent surtout dans la comédie. Brizard venait à peine de finir; Talma commençait; Larive, Saint-Phal, Fleury, Molé, Dazincourt, Dugazon, Grandmesnil, mesdames Contat, Saint-Val, Desgarcins, Olivier, étaient dans toute la force du talent, en attendant mademoiselle Mars, fille de Monvel, prête à débuter au théâtre Montansier [1]. Les actrices protégeaient les auteurs et devenaient quelquefois l'occasion de leur fortune.

Flins, qui n'avait qu'une petite pension de sa famille, vivait de crédit. Vers les vacances du parlement, il mettait en gages les livrées de ses Savoyards, ses deux montres, ses bagues et son linge, payait avec le prêt ce qu'il devait, partait pour Reims, y passait trois mois, revenait à Paris, retirait, au moyen de l'argent que lui donnait son père, ce qu'il avait déposé au Mont-de-Piété [2], et recommençait le cercle de cette vie, toujours gai et bien reçu.

---

1. Théâtre de Versailles. Chateaubriand cite ici la plupart des grands acteurs de la fin du siècle. Talma (1763-1826) et Mlle Mars (1779-1847) seront les deux plus grands acteurs du Théâtre-Français sous le Premier Empire. Chateaubriand reviendra sur Talma (IX, 13).
2. Banque de prêt sur gages, qui existe toujours (Crédit municipal de Paris).

12

Paris, juin 1821.

Gens de lettres. – Portraits [1].

Dans le cours des deux années qui s'écoulèrent depuis mon établissement à Paris jusqu'à l'ouverture des États-Généraux, cette société s'élargit. Je savais par cœur les élégies du chevalier de Parny, et je les sais encore. Je lui écrivis pour lui demander la permission de voir un poète dont les ouvrages faisaient mes délices ; il me répondit poliment : je me rendis chez lui rue de Cléry.

Je trouvai un homme assez jeune encore, de très bon ton, grand, maigre, le visage marqué de petite vérole. Il me rendit ma visite ; je le présentai à mes sœurs. Il aimait peu la société et il en fut bientôt chassé par la politique : il était alors du vieux parti. Je n'ai point connu d'écrivain qui fût plus semblable à ses ouvrages : poète et créole, il ne lui fallait que le ciel de l'Inde, une fontaine, un palmier et une femme. Il redoutait le bruit, cherchait à glisser dans la vie sans être aperçu, sacrifiait tout à sa paresse, et n'était trahi dans son obscurité, que par ses plaisirs qui touchaient en passant sa lyre :

> Que notre vie heureuse et fortunée
> Coule en secret, sous l'aile des amours,
> Comme un ruisseau qui, murmurant à peine,
> Et dans son lit resserrant tous ses flots,
> Cherche avec soin l'ombre des arbrisseaux,
> Et n'ose pas se montrer dans la plaine.

C'est cette impossibilité de se soustraire à son indolence qui, de furieux aristocrate, rendit le chevalier de Parny misérable révolutionnaire, attaquant la religion persécutée et les prêtres à l'échafaud, achetant son repos à tout prix, et prêtant à la muse qui chanta Éléonore le langage de ces lieux où Camille Desmoulins allait marchander ses amours.

---

1. Pour ce chapitre, consulter impérativement le dossier, p. 331-339 où l'on a rassemblé quelques notices et textes des auteurs cités ici.

L'auteur de l'*Histoire de la littérature italienne*, qui s'insinua dans la Révolution à la suite de Chamfort, nous arriva par ce cousinage que tous les Bretons ont entre eux. Ginguené vivait dans le monde sur la réputation d'une pièce de vers assez gracieuse, *La Confession de Zulmé*, qui lui valut une chétive place dans les bureaux de M. de Necker ; de là sa pièce sur son entrée au contrôle-général. Je ne sais qui disputait à Ginguené son titre de gloire, *La Confession de Zulmé* ; mais dans le fait il lui appartenait.

Le poète rennais savait bien la musique et composait des romances. D'humble qu'il était, nous vîmes croître son orgueil, à mesure qu'il s'accrochait à quelqu'un de connu. Vers le temps de la convocation des États-Généraux, Chamfort l'employa à barbouiller des articles pour des journaux et des discours pour des clubs : il se fit superbe. À la première fédération il disait : « Voilà une belle fête ! on devrait pour mieux l'éclairer brûler quatre aristocrates aux quatre coins de l'autel. » Il n'avait pas l'initiative de ces vœux ; longtemps avant lui, le ligueur Louis Dorléans avait écrit dans son *Banquet du comte d'Arête* : « qu'il falloit attacher en guise de fagots les ministres protestants à l'arbre du feu de Saint-Jean et mettre le roy Henri IV dans le muids où l'on mettoit les chats [1] ».

Ginguené eut une connaissance anticipée des meurtres révolutionnaires. Madame Ginguené prévint mes sœurs et ma femme du massacre qui devait avoir lieu aux Carmes, et leur donna asile : elles demeuraient *cul-de-sac Férou*, dans le voisinage du lieu où l'on devait égorger [2].

Après la Terreur, Ginguené devint quasi-chef de l'instruction publique ; ce fut alors qu'il chanta *L'Arbre de la liberté* au Cadran-Bleu [3], sur l'air : *Je l'ai planté, je l'ai vu naître* [4]. On le jugea assez béat de philosophie pour une

1. Louis Dorléans (1542-1629), avocat général au parlement de Paris, violent ligueur. Son pamphlet satirique, dirigé contre Henri IV, parut en 1594. Il fait ici allusion à la pratique consistant à faire brûler, lors des feux de la Saint-Jean, des chats enfermés dans un sac.
2. Lors des massacres de septembre 1792, qui suivirent la chute de la royauté, on massacra environ 1 300 suspects enfermés dans les différentes prisons de Paris et dans l'église des Carmes (actuel Institut catholique).
3. Restaurant situé près du Jardin des Plantes.
4. Romance composée par J.-J. Rousseau.

ambassade auprès d'un de ces rois qu'on découronnait. Il écrivait de Turin à M. de Talleyrand qu'il avait *vaincu un préjugé* : il avait fait recevoir sa femme *en pet-en-l'air* [1] à la cour. Tombé de la médiocrité dans l'importance, de l'importance dans la niaiserie, et de la niaiserie dans le ridicule, il a fini ses jours littérateur distingué comme critique, et, ce qu'il y a de mieux, écrivain indépendant dans *La Décade* : la nature l'avait remis à la place d'où la société l'avait mal à propos tiré. Son savoir est de seconde main, sa prose lourde, sa poésie correcte et quelquefois agréable.

Ginguené avait un ami, le poète Lebrun. Ginguené protégeait Lebrun, comme un homme de talent, qui connaît le monde, protège la simplicité d'un homme de génie ; Lebrun, à son tour, répandait ses rayons sur les hauteurs de Ginguené. Rien n'était plus comique que le rôle de ces deux compères, se rendant, par un doux commerce, tous les services que se peuvent rendre deux hommes supérieurs dans des genres divers.

Lebrun était tout bonnement un faux monsieur de l'Empyrée [2] ; sa verve était aussi froide que ses transports étaient glacés. Son Parnasse, chambre haute dans la rue Montmartre, offrait pour tout meuble des livres entassés pêle-mêle sur le plancher, un lit de sangle dont les rideaux, formés de deux serviettes sales, pendillaient sur une tringle de fer rouillé, et la moitié d'un pot à l'eau accotée contre un fauteuil dépaillé. Ce n'est pas que Lebrun ne fût à son aise, mais il était avare et adonné à des femmes de mauvaise vie.

Au souper *antique* de M. de Vaudreuil [3], il joua le personnage de Pindare. Parmi ses poésies lyriques, on trouve des strophes énergiques ou élégantes, comme dans l'ode sur le vaisseau *Le Vengeur* et dans l'ode sur *Les Environs de Paris*. Ses élégies sortent de sa tête, rarement de son âme ; il a l'originalité recherchée, non l'originalité naturelle ; il ne crée rien qu'à force d'art ; il se fatigue à pervertir le sens

---

1. Robe de chambre courte et légère.
2. Souvenir du poète satirique Piron (Empyrée : ciel des poètes).
3. Le comte de Vaudreuil (1740-1817), alors favori de Marie-Antoinette et du comte d'Artois, sera lieutenant général du Royaume lorsque ce dernier sera devenu Charles X. Ce souper, où les convives étaient déguisés à l'antique, eut lieu chez le peintre Mme Vigée-Lebrun, qui y servait costumée en Athénienne

des mots et à les conjoindre par des alliances monstrueuses. Lebrun n'avait de vrai talent que pour la satire ; son épître sur *la bonne et la mauvaise plaisanterie* a joui d'un renom mérité. Quelques-unes de ses épigrammes sont à mettre auprès de celles de J.-B. Rousseau ; Laharpe surtout l'inspirait. Il faut encore lui rendre une autre justice : il fut indépendant sous Bonaparte, et il reste de lui, contre l'oppresseur de nos libertés, des vers sanglants.

Mais, sans contredit, le plus bilieux des gens de lettres que je connus à Paris à cette époque était Chamfort ; atteint de la maladie qui a fait les Jacobins, il ne pouvait pardonner aux hommes le hasard de sa naissance. Il trahissait la confiance des maisons où il était admis ; il prenait le cynisme de son langage pour la peinture des mœurs de la cour. On ne pouvait lui contester de l'esprit et du talent, mais de cet esprit et de ce talent qui n'atteignent point la postérité. Quand il vit que sous la Révolution il n'arrivait à rien, il tourna contre lui-même les mains qu'il avait levées sur la société. Le bonnet rouge ne parut plus à son orgueil qu'une autre espèce de couronne, le sans-culottisme qu'une sorte de noblesse, dont les Marat et les Robespierre étaient les grands seigneurs. Furieux de retrouver l'inégalité des rangs jusque dans le monde des douleurs et des larmes, condamné à n'être encore qu'un *vilain* dans la féodalité des bourreaux, il se voulut tuer pour échapper aux supériorités du crime ; il se manqua : la mort se rit de ceux qui l'appellent et qui la confondent avec le néant.

Je n'ai connu l'abbé Delille qu'en 1798 à Londres, et n'ai vu ni Rulhière [1], qui vit par madame d'Egmont et qui la fait vivre, ni Palissot [2], ni Beaumarchais [3], ni Marmontel [4]. Il

---

1. Claude de Rulhière (1735-1791), amant de Mme d'Egmont (fille du maréchal de Richelieu), diplomate, poète et historien de la Russie.
2. Charles Palissot (1730-1814) est une des figures du parti anti-philosophique depuis le succès de sa comédie satirique *Les Philosophes* (1760) qui se moque de Rousseau et attaque Diderot (qui le lui rend bien dans *Le Neveu de Rameau*). Palissot embrasse la Révolution, puis dirigera sa satire contre La Harpe et Chateaubriand.
3. Beaumarchais (1732-1799) était à la mode depuis la création triomphale du *Mariage de Figaro* en 1784.
4. Jean-François Marmontel (1723-1799) est l'auteur très connu de *Contes moraux* qui jouirent d'un succès immense et international, d'un roman philosophique, *Bélisaire* (1766), qui fut un des événements majeurs de

en est ainsi de Chénier que je n'ai jamais rencontré, qui m'a beaucoup attaqué, auquel je n'ai jamais répondu, et dont la place à l'Institut devait produire une des crises de ma vie.

Lorsque je relis la plupart des écrivains du dix-huitième siècle, je suis confondu et du bruit qu'ils ont fait et de mes anciennes admirations. Soit que la langue ait avancé, soit qu'elle ait rétrogradé, soit que nous ayons marché vers la civilisation, ou battu en retraite vers la barbarie, il est certain que je trouve quelque chose d'usé, de passé, de grisaillé, d'inanimé, de froid dans les auteurs qui firent les délices de ma jeunesse. Je trouve même dans les plus grands écrivains de l'âge voltairien des choses pauvres de sentiment, de pensée et de style.

À qui m'en prendre de mon mécompte ? J'ai peur d'avoir été le premier coupable : novateur-né, j'aurai peut-être communiqué aux générations nouvelles la maladie dont j'étais atteint. Épouvanté, j'ai beau crier à mes enfants : « N'oubliez pas le français ! » Ils me répondent comme le Limousin à Pantagruel : « qu'ils viennent de l'alme, inclyte et célèbre académie que l'on vocite Lutèce [1] ».

Cette manie de gréciser et de latiniser notre langue n'est pas nouvelle, comme on le voit : Rabelais la guérit, elle reparut dans Ronsard ; Boileau l'attaqua. De nos jours elle a ressuscité par la science ; nos révolutionnaires grands Grecs par nature, ont obligé nos marchands et nos paysans à apprendre les hectares, les hectolitres, les kilomètres, les millimètres, les décagrammes : la politique a *ronsardisé* [2].

---

l'affrontement des Philosophes avec la Sorbonne, d'une épopée, *Les Incas* (1777), qui influença Chateaubriand, de *Mémoires* intéressants et de nombreux ouvrages de critique littéraire On trouvera un extrait d'un conte de Marmontel dans le dossier, p. 305.

1. *Pantagruel*, II, 6.
2. Le système métrique est adopté par la Convention le 1er août 1793 (une commission scientifique y avait travaillé dès 1790). Les anciennes mesures restèrent longtemps en pratique. Elles ne seront complètement interdites qu'en 1834. Outre cette question, il est exact que les révolutionnaires, dans l'ensemble, sont des néoclassiques (Chénier en littérature, David pour la peinture), les premiers romantiques étant royalistes. Pour Ronsard, il faudra attendre la fin du XIXe siècle pour qu'il soit de nouveau apprécié. Chateaubriand s'en tient au jugement de Boileau, qui est faux (Ronsard s'opposant lui-même aux latinismes de Marot), ce qui

J'aurais pu parler ici de M. de Laharpe, que je connus alors, et sur lequel je reviendrai ; j'aurais pu ajouter à la galerie de mes portraits celui de Fontanes ; mais bien que mes relations avec cet excellent homme prissent naissance en 1789, ce ne fut qu'en Angleterre que je me liai avec lui d'une amitié toujours accrue par la mauvaise fortune, jamais diminuée par la bonne ; je vous en entretiendrai plus tard dans toute l'effusion de mon cœur. Je n'aurai à peindre que des talents qui ne consolent plus la terre. La mort de mon ami est survenue au moment où mes souvenirs me conduisaient à retracer le commencement de sa vie [1]. Notre existence est d'une telle fuite, que si nous n'écrivons pas le soir l'événement du matin, le travail nous encombre et nous n'avons plus le temps de le mettre à jour. Cela ne nous empêche pas de gaspiller nos années, de jeter au vent ces heures qui sont pour l'homme les semences de l'éternité.

13

Paris, juin 1821.

Famille Rosambo.
M. de Malesherbes : sa prédilection pour Lucile.
Apparition et changement de ma sylphide.

Si mon inclination et celle de mes deux sœurs m'avaient jeté dans cette société littéraire, notre position nous forçait d'en fréquenter une autre ; la famille de la femme de mon frère fut naturellement pour nous le centre de cette dernière société.

Le président Le Pelletier de Rosambo, mort depuis avec tant de courage [2], était, quand j'arrivai à Paris, un modèle de légèreté. À cette époque, tout était dérangé dans les esprits et dans les mœurs, symptôme d'une révolution prochaine. Les magistrats rougissaient de porter la robe et

---

ne veut pas dire qu'il ne le connaît pas : il le cite en effet à plusieurs reprises (VIII, 5 ; XXVIII, 5). Rabelais, en revanche, a toujours conservé sa popularité (Chateaubriand le cite souvent : XI, 2 ; XIX, 14, etc.).
1. Fontanes venait de mourir le 17 mars 1821.
2. Guillotiné en 1794.

tournaient en moquerie la gravité de leurs pères. Les Lamoignon, les Molé, les Séguier, les d'Aguesseau [1] voulaient
combattre et ne voulaient plus juger. Les présidentes, ces-
sant d'être de vénérables mères de famille, sortaient de leurs
sombres hôtels pour devenir femmes à brillantes aventures.
Le prêtre, en chaire, évitait le nom de Jésus-Christ et ne parlait que du *législateur des chrétiens* ; les ministres tombaient
les uns sur les autres ; le pouvoir glissait de toutes les mains.
Le suprême bon ton était d'être Américain à la ville, Anglais
à la cour, Prussien à l'armée ; d'être tout, excepté Français.
Ce que l'on faisait, ce que l'on disait, n'était qu'une
suite d'inconséquences. On prétendait garder des abbés
commandataires [2], et l'on ne voulait point de religion ; nul
ne pouvait être officier s'il n'était gentilhomme [3], et l'on
déblatérait contre la noblesse ; on introduisait l'égalité dans
les salons et les coups de bâton dans les camps.

M. de Malesherbes avait trois filles, mesdames de
Rosambo, d'Aulnay, de Montboissier : il aimait de préférence madame de Rosambo, à cause de la ressemblance de
ses opinions avec les siennes. Le président de Rosambo
avait également trois filles, mesdames de Chateaubriand,
d'Aulnay, de Tocqueville [4], et un fils dont l'esprit brillant
s'est recouvert de la perfection chrétienne [5]. M. de Males-

1. Grandes familles parlementaires.
2. Depuis François Ier, le roi nommait dans toutes les abbayes de France
des *abbés commendataires* Ceux-ci n'étaient pas nécessairement des
ecclésiastiques, ils ne résidaient pas dans les abbayes, laissées à la charge
d'un prieur, ne s'en occupaient en général pas, se contentant d'en toucher les revenus (la *commende* est un titre de bénéfice).
3. Depuis une fameuse ordonnance du marquis de Ségur, ministre de la
Guerre en 1781 Cette mesure montre les limites de l'absolutisme royal
et la volonté de la noblesse de défendre et d'étendre ses privilèges, résistance qui fut à l'origine de la Révolution.
4. Il y a une erreur manifeste dans le texte de Chateaubriand Mme d'Aulnay est bien la petite-fille de Malesherbes et non sa fille. Celui-ci n'en
eut jamais que deux. Le comte de Tocqueville fut tuteur des enfants de
Jean-Baptiste de Chateaubriand après son exécution. Chateaubriand le fréquenta beaucoup. Il est le père d'Alexis de Tocqueville, l'auteur de *L'Ancien Régime et la Révolution* (1856).
5. Louis de Rosambo (1777-1858) fut fait pair de France en 1815 et, resté
fidèle à la légitimité comme Chateaubriand, il démissionna en 1830. Il
était membre de la Congrégation (société secrète catholique sous l'Empire et la Restauration Voir *Le Rouge et le Noir*).

herbes se plaisait au milieu de ses enfants, petits-enfants et arrière-petits-enfants. Mainte fois, au commencement de la Révolution, je l'ai vu arriver chez madame de Rosambo, tout échauffé de politique, jeter sa perruque, se coucher sur le tapis de la chambre de ma belle-sœur, et se laisser lutiner avec un tapage affreux par les enfants ameutés [1]. Ç'aurait été du reste un homme assez vulgaire dans ses manières, s'il n'eût eu certaine brusquerie qui le sauvait de l'air commun : à la première phrase qui sortait de sa bouche, on sentait l'homme d'un vieux nom et le magistrat supérieur. Ses vertus naturelles s'étaient un peu entachées d'affectation par la philosophie qu'il y mêlait. Il était plein de science, de probité et de courage ; mais bouillant, passionné au point qu'il me disait un jour en parlant de Condorcet : « Cet homme a été mon ami ; aujourd'hui, je ne me ferais aucun scrupule de le tuer comme un chien. » Les flots de la Révolution le débordèrent, et sa mort a fait sa gloire. Ce grand homme serait demeuré caché dans ses mérites, si le malheur ne l'eût décelé à la terre. Un noble Vénitien perdit la vie en retrouvant ses titres dans l'éboulement d'un vieux palais [2].

Les franches façons de M. de Malesherbes m'ôtèrent toute contrainte. Il me trouva quelque instruction ; nous nous touchâmes par ce premier point ; nous parlions de botanique et de géographie, sujets favoris de ses conversations. C'est en m'entretenant avec lui que je conçus l'idée de faire un voyage dans l'Amérique du Nord, pour découvrir la mer vue par Hearne et depuis par Mackenzie * [3].

---

1. Souvenir de *Werther* (lettre du 29 juin) ?
2. Malesherbes, ami des Philosophes, ancien directeur de la Librairie, prit ses distances avec la Révolution et ses plus ardents partisans (Condorcet est un Girondin). Il se proposa en 1792 pour défendre Louis XVI. Retiré paisiblement au château de Malesherbes, il y fut arrêté et monta à l'échafaud, à 73 ans, avec presque toute sa famille, le 22 avril 1794. Voir un autre portrait de Malesherbes dans l'*Essai sur les Révolutions*, II, 17.
* Dans ces dernières années, naviguée par le capitaine Franklin et le capitaine Parry. [Note de Genève, 1831.]
3. S. Hearne, en 1769-1772, et A. Mackenzie, en 1789, explorèrent le nord du Canada, publiant le récit de leurs voyages l'un en 1795, l'autre en 1801. Parry découvrit le pôle Nord lors de ses voyages d'exploration de 1819 à 1826, dont le récit fut publié seulement en 1833. Chateaubriand en parle à plusieurs reprises dans les *Mémoires* et dans le *Voyage en Amérique*.

218 Mémoires d'Outre-Tombe

Nous nous entendions aussi en politique : les sentiments généreux du fond de nos premiers troubles allaient à l'indépendance de mon caractère ; l'antipathie naturelle que je ressentais pour la cour ajoutait force à ce penchant. J'étais du côté de M. de Malesherbes et de madame de Rosambo, contre M. de Rosambo et contre mon frère, à qui l'on donna le surnom de *l'enragé* Chateaubriand. La Révolution m'aurait entraîné, si elle n'eût débuté par des crimes : je vis la première tête portée au bout d'une pique, et je reculai [1]. Jamais le meurtre ne sera à mes yeux un objet d'admiration et un argument de liberté ; je ne connais rien de plus servile, de plus méprisable, de plus lâche, de plus borné qu'un terroriste. N'ai-je pas rencontré en France toute cette race de Brutus [2] au service de César et de sa police ? Les niveleurs, régénérateurs, égorgeurs, étaient transformés en valets, espions, sycophantes [3], et moins naturellement encore en ducs, comtes et barons : quel Moyen Âge !

Enfin, ce qui m'attacha davantage à l'illustre vieillard, ce fut sa prédilection pour ma sœur ; malgré la timidité de la comtesse Lucile [4], on parvint, à l'aide d'un peu de vin de Champagne, à lui faire jouer un rôle dans une petite pièce, à l'occasion de la fête de M. de Malesherbes ; elle se montra si touchante que le bon et grand homme en avait la tête tournée. Il poussait plus que mon frère même à sa translation du chapitre d'Argentière à celui de Remiremont, où l'on exigeait les preuves rigoureuses et difficiles *des seize quartiers*. Tout philosophe qu'il était, M. de Malesherbes avait à un haut degré les principes de la naissance.

---

1. Voir *infra*, V, 9.
2. Brutus assassina Jules César, par fidélité à son ancêtre qui avait instauré à Rome la république. *César* désigne ici Napoléon et les Brutus qui se compromirent avec lui sont nombreux (Fouché, David, etc.). Napoléon sut admirablement manipuler les anciens révolutionnaires en les flattant par des titres et des pensions : « Tous mes vertueux républicains, disait-il, je n'ai qu'à dorer leur habit et ce sont des gens à moi. » Il instaura ainsi une noblesse d'Empire qui fut la cible des républicains comme de l'ancienne noblesse.
3. Dénonciateurs
4. Lucile est *comtesse* en tant que chanoinesse de l'Argentière (voir p. 137, n. 2).

Il faut étendre dans l'espace d'environ deux années cette peinture des hommes et de la société à mon apparition dans le monde, entre la clôture de la première assemblée des Notables, le 25 mai 1787, et l'ouverture des États-Généraux, le 5 mai 1789. Pendant ces deux années, mes sœurs et moi, nous n'habitâmes constamment ni Paris, ni le même lieu dans Paris. Je vais maintenant rétrograder et ramener mes lecteurs en Bretagne.

Du reste, j'étais toujours affolé de mes illusions ; si mes bois me manquaient, les temps passés, au défaut des lieux lointains, m'avaient ouvert une autre solitude. Dans le vieux Paris, dans les enceintes de Saint-Germain-des-Prés, dans les cloîtres des couvents, dans les caveaux de Saint-Denis, dans la Sainte-Chapelle, dans Notre-Dame, dans les petites rues de la Cité, à la porte obscure d'Héloïse, je revoyais mon enchanteresse ; mais elle avait pris, sous les arches gothiques et parmi les tombeaux, quelque chose de la mort : elle était pâle, elle me regardait avec des yeux tristes ; ce n'était plus que l'ombre ou les mânes du rêve que j'avais aimé.

LIVRE CINQUIÈME

1

Paris, septembre 1821.
Revu en décembre 1846.

Premiers mouvements politiques en Bretagne.
Coup d'œil sur l'histoire de la monarchie.

Mes différentes résidences en Bretagne, dans les années 1787 et 1788, commencèrent mon éducation politique. On retrouvait dans les États de province le modèle des états généraux : aussi les troubles particuliers qui annoncèrent ceux de la nation éclatèrent-ils dans deux pays d'États, la Bretagne et le Dauphiné [1].

La transformation qui se développait depuis deux cents ans touchait à son terme : la France passée de la monarchie féodale à la monarchie des États-Généraux, de la monarchie des États-Généraux à la monarchie des parlements, de la monarchie des parlements à la monarchie absolue, tendait à la monarchie représentative, à travers la lutte de la magistrature contre la puissance royale.

Le parlement Maupeou [2], l'établissement des assemblées provinciales [3], avec le vote par tête, la première et

---

1. Seules certaines provinces avaient des *États*, assemblées générales des trois ordres : Languedoc, Bretagne, Provence, Bourgogne, Flandre, Cambrésis, Artois, Corse, Béarn, Bigorre. Les États de Bretagne se réunissaient à Rennes tous les deux ans. La noblesse y était particulièrement représentée. Le principal rôle des États était de consentir les impôts, mais ils intervenaient aussi dans plusieurs domaines de la vie régionale : grands travaux, règlements administratifs, écoles, etc.
2. Au printemps 1771, Louis XV, excédé par l'opposition parlementaire qui bloque toute réforme, supprime les parlements. Le chancelier Maupeou institue à leur place des cours de justice fonctionnarisées et gratuites. Louis XVI, par désir de popularité, rappellera les anciens parlements en novembre 1774, suscitant ce commentaire prophétique de Maupeou : « Si le Roi veut perdre sa couronne, il est le maître. » Sur les parlements, voir p. 65, n. 4
3. Créées par Necker à partir de 1778 et généralisées par Loménie de Brienne en 1787. Ces assemblées, à session annuelle, se convoquent à trois niveaux : paroisse (commune), élection (département) et généralité (province) ; elles conservent la division en trois ordres, mais en doublant la représentation du Tiers-État et en instituant le vote par tête. Les États

la seconde assemblées des Notables [1], la Cour plénière [2], la formation des grands bailliages, la réintégration civile des protestants [3], l'abolition partielle de la torture [4], celle des corvées [5], l'égale répartition du payement de l'impôt [6], étaient des preuves successives de la révolution qui s'opérait. Mais alors, on ne voyait pas l'ensemble des faits : chaque événement paraissait un accident isolé. À toutes les périodes historiques, il existe un esprit-principe. En ne regardant qu'un point, on n'aperçoit pas les rayons convergeant au centre de tous les autres points ; on ne remonte pas jusqu'à l'agent caché qui donne la vie et le mouvement général, comme l'eau ou le feu dans les machines : c'est pourquoi, au début des révolutions, tant de personnes croient qu'il suffirait de briser telle roue pour

---

votaient en général par corps, chaque ordre, noblesse, clergé, tiers état, ayant une voix. Le vote par tête est plus favorable à l'ordre qui a le plus de députés, le Tiers-État. Les assemblées provinciales n'ont pas les pouvoirs des États, elles se contentent de répartir l'impôt et de s'occuper de la gestion locale. Elles représentent une première tentative de décentralisation.

1. Une assemblée des notables, constituée de représentants des trois ordres, peut être convoquée par le Roi à titre consultatif. Calonne en convoque une en 1787 pour approuver une réforme fiscale que l'assemblée repousse finalement, entraînant la chute du ministre. Cette assemblée de 144 membres était divisée en sept bureaux, présidés par un prince du sang (les frères du Roi, le duc d'Orléans, etc.). Necker convoque une deuxième assemblée des notables en 1788 pour le consulter sur la double représentation du Tiers-État aux États-Généraux prévus pour l'année suivante

2. Le 8 mai 1788, un édit de réforme judiciaire dépouille les parlements de tout rôle législatif et fiscal en instituant une *Cour plénière*.

3 L'édit de tolérance, préparé par Malesherbes, accordé en novembre 1787, donne un état civil aux protestants, mais n'autorise par leur culte.

4 Abolition de la question préalable (torture pour obtenir des aveux) par la déclaration royale du 24 août 1780. La question n'était déjà pratiquement plus appliquée.

5. La corvée royale est généralisée à partir des années 1750. Elle permit un développement considérable du réseau routier. Chaque personne soumise à l'impôt de la taille était redevable de cinq à six journées de travail par an Un arrêt de novembre 1786 supprima la corvée en la remplaçant par une contribution en argent.

6. Grande idée des ministres réformateurs de Louis XV et de Louis XVI, en particulier l'abbé Terray ou Calonne, constamment contrecarrée par les parlements. Les impôts exceptionnels du vingtième s'appliquaient à tous les ordres sans exception. Le projet de *subvention territoriale* de Calonne également.

empêcher le torrent de couler ou la vapeur de faire explosion.

Le dix-huitième siècle, siècle d'action intellectuelle, non d'action matérielle, n'aurait pas réussi à changer si promptement les lois, s'il n'eût rencontré son véhicule : les parlements, et notamment le parlement de Paris, devinrent les instruments du système philosophique. Toute opinion meurt impuissante ou frénétique, si elle n'est logée dans une assemblée qui la rend pouvoir, la munit d'une volonté, lui attache une langue et des bras. C'est et ce sera toujours par des corps légaux ou illégaux qu'arrivent et arriveront les révolutions.

Les parlements avaient leur cause à venger : la monarchie absolue leur avait ravi une autorité usurpée sur les États-Généraux. Les enregistrements forcés, les lits de justice, les exils, en rendant les magistrats populaires, les poussaient à demander des libertés dont au fond ils n'étaient pas sincères partisans. Ils réclamaient les états généraux, n'osant avouer qu'ils désiraient pour eux-mêmes la puissance législative et politique ; ils hâtaient de la sorte la résurrection d'un corps dont ils avaient recueilli l'héritage, lequel, en reprenant la vie, les réduirait tout d'abord à leur propre spécialité, la justice. Les hommes se trompent presque toujours dans leur intérêt, qu'ils se meuvent par sagesse ou passion : Louis XVI rétablit les parlements qui le forcèrent à appeler les États-Généraux ; les États-Généraux, transformés en Assemblée nationale et bientôt en Convention, détruisirent le trône et les parlements, envoyèrent à la mort et les juges et le monarque de qui émanait la justice. Mais Louis XVI et les parlements en agirent de la sorte, parce qu'ils étaient, sans le savoir, les moyens d'une révolution sociale [1].

L'idée des États-Généraux était donc dans toutes les têtes, seulement on ne voyait pas où cela allait. Il était question, pour la foule, de combler un déficit que le moindre banquier aujourd'hui se chargerait de faire disparaître. Un remède si violent, appliqué à un mal si léger, prouve qu'on était emporté vers des régions politiques inconnues. Pour l'année 1786, seule année dont l'état financier soit bien

---

1. Ces idées sont proches de celles que Tocqueville développera dans son ouvrage *L'Ancien Régime et la Révolution*.

avéré, la recette était de 412 924 000 livres, la dépense de
593 542 000 livres ; déficit 180 618 000 livres, réduit à
140 millions, par 40 618 000 livres d'économie. Dans ce
budget, la maison du Roi est portée à l'immense somme de
37 200 000 livres : les dettes des princes, les acquisitions
de châteaux et les déprédations de la cour étaient la cause
de cette surcharge [1].

On voulait avoir les États-Généraux dans leur forme de
1614 [2]. Les historiens citent toujours cette forme, comme
si, depuis 1614, on n'avait jamais ouï parler des États-
Généraux, ni réclamé leur convocation. Cependant, en
1651, les ordres de la noblesse et du clergé, réunis à Paris,
demandèrent les États-Généraux. Il existe un gros recueil
des actes et des discours faits et prononcés alors. Le parlement de Paris, tout-puissant à cette époque, loin de secon-
der le vœu des deux premiers ordres, cassa leurs assemblées comme illégales ; ce qui était vrai.

Et puisque je suis sur ce chapitre, je veux noter un autre
fait grave, échappé à ceux qui se sont mêlés et qui se mêlent
d'écrire l'histoire de France, sans la savoir. On parle des
trois ordres, comme constituant essentiellement les États
dits généraux. Eh bien, il arrivait souvent que des
bailliages [3] ne nommaient des députés que pour *un* ou *deux*
ordres. En 1614, le bailliage d'Amboise n'en nomma ni
pour le clergé, ni pour la noblesse ; le bailliage de Châ-
teauneuf-en-Thimerais n'en envoya ni pour le clergé, ni
pour le Tiers-État ; Le Puy, La Rochelle, Le Lauraguais,
Calais, la Haute-Marche, Châtellerault, firent défaut pour
le clergé, et Montdidier et Roye pour la noblesse. Néanmoins, les états de 1614 furent appelés *États-Généraux*.
Aussi les anciennes chroniques, s'exprimant d'une manière

---

1. L'année 1786 correspond à la première phase du ministère Calonne
(1783-1787) où celui-ci, pour rétablir la confiance, augmenta les dépenses
de la cour. Le budget de la maison du Roi, comprenant la Cour, l'administration, la culture, ne représente que 6 % du total, mais les chiffres en
paraissaient énormes et suscitaient bien de l'impopularité.
2. Les derniers États-Généraux furent convoqués par Marie de Médicis.
Les trois ordres y délibérèrent séparément.
3. C'est dans le cadre des *bailliages*, anciennes circonscriptions judiciaires
remontant au Moyen Âge, que se fit l'élection des députés des États-
Généraux.

plus correcte, disent, en parlant de nos assemblées nationales, ou les *trois États*, ou les *notables bourgeois*, ou les
barons et les évêques, selon l'occurrence, et elles attribuent
à ces assemblées ainsi composées la même force législative. Dans les diverses provinces, souvent le tiers, tout
convoqué qu'il était, ne députait pas, et cela par une raison inaperçue, mais fort naturelle. Le Tiers s'était emparé
de la magistrature ; il en avait chassé les gens d'épée ; il y
régnait d'une manière absolue, excepté dans quelques parlements nobles, comme juge, avocat, procureur, greffier,
clerc, etc. ; il faisait les lois civiles et criminelles, et, à l'aide
de l'usurpation parlementaire, il exerçait même le pouvoir
politique. La fortune, l'honneur et la vie des citoyens rele-
vaient de lui : tout obéissait à ses arrêts, toute tête tombait
sous le glaive de ses justices. Quand donc il jouissait iso-
lément d'une puissance sans bornes, qu'avait-il besoin d'aller chercher une faible portion de cette puissance dans des
assemblées où il n'avait paru qu'à genoux ?

Le peuple, métamorphosé en moine, s'était réfugié dans
les cloîtres, et gouvernait la société par l'opinion religieuse ;
le peuple, métamorphosé en collecteur et en banquier, s'était
réfugié dans la finance, et gouvernait la société par l'argent ;
le peuple, métamorphosé en magistrat, s'était réfugié dans
les tribunaux, et gouvernait la société par la loi. Ce grand
royaume de France, aristocrate dans ses parties ou ses provinces, était démocrate dans son ensemble, sous la direction
de son roi, avec lequel il s'entendait à merveille et marchait
presque toujours d'accord. C'est ce qui explique sa longue
existence. Il y a toute une nouvelle histoire de France à faire,
ou plutôt l'histoire de France n'est pas faite.

Toutes les grandes questions mentionnées ci-dessus
étaient particulièrement agitées dans les années 1786, 1787
et 1788. Les têtes de mes compatriotes trouvaient dans leur
vivacité naturelle, dans les privilèges de la province, du clergé
et de la noblesse, dans les collisions du parlement et des États,
abondante matière d'inflammation. M. de Calonne [1], un

---

1. (1734-1802) Issu d'une famille parlementaire, il fut contrôleur général des Finances, un des meilleurs ministres de Louis XVI, mais se rendit impopulaire, ce qui entraîna son renvoi. Il ne fut pas intendant de Bretagne, mais fut amené à négocier avec La Chalotais en 1765.

moment intendant de la Bretagne, avait augmenté les divisions en favorisant la cause du Tiers-État. M. de Montmorin [1] et M. de Thiard [2] étaient des commandants trop faibles pour faire dominer le parti de la cour. La noblesse se coalisait avec le parlement, qui était noble ; tantôt elle résistait à M. Necker, à M. de Calonne, à l'archevêque de Sens [3] ; tantôt elle repoussait le mouvement populaire, que sa résistance première avait favorisé. Elle s'assemblait, délibérait, protestait ; les communes ou municipalités s'assemblaient, délibéraient, protestaient en sens contraire. L'affaire particulière du *fouage*, en se mêlant aux affaires générales, avait accru les inimitiés. Pour comprendre ceci, il est nécessaire d'expliquer la constitution du duché de Bretagne.

2

Paris, septembre 1821.

Constitution des États de Bretagne.
Tenue des États.

Les États de Bretagne ont plus ou moins varié dans leur forme, comme tous les États de l'Europe féodale, auxquels ils ressemblaient.

Les rois de France furent substitués aux droits des ducs de Bretagne. Le contrat de mariage de la duchesse Anne, de l'an 1491, n'apporta pas seulement la Bretagne en dot à la couronne de Charles VIII et de Louis XII, mais il stipula une transaction, en vertu de laquelle fut terminé un différend qui remontait à Charles de Blois et au comte de Montfort. La Bretagne prétendait que les filles héritaient au duché ; la France soutenait que la succession n'avait lieu qu'en ligne masculine ; que celle-ci venant de s'éteindre,

---

1. (1746-1792) Il fut commandant militaire de la Bretagne de 1784 à 1787, puis ministre des Affaires étrangères de 1787 à 1791
2. (1726-1794) Successeur du comte de Montmorin comme commandant militaire de la Bretagne.
3. Loménie de Brienne (1727-1794), adversaire de Calonne, principal ministre de 1787 à 1788.

la Bretagne, comme grand fief, faisait retour à la couronne. Charles VIII et Anne, ensuite Anne et Louis XII, se cédèrent mutuellement leurs droits ou prétentions. Claude, fille d'Anne et de Louis XII, qui devint femme de François Ier, laissa en mourant le duché de Bretagne à son mari. François Ier, d'après la prière des États assemblés à Vannes, unit, par édit publié à Nantes en 1532, le duché de Bretagne à la couronne de France, garantissant à ce duché ses libertés et privilèges.

À cette époque, les États de Bretagne étaient réunis tous les ans : mais en 1630, la réunion devint bisannuelle. Le gouverneur proclamait l'ouverture des États. Les trois ordres s'assemblaient, selon les lieux, dans une église ou dans les salles d'un couvent. Chaque ordre délibérait à part : c'étaient trois assemblées particulières avec leurs diverses tempêtes, qui se convertissaient en ouragan général quand le clergé, la noblesse et le Tiers venaient à se réunir. La cour soufflait la discorde, et dans ce champ resserré, comme dans une plus vaste arène, les talents, les vanités et les ambitions étaient en jeu.

Le père Grégoire de Rostrenen, capucin, dans la dédicace de son *Dictionnaire français-breton* [1], parle de la sorte à nos seigneurs les États de Bretagne :

« S'il ne convenait qu'à l'orateur romain de louer dignement l'auguste assemblée du sénat de Rome, me convenait-il de hasarder l'éloge de votre auguste assemblée qui nous retrace si dignement l'idée de ce que l'ancienne et la nouvelle Rome avaient de majestueux et de respectable ? »

Rostrenen prouve que le celtique est une de ces langues primitives que Gomer, fils aîné de Japhet [2], apporta en Europe, et que les Bas-Bretons, malgré leur taille, descendent des géants. Malheureusement, les enfants bretons de Gomer, longtemps séparés de la France, ont laissé dépérir une partie de leurs vieux titres : leurs chartes, auxquelles ils ne mettaient pas une assez grande importance comme les liant à l'histoire générale, manquent trop souvent de cette authenticité à laquelle les déchiffreurs de diplômes attachent de leur côté beaucoup trop de prix.

_____

1. Rennes, 1732.
2. Fils de Noé (*Genèse*, 10).

Le temps de la tenue des États en Bretagne était un temps de galas et de bals : on mangeait chez M. le commandant, on mangeait chez M. le président de la noblesse, on mangeait chez M. le président du clergé, on mangeait chez M. le trésorier des États, on mangeait chez M. l'intendant de la province [1], on mangeait chez M. le président du parlement ; on mangeait partout : et l'on buvait ! À de longues tables de réfectoire se voyaient assis des du Guesclin laboureurs, des Duguay-Trouin matelots, portant au côté leur épée de fer à vieille garde ou leur petit sabre d'abordage. Tous les gentilshommes assistant aux États en personne ne ressemblaient pas mal à une diète de Pologne, de la Pologne à pied, non à cheval, diète de Scythes, non de Sarmates [2].

Malheureusement, on jouait trop. Les bals ne discontinuaient. Les Bretons sont remarquables par leurs danses et par les airs de ces danses. Madame de Sévigné a peint nos ripailles politiques au milieu des landes, comme ces festins des fées et des sorciers qui avaient lieu la nuit sur les bruyères :

« Vous aurez maintenant, écrit-elle, des nouvelles de nos États pour votre peine d'être Bretonne. M. de Chaulnes [3] arriva dimanche au soir au bruit de tout ce qui peut en faire à Vitré : le lundi matin il m'écrivit une lettre ; j'y fis réponse par aller dîner avec lui. On mange à deux tables dans le même lieu ; il y a quatorze couverts à chaque table ; Monsieur en tient une, et Madame l'autre. La bonne chère est excessive, on remporte les plats de rôti tout entiers ; et pour les pyramides de fruits il faut faire hausser les portes. Nos pères ne prévoyaient pas ces sortes de machines, puisque même ils ne comprenaient pas qu'il fallût qu'une porte fût plus haute qu'eux… Après le dîner, MM. de Locmaria et

---

1. Un intendant est l'administrateur civil d'une province, nommé par le Conseil du Roi. Dépendant directement du Roi, ils avaient été institués par Louis XIV et s'étaient révélés souvent de remarquables fonctionnaires. Ils étaient en revanche peu appréciés des parlements.
2. L'assemblée des États de Pologne, sur le même modèle que les États français, est nommée *diète* Les Scythes occupèrent du VIIe au IIe siècle av. J.-C. les régions au nord de la mer Noire, pays envahi à partir du IIIe siècle par les Sarmates, excellents cavaliers.
3. Gouverneur de Bretagne.

Coëtlogon dansèrent avec deux Bretonnes des passe-pieds merveilleux, et des menuets, d'un air que les courtisans n'ont pas à beaucoup près : ils y font des pas de Bohémiens et de Bas-Bretons avec une délicatesse et une justesse qui charment... C'est un jeu, une chère, une liberté jour et nuit qui attirent tout le monde. Je n'avais jamais vu les États ; c'est une assez belle chose. Je ne crois pas qu'il y ait une province rassemblée qui ait un aussi grand air que celle-ci ; elle doit être bien pleine, du moins, car il n'y en a pas un seul à la guerre ni à la cour [1] ; il n'y a que le petit guidon [2] (M. de Sévigné le fils) qui peut-être y reviendra un jour comme les autres... Une infinité de présents, des pensions, des réparations de chemins et de villes, quinze ou vingt grandes tables, un jeu continuel, des bals éternels, des comédies trois fois la semaine, une grande braverie : voilà les États. J'oublie trois ou quatre cents pipes [3] de vin qu'on y boit [4]. »

Les Bretons ont de la peine à pardonner à madame de Sévigné ses moqueries. Je suis moins rigoureux ; mais je n'aime pas qu'elle dise : « Vous me parlez bien plaisamment de nos misères ; nous ne sommes plus si *roués* : *un* en huit jours seulement, pour entretenir la justice. Il est vrai que la penderie me paraît maintenant un rafraîchissement [5]. » C'est pousser trop loin l'agréable langage de cour : Barrère [6] parlait avec la même grâce de la guillotine. En 1793, les noyades de Nantes s'appelaient des *mariages républicains* [7] : le despotisme populaire reproduisait l'aménité de style du despotisme royal.

---

1. Mention perfide : la noblesse de Bretagne est particulièrement nombreuse, particulièrement pauvre et particulièrement inactive. C'est encore le cas à l'époque de Chateaubriand.
2. Officier porte-enseigne.
3. Tonneau de 400 à 700 litres suivant les régions.
4. Lettre du 5 août 1671 à Mme de Grignan.
5. Lettre du 24 novembre 1675, faisant allusion à la répression d'une révolte paysanne. Les condamnés avaient été roués et pendus.
6. (1755-1841) Conventionnel, il préside le procès de Louis XVI ; membre actif du Comité de Salut public, c'est un actif collaborateur de Robespierre pendant la Terreur, surnommé l'*Anacréon de la guillotine*.
7. À Nantes, le conventionnel Carrier avait inventé ce supplice : on attachait ensemble deux personnes nues de sexe différent et on les jetait dans la Loire. Dix mille personnes périrent ainsi.

Les fats de Paris, qui accompagnaient aux États messieurs les gens du Roi, racontaient que nous autres hobereaux nous faisions doubler nos poches de fer-blanc, afin de porter à nos femmes les fricassées de poulet de M. le commandant. On payait cher ces railleries. Un comte de Sabran était naguère resté sur la place, en échange de ses mauvais propos. Ce descendant des troubadours et des rois provençaux, grand comme un Suisse, se fit tuer par un petit chasse-lièvre du Morbihan, de la hauteur d'un Lapon [1]. Ce *Ker* ne le cédait point à son adversaire en généalogie : si saint Elzéar de Sabran était proche parent de saint Louis, saint Corentin, grand-oncle du très noble Ker, était évêque de Quimper sous le roi Gallon II, trois cents ans avant Jésus-Christ.

3

Revenu du Roi en Bretagne.
Revenu particulier de la province. – Le fouage.
J'assiste pour la première fois à une réunion politique. – Scène.

Le revenu du Roi, en Bretagne, consistait dans le don gratuit, variable selon les besoins ; dans le produit du domaine de la couronne, qu'on pouvait évaluer de trois à quatre cent mille francs ; dans la perception du timbre, etc.

La Bretagne avait ses revenus particuliers, qui lui servaient à faire face à ses charges : le *grand* et le *petit devoir*, qui frappaient les liquides et le mouvement des liquides, fournissant deux millions annuels ; enfin, les sommes rentrant par le *fouage*. On ne se doute guère de l'importance du fouage dans notre histoire ; cependant, il fut à la révolution de France ce que fut le timbre à la révolution des États-Unis [2].

---

1. Affaire qui remonte à 1735. Jean-François de Keratry, obscur cadet de famille, tua en duel le marquis de Sabran qui s'était moqué des Bretons.
2. Le *Stamp Act* de 1765, instituant unilatéralement un droit de timbre sur les pièces légales, les publications et les actes bancaires, déclencha la révolte des colonies anglaises d'Amérique et la Guerre d'Indépendance.

Le fouage (*census pro singulis focis exactus* [1]) était un cens, ou une espèce de taille, exigé par chaque feu sur les biens roturiers. Avec le fouage graduellement augmenté, se payaient les dettes de la province. En temps de guerre, les dépenses s'élevaient à plus de sept millions d'une session à l'autre, somme qui primait la recette. On avait conçu le projet de créer un capital des deniers provenus du fouage, et de le constituer en rentes au profit des fouagistes : le fouage n'eût plus été alors qu'un emprunt. L'injustice (bien qu'injustice *légale* au terme du droit coutumier) était de le faire porter sur la seule propriété roturière. Les communes ne cessaient de réclamer ; la noblesse, qui tenait moins à son argent qu'à ses privilèges, ne voulait pas entendre parler d'un impôt qui l'aurait rendue taillable [2]. Telle était la question, quand se réunirent les sanglants États de Bretagne du mois de décembre 1788.

Les esprits étaient alors agités par diverses causes : l'assemblée des Notables, l'impôt territorial [3], le commerce des grains [4], la tenue prochaine des États-Généraux et l'affaire du collier [5], la Cour plénière et *Le Mariage de Figaro* [6], les grands bailliages et Cagliostro et Mesmer [7], mille autres

---

1. Cens perçu pour chaque foyer. Le cens est l'impôt sur les biens fonciers. La taille est un impôt direct sur le revenu global du contribuable. Ces impôts ne touchent que les roturiers.

2. Soumise à la taille.

3. Projet d'impôt nouveau, payable par tous, et remplaçant les anciens impôts. Ce projet de Calonne fut rejeté par le parlement et par l'assemblée des Notables.

4. La liberté du commerce des grains était une des grandes idées des physiocrates et de Turgot (édit du 13 septembre 1774). Combattue par l'abbé Galiani (*Dialogues sur le commerce des grains*, 1770), elle avait été en partie reprise par Calonne (1786).

5. Célèbre affaire d'escroquerie qui éclaboussa la Reine : le cardinal de Rohan se laisse persuader par une aventurière que la Reine veut acheter par son intermédiaire un fabuleux collier. Il le remet à ladite aventurière qui disparaît. Mais le parlement de Paris, saisi de l'affaire, acquitta le naïf cardinal (31 mai 1785), faisant implicitement reposer la faute sur la Reine.

6. Interdit pendant trois ans par la censure, circulant sous le manteau et joué sur des théâtres privés (la première représentation eut lieu sur celui du comte d'Artois), *Le Mariage de Figaro*, bénéficiant de cette ample publicité, fut créé triomphalement le 27 avril 1784.

7. Deux aventuriers fort à la mode dans le Paris de l'époque. L'Italien Cagliostro (1743-1795) est un alchimiste qui prétendait fabriquer de l'or, un guérisseur et un illuministe maçonnique. Il fit de nombreux séjours

incidents graves ou futiles, étaient l'objet des controverses dans toutes les familles.

La noblesse bretonne, de sa propre autorité, s'était convoquée à Rennes pour protester contre l'établissement de la Cour plénière. Je me rendis à cette diète : c'est la première réunion politique où je me sois trouvé de ma vie. J'étais étourdi et amusé des cris que j'entendais. On montait sur les tables et sur les fauteuils ; on gesticulait, on parlait tous à la fois. Le marquis de Trémargat, jambe de bois [1], disait d'une voix de stentor : « Allons tous chez le commandant, M. de Thiard ; nous lui dirons : La noblesse bretonne est à votre porte ; elle demande à vous parler : le Roi même ne la refuserait pas ! » À ce trait d'éloquence les bravos ébranlaient les voûtes de la salle. Il recommençait : « Le Roi même ne la refuserait pas ! » Les huchées [2] et les trépignements redoublaient. Nous allâmes chez M. le comte de Thiard, homme de cour, poète érotique, esprit doux et frivole, mortellement ennuyé de notre vacarme ; il nous regardait comme des *houhous*, des sangliers, des bêtes fauves ; il brûlait d'être hors de notre Armorique et n'avait nulle envie de nous refuser l'entrée de son hôtel. Notre orateur lui dit ce qu'il voulut, après quoi nous vînmes rédiger cette déclaration : « Déclarons infâmes ceux qui pourraient accepter quelques places, soit dans l'administration nouvelle de la justice, soit dans l'administration des États, qui ne seraient pas avoués par les lois constitutives de la Bretagne. » Douze gentilshommes furent choisis pour porter cette pièce au Roi : à leur arrivée à Paris, on les coffra à la Bastille, d'où ils sortirent bientôt en façon de héros ; ils furent reçus à leur retour avec des branches de laurier [3]. Nous por-

---

en France entre 1780 et 1786, protégé par le cardinal de Rohan. Mesmer (1733-1815), médecin allemand, installé à Paris en 1778 où ses cures de magnétisme connaissent un succès foudroyant : les malades se placent dans un *baquet* contenant des bouteilles de limaille de fer magnétisée. L'Académie des sciences publia sur cette méthode un rapport accablant en 1784, qui décida Mesmer à quitter la France.
1. Il s'agit du surnom du comte de Trémargat, né en 1749, lieutenant de vaisseau en retraite.
2. Acclamations, interpellations.
3. Parmi ces douze gentilshommes, il y avait le comte de Trémargat, le chevalier de Guer (il en sera de nouveau question au chapitre 7), le marquis de La Rouërie (V, 15), Alexis de Bedée. Ils restèrent presque deux mois à la Bastille.

tions des habits avec de grands boutons de nacre semés d'hermine, autour desquels boutons était écrite en latin cette devise : « Plutôt mourir que de se déshonorer [1]. » Nous triomphions de la cour dont tout le monde triomphait, et nous tombions avec elle dans le même abîme.

4

Paris, octobre 1821.

Ma mère retirée à Saint-Malo.

Ce fut à cette époque que mon frère, suivant toujours ses projets, prit le parti de me faire agréger à l'ordre de Malte. Il fallait pour cela me faire entrer dans la cléricature : elle pouvait m'être donnée par M. Courtois de Pressigny, évêque de Saint-Malo. Je me rendis donc dans ma ville natale, où mon excellente mère s'était retirée ; elle n'avait plus ses enfants avec elle ; elle passait le jour à l'église, la soirée à tricoter. Ses distractions étaient inconcevables : je la rencontrai un matin dans la rue, portant une de ses pantoufles sous son bras, en guise de livre de prières. De fois à autre pénétraient dans sa retraite quelques vieux amis, et ils parlaient du bon temps. Lorsque nous étions tête à tête, elle me faisait de beaux contes en vers, qu'elle improvisait. Dans un de ces contes le diable emportait une cheminée avec un mécréant, et le poète s'écriait :

> Le diable en l'avenue
> Chemina tant et tant,
> Qu'on en perdit la vue
> En moins d'une heur' de temps.

« Il me semble, dis-je, que le diable ne va pas bien vite. » Mais madame de Chateaubriand me prouva que je n'y entendais rien : elle était charmante, ma mère.

Elle avait une longue complainte sur le *Récit véritable d'une cane sauvage, en la ville de Montfort-la-Cane-lez-*

---

1. *Potius mori quam fœdari*, devise de la Bretagne.

Saint-Malo. Certain seigneur avait renfermé une jeune fille d'une grande beauté dans le château de Montfort, à dessein de lui ravir l'honneur. À travers une lucarne, elle apercevait l'église de Saint-Nicolas ; elle pria le saint avec des yeux pleins de larmes, et elle fut miraculeusement transportée hors du château ; mais elle tomba entre les mains des serviteurs du félon, qui voulurent en user avec elle comme ils supposaient qu'en avait fait leur maître. La pauvre fille éperdue, regardant de tous côtés pour chercher quelques secours, n'aperçut que des canes sauvages sur l'étang du château. Renouvelant sa prière à saint Nicolas, elle le supplia de permettre à ces animaux d'être témoins de son innocence, afin que si elle devait perdre la vie, et qu'elle ne pût accomplir les vœux qu'elle avait faits à saint Nicolas, les oiseaux les remplissent eux-mêmes à leur façon, en son nom et pour sa personne.

La fille mourut dans l'année : voici qu'à la translation des os de saint Nicolas, le 9 de mai, une cane sauvage, accompagnée de ses petits canetons, vint à l'église de Saint-Nicolas. Elle y entra et voltigea devant l'image du bienheureux libérateur, pour lui applaudir par le battement de ses ailes ; après quoi, elle retourna à l'étang, ayant laissé un de ses petits en offrande. Quelque temps après, le caneton s'en retourna sans qu'on s'en aperçût. Pendant deux cents ans et plus, la cane, toujours la même cane, est revenue, à jour fixe, avec sa couvée, dans l'église du grand saint Nicolas, à Montfort. L'histoire en a été écrite et imprimée en 1652 : l'auteur remarque fort justement : « que c'est une chose peu considérable devant les yeux de Dieu, qu'une chétive cane sauvage ; que néanmoins elle tient sa partie pour rendre hommage à sa grandeur ; que la cigale de saint François était encore moins prisable, et que pourtant ses fredons charmaient le cœur d'un séraphin ». Mais madame de Chateaubriand suivait une fausse tradition : dans sa complainte, la fille renfermée à Montfort était une princesse, laquelle obtint d'être changée en cane, pour échapper à la violence de son vainqueur. Je n'ai retenu que ces vers d'un couplet de la romance de ma mère :

> Cane la belle est devenue,
> Cane la belle est devenue,
> Et s'envola, par une grille,
> Dans un étang plein de lentilles [1].

5

Paris, octobre 1821.

Cléricature. – Environs de Saint-Malo.

Comme madame de Chateaubriand était une véritable sainte, elle obtint de l'évêque de Saint-Malo la promesse de me donner la cléricature; il s'en faisait scrupule : la marque ecclésiastique donnée à un laïque et à un militaire lui paraissait une profanation qui tenait de la simonie [2]. M. Courtois de Pressigny [3], aujourd'hui archevêque de Besançon et pair de France, est un homme de bien et de mérite. Il était jeune alors, protégé de la Reine, et sur le chemin de la fortune, où il est arrivé plus tard par une meilleure voie : la persécution.

Je me mets à genoux, en uniforme, l'épée au côté, aux pieds du prélat; il me coupa deux ou trois cheveux sur le sommet de la tête; cela s'appela tonsure, de laquelle je reçus lettres en bonnes formes. Avec ces lettres, 200 mille livres de rentes pouvaient m'échoir, quand mes preuves de noblesse auraient été admises à Malte : abus, sans doute, dans l'ordre ecclésiastique, mais chose utile dans l'ordre politique de l'ancienne constitution. Ne valait-il pas mieux

---

1. Mme de Chateaubriand dans sa vieillesse ne fait pas autre chose que sa mère et sa tante : des contes et des chansons (I, 4).
2. La simonie consiste à vendre pour de l'argent des biens spirituels : prières, sacrements, mais aussi bénéfices ecclésiastiques. Le clergé français d'Ancien Régime est beaucoup plus vertueux qu'on ne le croit généralement.
3. Gabriel Cortois de Pressigny (1745-1823) fut nommé évêque de Saint-Malo en 1786. Évêque réfractaire, il émigra en Savoie d'où il continua à diriger son diocèse, démissionna lors du Concordat de 1802. Rentré en France, il fut nommé pair de France en 1816 et archevêque de Besançon en 1817.

qu'une espèce de bénéfice militaire s'attachât à l'épée d'un
soldat qu'à la mantille [1] d'un abbé, lequel aurait mangé sa
grasse prieurée sur les pavés de Paris ?

La cléricature, à moi conférée pour les raisons précé-
dentes, a fait dire, par des biographes mal informés, que
j'étais d'abord entré dans l'Église.

Ceci se passait en 1788 [2]. J'avais des chevaux, je par-
courais la campagne, ou je galopais le long des vagues, mes
gémissantes et anciennes amies ; je descendais de cheval,
et je me jouais avec elles ; toute la famille aboyante de
Scylla sautait à mes genoux pour me caresser : *Nunc vada
latrantis Scyllae* [3]. Je suis allé bien loin admirer les scènes
de la nature ; je m'aurais pu contenter de celles que m'offrait mon pays natal.

Rien de plus charmant que les environs de Saint-Malo,
dans un rayon de cinq à six lieues. Les bords de la Rance,
en remontant cette rivière depuis son embouchure jusqu'à
Dinan, mériteraient seuls d'attirer les voyageurs ;
mélange continuel de rochers et de verdure, de grèves et
de forêts, de criques et de hameaux, d'antiques manoirs
de la Bretagne féodale et d'habitations modernes de la
Bretagne commerçante. Celles-ci ont été construites en
un temps où les négociants de Saint-Malo étaient si riches
que, dans leurs jours de goguettes, ils fricassaient des
piastres, et les jetaient toutes bouillantes au peuple par les
fenêtres. Ces habitations sont d'un grand luxe. Bonabant,
château de MM. de Lasaudre, est en partie de marbre
apporté de Gênes, magnificence dont nous n'avons pas
même l'idée à Paris. La Brillantais, Le Beau [4], le Mont-
Marin, La Ballue, le Colombier, sont ou étaient ornés
d'orangeries, d'eaux jaillissantes et de statues. Quelquefois les jardins descendent en pente au rivage derrière les
arcades d'un portique de tilleuls, à travers une colonnade
de pins, au bout d'une pelouse ; par-dessus les tulipes

---

1. Mantelet court des abbés de cour.
2. 16 décembre 1788.
3. « Tantôt les détroits où aboie Scylla […] », monstre marin à plusieurs
têtes de chien que l'*Odyssée* place au détroit de Messine (chant XII,
v. 85-86).
4. Le Bosc.

d'un parterre, la mer présente ses vaisseaux, son calme et ses tempêtes [1].

Chaque paysan, matelot et laboureur, est propriétaire d'une petite bastide blanche avec un jardin : parmi les herbes potagères, les groseilliers, les rosiers, les iris, les soucis de ce jardin, on trouve un plant de thé de Cayenne, un pied de tabac de Virginie, une fleur de la Chine, enfin quelque souvenir d'une autre rive et d'un autre soleil : c'est l'itinéraire et la carte du maître du lieu. Les tenanciers [2] de la côte sont d'une belle race normande ; les femmes grandes, minces, agiles, portent des corsets de laine grise, des jupons courts de callemandre [3] et de soie rayée, des bas blancs à coins de couleur. Leur front est ombragé d'une large coiffe de basin ou de batiste [4], dont les pattes se relèvent en forme de béret, ou flottent en manière de voile. Une chaîne d'argent à plusieurs branches pend à leur côté gauche. Tous les matins, au printemps, ces filles du Nord, descendant de leurs barques, comme si elles venaient encore envahir la contrée, apportent au marché des fruits dans des corbeilles, et des caillebottes [5] dans des coquilles : lorsqu'elles soutiennent d'une main sur leur tête des vases noirs remplis de lait ou de fleurs, que les barbes de leurs cornettes blanches accompagnent leurs yeux bleus, leur visage rose, leurs cheveux blonds emperlés de rosée, les Valkyries de l'Edda [6] dont la plus jeune est l'*Avenir*, ou les Canéphores [7] d'Athènes n'avaient rien d'aussi gracieux.

---

1. La plupart de ces *Malouinières* existent encore.
2. Fermiers.
3. Étoffe de laine dont un côté est satiné.
4. Basin : étoffe croisée dont la chaîne est de fil et la trame de coton. Batiste : toile fine de lin dont on fait les mouchoirs et dont on faisait les fichus et coiffes.
5. Fromages de lait caillé.
6. Titre de deux recueils de sagas islandaises qui vont du VIIᵉ au XIIIᵉ siècle. Principales sources pour la connaissance de la mythologie scandinave (les Walkyries sont des divinités qui apparaissent aux guerriers qui vont mourir), elles ont fortement influencé Macpherson pour la rédaction de ses poèmes d'Ossian. Chateaubriand s'y est intéressé lors de la rédaction des *Martyrs*.
7. Porteuses de corbeilles ; motif classique de la sculpture grecque, que l'on trouve en particulier sur la frise du Parthénon.

Ce tableau ressemble-t-il [1] encore ? Ces femmes, sans doute ne sont plus ; il n'en reste que mon souvenir.

6

Paris, octobre 1821.

Le revenant. – Le malade.

Je quittai ma mère, et j'allai voir mes sœurs aînées aux environs de Fougères. Je demeurai un mois chez madame de Châteaubourg. Ses deux maisons de campagne, Lascardais et Le Plessis [2], près Saint-Aubin-du-Cormier, célèbre par sa tour et sa bataille [3], étaient situées dans un pays de roches, de landes et de bois. Ma sœur avait pour régisseur M. Livoret, jadis jésuite, auquel il était arrivé une étrange aventure.

Quand il fut nommé régisseur à Lascardais, le comte de Châteaubourg, le père, venait de mourir [4] : M. Livoret, qui ne l'avait pas connu, fut installé gardien du castel. La première nuit qu'il y coucha seul, il vit entrer dans son appartement un vieillard pâle, en robe de chambre, en bonnet de nuit, portant une petite lumière. L'apparition s'approche de l'âtre, pose son bougeoir sur la cheminée, rallume le feu et s'assied dans un fauteuil. M. Livoret tremblait de tout son corps. Après deux heures de silence, le vieillard se lève, reprend sa lumière, et sort de la chambre en fermant la porte.

1. Usage absolu pour « est-il ressemblant ? » (Archaïsme populaire).
2. Le Plessis-Pillet, résidence principale de Bénigne et Paul de Châteaubourg, est situé à Dourdain, à huit kilomètres au sud de Saint-Aubin-du-Cormier. La Sécardais appartenait au beau-frère de Bénigne, Charles, l'aîné de la famille, mais elle le racheta en 1795, après la mort de ce dernier et de son fils ; ce joli château, reconstruit en 1760, est situé à Mézières-sur-Couesnon, à sept kilomètres au nord-ouest de Saint-Aubin-du-Cormier. Bénigne de Chateaubriand épousa Paul, vicomte de Châteaubourg, en 1786 : quatre enfants naquirent de ce mariage.
3. La bataille de Saint-Aubin-du-Cormier (1488) mit fin à la « Guerre folle », révolte des grands seigneurs, duc de Bretagne et duc d'Orléans, pendant la minorité de Charles VIII. La Bretagne du duc François II y perdit l'essentiel de sa souveraineté.
4. En 1770.

Le lendemain, le régisseur conta son aventure aux fermiers, qui, sur la description de la lémure [1], affirmèrent que c'était leur vieux maître. Tout ne finit pas là : si M. Livoret regardait derrière lui dans une forêt, il apercevait le fantôme ; s'il avait à franchir un échalier [2] dans un champ, l'ombre se mettait à califourchon sur l'échalier. Un jour, le misérable obsédé s'étant hasardé à lui dire : « Monsieur de Châteaubourg, laissez-moi » ; le revenant répondit : « Non. » M. Livoret, homme froid et positif, très peu brillant d'imaginative [3], racontait tant qu'on voulait son histoire, toujours de la même manière et avec la même conviction.

Un peu plus tard, j'accompagnai en Normandie un brave officier atteint d'une fièvre cérébrale. On nous logea dans une maison de paysan : une vieille tapisserie, prêtée par le seigneur du lieu, séparait mon lit de celui du malade. Derrière cette tapisserie on saignait le patient ; en délassement de ses souffrances, on le plongeait dans des bains de glace ; il grelottait dans cette torture, les ongles bleus, le visage violet et grincé, les dents serrées, la tête chauve, une longue barbe descendant de son menton pointu et servant de vêtement à sa poitrine nue, maigre et mouillée.

Quand le malade s'attendrissait, il ouvrait un parapluie, croyant se mettre à l'abri de ses larmes : si le moyen était sûr contre les pleurs, il faudrait élever une statue à l'auteur de la découverte.

Mes seuls bons moments étaient ceux où je m'allais promener dans le cimetière de l'église du hameau, bâtie sur un tertre. Mes compagnons étaient les morts, quelques oiseaux et le soleil qui se couchait. Je rêvais à la société de Paris, à mes premières années, à mon fantôme [4], à ces bois de Combourg dont j'étais si près par l'espace, si loin par le temps ; je retournais à mon pauvre malade : c'était un aveugle conduisant un aveugle.

Hélas ! un coup, une chute, une peine morale raviront à

---

1. Fantôme
2. Clôture en forme de petite échelle pour passer au-dessus d'une haie tout en empêchant le bétail de sortir.
3 Faculté imaginative : imagination
4. La sylphide.

Homère, à Newton, à Bossuet, leur génie, et ces hommes divins, au lieu d'exciter une pitié profonde, un regret amer et éternel, pourraient être l'objet d'un sourire ! Beaucoup de personnes que j'ai connues et aimées ont vu se troubler leur raison auprès de moi, comme si je portais le germe de la contagion [1]. Je ne m'explique le chef-d'œuvre de Cervantes et sa gaieté cruelle, que par une réflexion triste : en considérant l'être entier, en pesant le bien et le mal, on serait tenté de désirer tout accident qui porte à l'oubli, comme un moyen d'échapper à soi-même : un ivrogne joyeux est une créature heureuse. Religion à part, le bonheur est de s'ignorer et d'arriver à la mort sans avoir senti la vie.

Je ramenai mon compatriote parfaitement guéri.

7

Paris, octobre 1821.

États de Bretagne en 1789. – Insurrection.
Saint-Riveul, mon camarade de collège, est tué.

Madame Lucile et madame de Farcy, revenues avec moi en Bretagne, voulaient retourner à Paris ; mais je fus retenu par les troubles de la province. Les États étaient semoncés [2] pour la fin de décembre (1788). La commune de Rennes, et après elle les autres communes de Bretagne, avaient pris un arrêté qui défendait à leurs députés de s'occuper d'aucune affaire avant que la question des *fouages* n'eût été réglée.

Le comte de Boisgelin [3], qui devait présider l'ordre de la noblesse, se hâta d'arriver à Rennes. Les gentilshommes furent convoqués par lettres particulières, y compris ceux qui, comme moi, étaient encore trop jeunes pour avoir voix délibérative. Nous pouvions être attaqués, il fallait compter les bras autant que les suffrages : nous nous rendîmes à notre poste.

---

1. Chateaubriand songe surtout à Nathalie de Noailles, une de ses maîtresses, qui devint folle en 1817. On peut aussi songer à sa sœur Lucile.
2. Convoqués (archaïsme).
3. (1734-1794) Maréchal de camp, guillotiné sous la Terreur.

Plusieurs assemblées se tinrent chez M. de Boisgelin avant l'ouverture des États. Toutes les scènes de confusion auxquelles j'avais assisté, se renouvelèrent. Le chevalier de Guer, le marquis de Trémargat, mon oncle le comte de Bedée, qu'on appelait *Bedée l'artichaut*, à cause de sa grosseur, par opposition à un autre Bedée, long et effilé, qu'on nommait *Bedée l'asperge*, cassèrent plusieurs chaises en grimpant dessus pour pérorer. Le marquis de Trémargat, officier de marine à jambe de bois, faisait beaucoup d'ennemis à son ordre : on parlait un jour d'établir une école militaire où seraient élevés les fils de la pauvre noblesse ; un membre du Tiers s'écria : « Et nos fils, qu'auront-ils ? – L'hôpital [1] », repartit Trémargat : mot qui, tombé dans la foule, germa promptement [2].

Je m'aperçus au milieu de ces réunions d'une disposition de mon caractère que j'ai retrouvée depuis dans la politique et dans les armes : plus mes collègues ou mes camarades s'échauffaient, plus je me refroidissais ; je voyais mettre le feu à la tribune ou au canon avec indifférence : je n'ai jamais salué la parole ou le boulet.

Le résultat de nos délibérations fut que la noblesse traiterait d'abord des affaires générales, et ne s'occuperait du fouage qu'après la solution des autres questions ; résolution directement opposée à celle du Tiers. Les gentilshommes n'avaient pas grande confiance dans le clergé, qui les abandonnait souvent, surtout quand il était présidé par l'évêque de Rennes [3], personnage patelin, mesuré, parlant avec un léger zézaiement qui n'était pas sans grâce, et se ménageant des chances à la cour. Un journal, *La Sentinelle du Peuple*, rédigé à Rennes par un écrivailleur [4] arrivé de Paris, fomentait les haines.

---

1. L'hospice des pauvres
2. La noblesse bretonne était nombreuse, environ quatre mille familles. Pauvre, elle est fort attachée à ses privilèges, comme le rappelle Chateaubriand, et elle est soutenue par le parlement de Rennes, proche de la noblesse d'épée. L'affrontement avec la bourgeoisie, latent pendant tout le siècle, éclate violemment avec les troubles de 1788.
3. Mgr François Bareau de Girac (1732-1820). Le clergé soutint plutôt le tiers état lors des États-Généraux.
4. Volney (1757-1820), auteur du *Voyage en Égypte et en Syrie* (1787) et des *Ruines* (1791), de tendance antireligieuse.

Les États se tinrent dans le couvent des Jacobins, sur la place du Palais. Nous entrâmes, avec les dispositions qu'on vient de voir, dans la salle des séances ; nous n'y fûmes pas plus tôt établis, que le peuple nous assiégea [1]. Les 25, 26, 27 et 28 janvier 1789 furent des jours malheureux. Le comte de Thiard avait peu de troupes ; chef indécis et sans vigueur, il se remuait et n'agissait point. L'école de droit de Rennes, à la tête de laquelle était Moreau [2], avait envoyé quérir les jeunes gens de Nantes ; ils arrivaient au nombre de quatre cents, et le commandant, malgré ses prières, ne les put empêcher d'envahir la ville. Des assemblées, en sens divers, au champ Montmorin [3] et dans les cafés, en étaient venues à des collisions sanglantes.

Las d'être bloqués dans notre salle, nous prîmes la résolution de saillir [4] dehors, l'épée à la main ; ce fut un assez beau spectacle. Au signal de notre président, nous tirâmes nos épées tous à la fois, au cri de : *Vive la Bretagne !* et, comme une garnison sans ressources, nous exécutâmes une furieuse sortie, pour passer sur le ventre des assiégeants. Le peuple nous reçut avec des hurlements, des jets de pierres, des bourrades de bâtons ferrés et des coups de pistolet. Nous fîmes une trouée dans la masse de ses flots qui se refermaient sur nous. Plusieurs gentilshommes furent blessés, traînés, déchirés, chargés de meurtrissures et de contusions. Parvenus à grande peine à nous dégager, chacun regagna son logis.

Des duels s'ensuivirent entre les gentilshommes, les écoliers de droit et leurs amis de Nantes. Un de ces duels eut lieu publiquement sur la place Royale ; l'honneur en resta au vieux Keralieu, officier de marine, attaqué, qui se battit avec une incroyable vigueur, aux applaudissements de ses jeunes adversaires.

Un autre attroupement s'était formé. Le comte de Mont-

---

1. En réalité, les États, ouverts le 29 décembre furent suspendus par le roi dès le 7 janvier Les incidents que rapporte Chateaubriand sont dus à une manifestation des nobles le 26 janvier.
2 Le futur général (1763-1813)
3. Promenade aménagée par le gouverneur Montmorin en 1785, actuel Champ-de-Mars.
4. Sortir

boucher [1] aperçut dans la foule un étudiant nommé Ulliac, auquel il dit : « Monsieur, ceci nous regarde. » On se range en cercle autour d'eux, Montboucher fait sauter l'épée d'Ulliac et la lui rend : on s'embrasse et la foule se disperse.

Du moins, la noblesse bretonne ne succomba pas sans honneur. Elle refusa de députer aux États-Généraux, parce qu'elle n'était pas convoquée selon les lois fondamentales de la constitution de la province ; elle alla rejoindre en grand nombre l'armée des Princes, se fit décimer à l'armée de Condé, ou avec Charette dans les guerres vendéennes. Eût-elle changé quelque chose à la majorité de l'Assemblée nationale, au cas de sa réunion à cette assemblée ? Cela n'est guère probable : dans les grandes transformations sociales, les résistances individuelles, honorables pour les caractères, sont impuissantes contre les faits. Cependant, il est difficile de dire ce qu'aurait pu produire un homme du génie de Mirabeau, mais d'une opinion opposée, s'il s'était rencontré dans l'ordre de la noblesse bretonne.

Le jeune Boishue et Saint-Riveul [2], mon camarade de collège, avaient péri avant ces rencontres, en se rendant à la chambre de la noblesse ; le premier fut en vain défendu par son père, qui lui servit de second.

Lecteur, je t'arrête : regarde couler les premières gouttes de sang que la Révolution devait répandre. Le ciel a voulu qu'elles sortissent des veines d'un compagnon de mon enfance. Supposons ma chute au lieu de celle de Saint-Riveul ; on eût dit de moi, en changeant seulement le nom, ce que l'on dit de la victime par qui commence la grande immolation : « Un gentilhomme, nommé Chateaubriand, fut tué en se rendant à la salle des États. » Ces deux mots auraient remplacé ma longue histoire. Saint-Riveul eût-il joué mon rôle sur la terre ? était-il destiné au bruit ou au silence ?

Passe maintenant, lecteur ; franchis le fleuve de sang qui sépare à jamais le vieux monde dont tu sors, du monde nouveau à l'entrée duquel tu mourras.

---

1. René-François de Montbourcher (1759-1835), capitaine de dragons.
2. Voir II, 7 Ces deux jeunes gens moururent le 27 janvier

8

Paris, novembre 1821.

Année 1789. – Voyage de Bretagne à Paris.
Mouvement sur la route. – Aspect de Paris.
Renvoi de M. Necker. – Versailles.
Joie de la famille royale.
Insurrection générale. – Prise de la Bastille [1].

L'année 1789, si fameuse dans notre histoire et dans l'histoire de l'espèce humaine, me trouva dans les landes de ma Bretagne ; je ne pus même quitter la province qu'assez tard, et n'arrivai à Paris qu'après le pillage de la maison Réveillon [2], l'ouverture des États-Généraux, la constitution du tiers état en Assemblée nationale, le serment du Jeu-de-Paume [3], la séance royale du 23 juin, et la réunion du clergé et de la noblesse au Tiers-État [4].

Le mouvement était grand sur ma route : dans les villages, les paysans arrêtaient les voitures, demandaient les passeports, interrogeaient les voyageurs. Plus on approchait de la capitale, plus l'agitation croissait. En traversant Versailles, je vis des troupes casernées dans l'orangerie ; des trains d'artillerie parqués dans les cours ; la salle provisoire

---

1. Sur ces chapitres historiques, où se mêlent témoignage vécu et une analyse très fine, on aura intérêt à consulter d'autres grands ouvrages de l'époque : Mme de Staël, *Considérations sur la Révolution française*, éd. J. Godechot, Tallandier, 1983 ; Joseph de Maistre, *Considérations sur la France*, Complexe, 1988 ; A. de Tocqueville, *L'Ancien Régime et la Révolution*, éd. F. Mélonio, GF-Flammarion, 1988.
2. Réveillon était un fabricant de papiers peints installé au Faubourg Saint-Antoine. La rumeur qu'il voulait baisser les salaires de ses ouvriers se répandit. Sans doute suscitée par des manipulateurs au service du duc d'Orléans, une émeute vint assaillir la manufacture de Réveillon protégée par la troupe : il y eut vingt-cinq morts (23-28 avril 1789).
3. 5 mai, 17 juin, 20 juin
4. Le 23 juin, le roi se rend en personne à l'assemblée des États (séance royale) pour casser les décisions du Tiers-État et ordonner la délibération par ordres Mais devant la résistance du Tiers-État et les défections des deux autres ordres, le roi ordonne quelques jours plus tard (27 juin) à la noblesse et au clergé de se joindre au Tiers-État : les États-Généraux deviennent de fait Assemblée nationale.

de l'Assemblée nationale élevée sur la place du palais, et des députés allant et venant parmi des curieux, des gens du château et des soldats.

À Paris, les rues étaient encombrées d'une foule qui stationnait à la porte des boulangers ; les passants discouraient au coin des bornes ; les marchands, sortis de leurs boutiques, écoutaient et racontaient des nouvelles devant leurs portes : au Palais-Royal s'aggloméraient des agitateurs : Camille Desmoulins [1] commençait à se distinguer dans les groupes.

À peine fus-je descendu avec madame de Farcy et madame Lucile, dans un hôtel garni de la rue de Richelieu, qu'une insurrection éclate : le peuple se porte à l'Abbaye, pour délivrer quelques gardes-françaises arrêtés par ordre de leurs chefs [2]. Les sous-officiers d'un régiment d'artillerie caserné aux Invalides se joignent au peuple. La défection commence dans l'armée [3].

La cour tantôt cédant, tantôt voulant résister, mélange d'entêtement et de faiblesse, de bravacherie et de peur, se laisse morguer par Mirabeau qui demande l'éloignement des troupes [4], et elle ne consent pas à les éloigner : elle accepte l'affront et n'en détruit pas la cause. À Paris, le bruit se répand qu'une armée arrive par l'égout Montmartre, que des dragons vont forcer les barrières. On recommande de dépaver les rues, de monter les pavés au cinquième étage, pour les jeter sur les satellites du tyran : chacun se met à l'œuvre. Au milieu de ce brouillement, M. Necker reçoit l'ordre de se retirer [5]. Le ministère changé se compose de MM. de Breteuil, de La Galaisière, du maré-

---

1. Avocat sans fortune, Camille Desmoulins (1760-1794) se révèle le 12 juillet 1789 en harangant les foules, monté sur une table, au Palais-Royal.
2. 30 juin.
3. Les gardes-françaises, corps d'élite créé en 1563 pour la protection du roi, avaient été infiltrés par des agitateurs révolutionnaires De moins en moins fidèles au roi, ils participèrent massivement à la prise de la Bastille, comme le rappelle plus loin Chateaubriand. Leur défection fut le premier signe de décomposition de l'armée de l'Ancien Régime. Le régiment fut dissous le 1er septembre
4. Intervention du 8 juillet.
5. 11 juillet. C'est l'événement qui amène la prise de la Bastille, car Necker était fort populaire.

chal de Broglie, de La Vauguyon, de Laporte et de Foulon. Ils remplaçaient MM. de Montmorin, de La Luzerne,
de Saint-Priest et de Nivernais.

Un poète breton, nouvellement débarqué, m'avait prié
de le mener à Versailles. Il y a des gens qui visitent des jardins et des jets d'eau, au milieu du renversement des
empires : les barbouilleurs de papier ont surtout cette
faculté de s'abstraire dans leur manie pendant les plus
grands événements ; leur phrase ou leur strophe leur tient
lieu de tout.

Je menai mon Pindare à l'heure de la messe dans la galerie de Versailles. L'Œil-de-Bœuf [1] était rayonnant : le renvoi de M. Necker avait exalté les esprits ; on se croyait sûr
de la victoire : peut-être Sanson et Simon [2], mêlés dans la
foule, étaient spectateurs des joies de la famille royale.

La Reine passa avec ses deux enfants ; leur chevelure
blonde semblait attendre des couronnes : madame la
duchesse d'Angoulême, âgée de onze ans, attirait les yeux
par un orgueil virginal : belle de la noblesse du rang et de
l'innocence de la jeune fille, elle semblait dire comme la
fleur d'oranger de Corneille, dans la Guirlande de Julie :

> J'ai la pompe de ma naissance [3]...

Le petit Dauphin [4] marchait sous la protection de sa
sœur, et M. Du Touchet suivait son élève ; il m'aperçut et
me montra obligeamment à la Reine. Elle me fit, en me
jetant un regard avec un sourire, ce salut gracieux qu'elle
m'avait déjà fait le jour de ma présentation. Je n'oublierai

---

1 Voir p. 199, n. 1.
2. Charles-Henri Sanson (1739-1806) est le bourreau de Paris depuis
1778 : c'est lui qui exécutera les victimes de la Révolution, Louis XVI et
Marie-Antoinette entre autres. Antoine Simon (1736-1794), cordonnier
sans-culotte, fut chargé de la garde de Louis XVII à la prison du Temple.
3. La *Guirlande de Julie* est un recueil offert en 1633 à Julie d'Angennes,
fille de la précieuse marquise de Rambouillet, auquel contribuèrent
19 poètes. 76 pièces sur 29 fleurs différentes constituent le bouquet d'hommage : « La violette » par Desmarets de Saint-Sorlin, « Le lys » par Tal-
lemant des Réaux, « Le pavot » par Georges de Scudéry, etc.
4. Venait de mourir, le 4 juin 1789, le dauphin Louis Joseph Xavier. Le
futur Louis XVII (mort au Temple en 1795) avait alors quatre ans. Sa
sœur, Madame Royale, future duchesse d'Angoulême, avait dix ans (1778-
1851).

jamais ce regard qui devait s'éteindre sitôt. Marie-Antoinette, en souriant, dessina si bien la forme de sa bouche,
que le souvenir de ce sourire (chose effroyable !) me fit
reconnaître la mâchoire de la fille des rois, quand on découvrit la tête de l'infortunée dans les exhumations de 1815 [1].

Le contrecoup du coup porté dans Versailles retentit à
Paris. À mon retour, je rebroussai le cours d'une multitude
qui portait les bustes de M. Necker et de M. le duc d'Orléans, couverts de crêpes. On criait : « Vive Necker ! vive
le duc d'Orléans ! » et parmi ces cris on en entendait un plus
hardi et plus imprévu : « Vive Louis XVII ! » Vive cet
enfant dont le nom même eût été oublié dans l'inscription
funèbre de sa famille, si je ne l'avais rappelé à la Chambre
des pairs ! Louis XVI abdiquant, Louis XVII placé sur le
trône, M. le duc d'Orléans déclaré régent, que fût-il arrivé ?

Sur la place Louis XV, le prince de Lambesc, à la tête
de Royal-Allemand, refoule le peuple dans le jardin des
Tuileries et blesse un vieillard : soudain le tocsin sonne.
Les boutiques des fourbisseurs [2] sont enfoncées, et trente
mille fusils enlevés aux Invalides. On se pourvoit de piques,
de bâtons, de fourches, de sabres, de pistolets ; on pille
Saint-Lazare, on brûle les barrières. Les électeurs de Paris
prennent en main le gouvernement de la capitale, et, dans
une nuit, soixante mille citoyens sont organisés, armés,
équipés en gardes nationales [3].

Le 14 juillet, prise de la Bastille. J'assistai, comme spectateur, à cet assaut contre quelques invalides et un timide
gouverneur : si l'on eût tenu les portes fermées, jamais le
peuple ne fût entré dans la forteresse [4]. Je vis tirer deux ou

---

1. Chateaubriand y a déjà fait allusion (IV, 9). Les corps de Louis XVI
et de Marie-Antoinette furent enterrés, dans de la chaux vive, au petit
cimetière de la Madeleine où l'on décida, à la Restauration, d'élever l'actuelle chapelle expiatoire. Les corps furent exhumés le 18 janvier 1815
sous contrôle d'une commission dont fit partie Chateaubriand (voir
Mémoires, XXII, 25). Il en rendit compte dans un discours à la chambre
des Pairs le 9 janvier 1816 où il dénonça également l'oubli où était tombé
le petit Louis XVII (voir paragraphe suivant).
2. Marchands d'armes.
3. 12 juillet.
4. Voulant négocier avec les assaillants, le gouverneur de la Bastille, de
Launay, en introduisit dans les cours de la forteresse.

trois coups de canon, non par les invalides [1], mais par des gardes-françaises, déjà montés sur les tours. De Launay, arraché de sa cachette, après avoir subi mille outrages, est assommé sur les marches de l'Hôtel de Ville ; le prévôt des marchands [2], Flesselles, a la tête cassée d'un coup de pistolet ; c'est ce spectacle que des béats sans cœur trouvaient si beau. Au milieu de ces meurtres, on se livrait à des orgies, comme dans les troubles de Rome, sous Othon et Vitellius [3]. On promenait dans des fiacres les vainqueurs de la Bastille, ivrognes heureux, déclarés conquérants au cabaret ; des prostituées et des sans-culottes commençaient à régner, et leur faisaient escorte. Les passants se découvraient, avec le respect de la peur, devant ces héros, dont quelques-uns moururent de fatigue au milieu de leur triomphe. Les clefs de la Bastille se multiplièrent ; on en envoya à tous les niais d'importance dans les quatre parties du monde. Que de fois j'ai manqué ma fortune ! Si moi, spectateur, je me fusse inscrit sur le registre des vainqueurs, j'aurais une pension aujourd'hui [4].

Les experts accoururent à l'autopsie de la Bastille. Des cafés provisoires s'établirent sous des tentes ; on s'y pressait, comme à la foire Saint-Germain ou à Longchamp ; de nombreuses voitures défilaient ou s'arrêtaient au pied des tours, dont on précipitait les pierres parmi des tourbillons de poussière. Des femmes élégamment parées, des jeunes gens à la mode, placés sur différents degrés des décombres gothiques, se mêlaient aux ouvriers demi-nus qui démolissaient les murs, aux acclamations de la foule. À ce rendez-vous se rencontraient les orateurs les plus fameux, les gens de lettres les plus connus, les peintres les plus célèbres, les acteurs et les actrices les plus renommés, les danseuses les plus en vogue, les étrangers les plus illustres,

---

1. La garnison de la Bastille était composée de 30 Suisses et 80 invalides. Les gardes-françaises infiltrés étaient du côté des assaillants.
2. Équivalent du maire de Paris, nommé par le roi.
3. Après la chute de Néron (68), quatre empereurs se succédèrent en un an : Galba, Othon, Vitellius, Vespasien. Les trois premiers périrent assassinés. Othon et Vitellius se signalèrent particulièrement par leurs débauches (*Histoires* de Tacite).
4. Les « vainqueurs de la Bastille » furent récompensés par un décret du 29 juin 1790.

les seigneurs de la cour et les ambassadeurs de l'Europe : la vieille France était venue là pour finir, la nouvelle pour commencer.

Tout événement, si misérable ou si odieux qu'il soit en lui-même, lorsque les circonstances en sont sérieuses et qu'il fait époque, ne doit pas être traité avec légèreté : ce qu'il fallait voir dans la prise de la Bastille (et ce que l'on ne vit pas alors), c'était, non l'acte violent de l'émancipation d'un peuple, mais l'émancipation même, résultat de cet acte.

On admira ce qu'il fallait condamner, l'accident, et l'on n'alla pas chercher dans l'avenir les destinées accomplies d'un peuple, le changement des mœurs, des idées, des pouvoirs politiques, une rénovation de l'espèce humaine, dont la prise de la Bastille ouvrait l'ère, comme un sanglant jubilé. La colère brutale faisait des ruines, et sous cette colère était cachée l'intelligence qui jetait parmi ces ruines les fondements du nouvel édifice.

Mais la nation qui se trompa sur la grandeur du fait matériel, ne se trompa pas sur la grandeur du fait moral : la Bastille était à ses yeux le trophée de sa servitude ; elle lui semblait élevée à l'entrée de Paris, en face des seize piliers de Montfaucon [1], comme le gibet de ses libertés * [2]. En rasant une forteresse d'État le peuple crut briser le joug militaire, et prit l'engagement tacite de remplacer l'armée qu'il licenciait : on sait quels prodiges enfanta le peuple devenu soldat.

---

1. Principal gibet de Paris depuis le XIIe siècle, situé près du Temple et transféré en 1761 à La Villette.
* Après cinquante-deux ans, on élève quinze bastilles pour opprimer cette liberté au nom de laquelle on a rasé la première Bastille. [Paris, note de 1841.]
2. Cette note vise les fortifications de Thiers, commencées en 1840.

9

Paris, novembre 1821.

Effet de la prise de la Bastille sur la cour.
Têtes de Foulon et de Berthier.

Réveillé au bruit de la chute de la Bastille comme au bruit avant-coureur de la chute du trône, Versailles avait passé de la jactance à l'abattement. Le Roi accourt à l'Assemblée nationale, prononce un discours dans le fauteuil même du président ; il annonce l'ordre donné aux troupes de s'éloigner, et retourne à son palais au milieu des bénédictions [1] ; parades inutiles ! les partis ne croient point à la conversion des partis contraires : la liberté qui capitule, ou le pouvoir qui se dégrade, n'obtient point merci de ses ennemis.

Quatre-vingts députés partent de Versailles, pour annoncer la paix à la capitale ; illuminations. M. Bailly [2] est nommé maire de Paris, M. de La Fayette commandant de la garde nationale [3] : je n'ai connu le pauvre, mais respec-

---

1. 15 juillet.
2. Sylvain Bailly (1736-1793) était astronome, membre de l'Académie des sciences. Il fut élu maire de Paris le 15 juillet et reçut, à ce titre, Louis XVI à l'Hôtel de Ville le 17. Choqué par les premiers massacres (Bertier est son gendre), il fut vite également détesté des royalistes et des révolutionnaires. Sa popularité prend fin avec la fusillade du Champ-de-Mars le 17 juillet 1791 (émeute au cours de laquelle la déchéance du roi fut exigée). Il quitte alors la mairie de Paris le 18 novembre. Rendu responsable du massacre du Champ-de-Mars, c'est là qu'il est guillotiné au milieu des insultes. Chateaubriand en parle dans le *Génie du christianisme* (I, 4, 3). Delisle de Sales a écrit sa biographie (1809).
3. Chateaubriand n'aime pas La Fayette (1757-1834), libéral fauteur de révolution, qui a de surcroît aidé Louis-Philippe à usurper la couronne en 1830. Héros de la guerre d'Indépendance américaine, il est un des chefs libéraux au début de la Révolution et sa popularité est immense. Plein d'ambition, il est élu colonel-général de la milice bourgeoise transformée par l'Assemblée en garde nationale. Il est cependant rapidement débordé par la tournure des événements. Après la fusillade du Champ-de-Mars, il doit démissionner de son commandement et, plus chanceux que Bailly, il se rend aux Autrichiens après le 10 août. Napoléon avait ce jugement sur ces deux personnages : « Bailly avait été bien loin d'être méchant, mais c'était un niais politique. La Fayette en avait été un autre. Sa bonhomie politique devait le rendre constamment dupe des hommes et des choses. »

table savant, que par ses malheurs. Les révolutions ont des hommes pour toutes leurs périodes ; les uns suivent ces révolutions jusqu'au bout, les autres les commencent, mais ne les achèvent pas.

Tout se dispersa ; les courtisans partirent pour Bâle, Lausanne, Luxembourg et Bruxelles. Madame de Polignac rencontra, en fuyant, M. Necker qui rentrait. Le comte d'Artois, ses fils, les trois Condés, émigrèrent [1] ; ils entraînèrent le haut clergé et une partie de la noblesse. Les officiers menacés par leurs soldats insurgés, cédèrent au torrent qui les charriait hors. Louis XVI demeura seul devant la nation avec ses deux enfants et quelques femmes, la Reine, *Mesdames* et Madame Élisabeth [2]. *Monsieur* [3], qui resta jusqu'à l'évasion de Varennes, n'était pas d'un grand secours à son frère : bien que, en opinant dans l'assemblée des Notables pour le vote par tête, il eût décidé le sort de la Révolution, la Révolution s'en défiait ; lui, *Monsieur*, avait peu de goût pour le Roi, ne comprenait pas la Reine, et n'était pas aimé d'eux.

Louis XVI vint à l'Hôtel de Ville le 17 : cent mille hommes, armés comme les moines de la Ligue, le reçurent. Il est harangué par MM. Bailly, Moreau de Saint-Méry [4] et Lally-Tollendal [5], qui pleurèrent : le dernier est resté sujet

---

1. Émigrent effectivement dès le 17 juillet : le comte d'Artois, second frère de Louis XVI et futur Charles X, avec ses fils les ducs d'Angoulême et de Berry, le prince de Condé avec son fils et son petit-fils, le prince de Conti, le duc et la duchesse de Polignac, favorite de Marie-Antoinette, le marquis de Breteuil, le maréchal de Broglie. Necker fut rappelé à cette date. Ce premier mouvement d'émigration fut suivi de retours. Les mutineries dans l'armée et la constitution civile du clergé entraînèrent de nombreux départs d'officiers et d'ecclésiastiques dans l'année 1791. L'émigration fut massive après l'échec de la fuite du roi (juin 1791).
2. Mesdames sont les dernières filles de Louis XV, tantes de Louis XVI : Adélaïde (1732-1800) et Victoire (1733-1800) mourront à Trieste, après avoir émigré en février 1791 (voir *Mémoires*, XL, 11). Madame Élisabeth (1764-1794) est la sœur de Louis XVI : elle l'accompagnera lors du 10 août et sera internée avec la famille royale au Temple. Elle sera elle aussi guillotinée.
3. Le comte de Provence, futur Louis XVIII.
4. (1750-1819) Député de la Martinique, président du corps électoral de Paris.
5. Fils du dernier gouverneur des Indes, il obtient la réhabilitation de son père condamné après la chute de Pondichéry (voir p. 166, n. 1). Membre du comité de Constitution, c'est un orateur important aux États-Généraux. Il émigre après le 6 octobre. À la Restauration, il fut fait pair de France et entra à l'Académie française.

aux larmes. Le Roi s'attendrit à son tour ; il mit à son chapeau une énorme cocarde tricolore ; on le déclara, sur place,
honnête homme, père des Français, roi d'un peuple libre,
lequel peuple se préparait, en vertu de sa liberté, à abattre
la tête de cet honnête homme, son père et son roi.

Peu de jours après ce raccommodement, j'étais aux
fenêtres de mon hôtel garni avec mes sœurs et quelques
Bretons ; nous entendons crier : « Fermez les portes ! fermez les portes ! » Un groupe de déguenillés arrive par un
des bouts de la rue ; du milieu de ce groupe s'élevaient deux
étendards que nous ne voyions pas bien de loin. Lorsqu'ils
s'avancèrent, nous distinguâmes deux têtes échevelées et
défigurées, que les devanciers de Marat portaient chacune
au bout d'une pique : c'étaient les têtes de MM. Foulon et
Bertier [1]. Tout le monde se retira des fenêtres ; j'y restai.
Les assassins s'arrêtèrent devant moi, me tendirent les
piques en chantant, en faisant des gambades, en sautant
pour approcher de mon visage les pâles effigies. L'œil
d'une de ces têtes, sorti de son orbite, descendait sur le
visage obscur du mort ; la pique traversait la bouche ouverte
dont les dents mordaient le fer : « Brigands ! » m'écriai-je,
plein d'une indignation que je ne pus contenir, « est-ce
comme cela que vous entendez la liberté ? » Si j'avais eu
un fusil, j'aurais tiré sur ces misérables comme sur des
loups. Ils poussèrent des hurlements, frappèrent à coups
redoublés à la porte cochère pour l'enfoncer, et joindre ma
tête à celles de leurs victimes. Mes sœurs se trouvèrent mal ;
les poltrons de l'hôtel m'accablèrent de reproches. Les
massacreurs, qu'on poursuivait, n'eurent pas le temps d'envahir la maison et s'éloignèrent. Ces têtes, et d'autres que
je rencontrai bientôt après, changèrent mes dispositions
politiques ; j'eus horreur des festins de cannibales et l'idée
de quitter la France pour quelque pays lointain germa dans
mon esprit.

---

1. Premières atrocités de la Révolution qui frappèrent fortement les
esprits : le 22 juillet, Foulon (né en 1715), ancien contrôleur général des
Finances, et Bertier de Sauvigny (né en 1737), intendant de Paris, sont
massacrés en place de Grève. La foule, peut-être manipulée, les considé-
rait comme des affameurs et des opposants à la Révolution.

10

Paris, novembre 1821.

Rappel de M. Necker. – Séance du 4 août 1789.
Journée du 5 octobre. – Le Roi est amené à Paris.

Rappelé au ministère le 25 juillet, inauguré, accueilli par des fêtes, M. Necker, troisième successeur de Turgot, après Calonne et Taboureau, fut bientôt dépassé par les événements, et tomba dans l'impopularité. C'est une des singularités du temps qu'un aussi grave personnage eût été élevé au poste de ministre par le savoir-faire d'un homme aussi médiocre et aussi léger que le marquis de Pezay. Le *Compte rendu*, qui substitua en France le système de l'emprunt à celui de l'impôt, remua les idées : les femmes discutaient de dépenses et de recettes ; pour la première fois, on voyait ou l'on croyait voir quelque chose dans la machine à chiffres. Ces calculs, peints d'une couleur à la Thomas [1], avaient établi la première réputation du directeur-général des finances. Habile teneur de caisse, mais économiste sans expédient ; écrivain noble, mais enflé ; honnête homme, mais sans haute vertu, le banquier était un de ces anciens personnages d'avant-scène qui disparaissent au lever de la toile, après avoir expliqué la pièce au public. M. Necker est le père de madame de Staël ; sa vanité ne lui permettait guère de penser que son vrai titre au souvenir de la postérité serait la gloire de sa fille [2].

---

1. (1732-1785) Homme de lettres spécialiste de l'éloge académique, il est au service des Necker (Mme Necker tient un salon réputé), comme nègre et comme propagandiste Mme de Genlis disait : « M. Necker avait beaucoup d'esprit et aurait été un bon écrivain s'il ne se fût formé à l'école de M. Thomas. »
2. Portrait assez juste du principal ministre de Louis XVI. Au renvoi de Turgot, Taboureau des Réaux (1718-1782) est nommé contrôleur général des finances et Jacques Necker (1732-1804), banquier genevois, directeur du Trésor, sur la recommandation d'un courtisan intrigant, le marquis de Pezay (1741-1777) lui-même lié à la finance genevoise et conseiller secret de Louis XVI et de Maurepas (on ne sait pas exactement quel fut son rôle). Taboureau ne resta au ministère que six mois et Necker fut principal ministre jusqu'à sa première démission le 19 mai 1781. En 1781, Necker

La monarchie fut démolie à l'instar de la Bastille, dans la séance du soir de l'Assemblée nationale du 4 août. Ceux qui, par haine du passé, crient aujourd'hui contre la noblesse, oublient que ce fut un membre de cette noblesse, le vicomte de Noailles, soutenu par le duc d'Aiguillon et par Matthieu de Montmorency [1], qui renversa l'édifice, objet des préventions révolutionnaires. Sur la motion du député féodal, les droits féodaux, les droits de chasse, de colombier et de garenne, les dîmes et champarts [2], les privilèges des ordres, des villes et des provinces, les servitudes personnelles, les justices seigneuriales, la vénalité des offices furent abolis. Les plus grands coups portés à l'antique constitution de l'État le furent par des gentilshommes. Les patriciens commencèrent la Révolution, les plébéiens l'achevèrent : comme la vieille France avait dû sa gloire à la noblesse française, la jeune France lui doit sa liberté, si liberté il y a pour la France.

Les troupes campées aux environs de Paris avaient été renvoyées, et par un de ces conseils contradictoires qui tiraillaient la volonté du Roi, on appela le régiment de Flandre à Versailles. Les gardes-du-corps donnèrent un repas aux officiers de ce régiment [3] ; les têtes s'échauffèrent ; la Reine parut au milieu du banquet avec le Dau-

---

avait publié le premier budget, truqué, de l'histoire de France (le *Compte rendu*). Bon administrateur, Necker est cependant un ministre démagogique, préférant multiplier les emprunts que les impôts. Après les ministères de Calonne et de Loménie de Brienne, Necker revint au pouvoir en 1788. Les États-Généraux l'ignorèrent. Renvoyé pour sa passivité, Louis XVI le rappela dès le 16 juillet, sous la pression des événements. Il n'arriva à Paris que le 25 juillet et ne reprit ses fonctions que le 29. Sans réelle initiative face à l'Assemblée, il démissionna le 18 septembre 1790 dans l'indifférence générale. Les *Considérations sur la Révolution française* de sa fille Mme de Staël sont écrites dans le but avoué de défendre sa mémoire et présentent le portrait d'un véritable homme d'État. Necker eut quelques succès de librairie : *Traité de l'administration des finances* (1784), *De l'importance des idées religieuses* (1788).
1. Ces trois personnages, issus de quelques-unes des plus anciennes familles de France, enthousiasmés par les débuts de la Révolution, finirent tous par émigrer. Matthieu de Montmorency (1767-1826), ami de Chateaubriand, Mme de Staël et Mme Récamier, fut, sous la Restauration, un des chefs de la Congrégation et du parti ultra.
2. Droit féodal prélevé en nature sur les récoltes.
3. 1er octobre.

phin ; on porta la santé de la famille royale ; le Roi vint à son tour ; la musique militaire joue l'air touchant et favori : *Ô Richard, ô mon roi* [1] *!* À peine cette nouvelle s'est-elle répandue à Paris, que l'opinion opposée s'en empare ; on s'écrie que Louis refuse sa sanction à la déclaration des droits, pour s'enfuir à Metz avec le comte d'Estaing [2] ; Marat propage cette rumeur : il écrivait déjà *L'Ami du peuple* [3].

Le 5 octobre arrive [4]. Je ne fus point témoin des événements de cette journée. Le récit en parvint de bonne heure,

---

1. Air de Blondel, extrait de *Richard Cœur de Lion*, opéra de Grétry (1784), qui sera un chant de ralliement des royalistes : Ô Richard, ô mon roi,/L'univers t'abandonne,/Sur la terre n'est-il que moi,/ Qui s'intéresse à ta personne ?/ Moi seul dans l'univers/Voudrais sécher tes pleurs/Et tout le reste t'abandonne./Monarques, cherchez des amis/Non sous les palmes de la gloire/Mais sous les myrtes favoris/Qu'offrent les filles de mémoire, etc.

2. Voir p. 130, n. 1. Il était alors commandant de la garde nationale de Versailles et ne fera rien lors des journées d'octobre pour empêcher le départ du roi.

3. Ancien médecin des gardes du corps du comte d'Artois, Marat (1743-1793) est un aigri, convaincu qu'il est un génie méconnu quand éclate la Révolution au cours de laquelle il va pouvoir donner toute sa mesure. Il fonde *L'Ami du Peuple* en septembre 1789, où il multiplie les appels au meurtre qui lui valent quelques emprisonnements et exils temporaires. En 1790, par exemple, il écrit : « Il y a une année que cinq ou six cents têtes abattues vous auraient rendus libres et heureux. Aujourd'hui il en faudrait abattre dix mille. Sous quelques mois peut-être en abattrez-vous cent mille et vous ferez à merveille… » Marat fut l'instigateur des massacres de septembre. Il jouissait d'une grande popularité dans le petit peuple qui le rendait intouchable. Son assassinat par Charlotte Corday le 13 juillet 1793 débarrassa la Convention et Robespierre d'un agitateur incontrôlable et dangereux. *L'Ami du Peuple* parut jusqu'au 14 juillet 1793 ; c'était un quotidien de huit pages, tiré à quelque deux mille exemplaires. Surtout journal de dénonciation et d'attaques personnelles (Bailly, La Fayette, Mirabeau, le roi lui-même), il ne cessait d'appeler à l'insurrection et à la violence populaire.

4. Le roi refusant de sanctionner les décrets du 4 août et la Déclaration des droits de l'homme, la tension monte, entretenue par des agitateurs au service du duc d'Orléans et de la municipalité parisienne. À la nouvelle de l'incident du banquet des gardes du corps, un cortège part à Versailles, atteint à la nuit. Ni le comte d'Estaing, ni La Fayette ne protègent efficacement le château qui est envahi le 6 octobre au matin : des gardes sont massacrés, les appartements royaux sont forcés. Louis XVI accepte alors de se rendre à Paris d'où il ne pourra désormais plus sortir, soumis à la pression constante de la rue, comme bientôt l'Assemblée nationale

le 6, dans la capitale. On nous annonce, en même temps, une visite du Roi. Timide dans les salons, j'étais hardi sur les places publiques : je me sentais fait pour la solitude ou pour le forum. Je courus aux Champs-Elysées : d'abord parurent des canons, sur lesquels des harpies, des larronnesses, des filles de joie montées à califourchon, tenaient les propos les plus obscènes et faisaient les gestes les plus immondes. Puis, au milieu d'une horde de tout âge et de tout sexe, marchaient à pied les gardes du corps, ayant changé de chapeaux, d'épées et de baudriers avec les gardes nationaux : chacun de leurs chevaux portait deux ou trois poissardes, sales bacchantes ivres et débraillées. Ensuite venait la députation de l'Assemblée nationale ; les voitures du Roi suivaient : elles roulaient dans l'obscurité poudreuse d'une forêt de piques et de baïonnettes. Des chiffonniers en lambeaux, des bouchers, tablier sanglant aux cuisses, couteaux nus à la ceinture, manches de chemises retroussées, cheminaient aux portières ; d'autres égipans [1] noirs étaient grimpés sur l'impériale ; d'autres, accrochés au marchepied des laquais, au siège des cochers. On tirait des coups de fusil et de pistolet ; on criait : *Voici le boulanger, la boulangère et le petit mitron !* Pour oriflamme, devant le fils de saint Louis, des hallebardes suisses élevaient en l'air deux têtes de gardes-du-corps, frisées et poudrées par un perruquier de Sèvres.

L'astronome Bailly déclara à Louis XVI, dans l'Hôtel-de-Ville, que le peuple *humain, respectueux et fidèle*, venait de *conquérir* son roi, et le Roi de son côté, *fort touché et fort content*, déclara qu'il était venu à Paris *de son plein gré* : indignes faussetés de la violence et de la peur qui déshonoraient alors tous les partis et tous les hommes. Louis XVI n'était pas faux : il était faible ; la faiblesse n'est pas la fausseté, mais elle en tient lieu et elle en remplit les fonctions ; le respect que doivent inspirer la vertu et le malheur du Roi saint et martyr rend tout jugement humain presque sacrilège.

---

1. Dans la mythologie, espèce de satyres.

11

Assemblée constituante.

Les députés quittèrent Versailles et tinrent leur première séance le 19 octobre, dans une des salles de l'archevêché. Le 9 novembre, ils se transportèrent dans l'enceinte du Manège, près des Tuileries. Le reste de l'année 1789 vit les décrets qui dépouillèrent le clergé, détruisirent l'ancienne magistrature et créèrent les assignats, l'arrêté de la commune de Paris pour le premier comité des recherches, et le mandat des juges pour la poursuite du marquis de Favras [1].

L'Assemblée constituante, malgré ce qui peut lui être reproché, n'en reste pas moins la plus illustre congrégation [2] populaire qui jamais ait paru chez les nations, tant par la grandeur de ses transactions, que par l'immensité de leurs résultats. Il n'y a si haute question politique qu'elle n'ait touchée et convenablement résolue. Que serait-ce, si elle s'en fût tenue aux cahiers des États-Généraux et n'eût pas essayé d'aller au-delà ! Tout ce que l'expérience et l'intelligence humaine avaient conçu, découvert et élaboré pendant trois siècles, se trouve dans ces cahiers [3]. Les abus divers de l'ancienne monarchie y sont indiqués et les remèdes proposés ; tous les genres de liberté sont réclamés, même la liberté de la presse ; toutes les améliorations demandées, pour l'industrie, les manufactures, le commerce, les chemins, l'armée, l'impôt, les finances, les

---

1. 2 novembre : mise à la disposition de la nation des biens ecclésiastiques. 3 novembre : décret de vacance de tous les parlements. 19 décembre : création des assignats, initialement gagés sur les biens de l'Église. Le marquis de Favras, homme du comte de Provence, avait proposé un plan secret d'évasion du roi ; l'affaire, sans doute montée par La Fayette, aboutit à la pendaison du marquis en place de Grève le 19 février 1790. Le Comité des recherches de la commune, organe de la police municipale de Paris, est créé fin septembre 1789 ; il disparaîtra le 13 octobre 1791.
2. Assemblée.
3. Cahiers de doléance rédigés par la population et qui accompagnaient les députés lors des États-Généraux. En général, les cahiers du tiers état de 1789 demandaient la suppression des droits féodaux, l'égalité devant les impôts, une justice plus simple et une définition des droits du sujet face au pouvoir royal

écoles, l'éducation publique, etc. Nous avons traversé sans
profit des abîmes de crimes et des tas de gloire ; la République
et l'Empire n'ont servi à rien : l'Empire a seulement
réglé la force brutale des bras que la République avait mis
en mouvement ; il nous a laissé la centralisation, administration
vigoureuse que je crois un mal, mais qui peut-être
pouvait seule remplacer les administrations locales alors
qu'elles étaient détruites et que l'anarchie avec l'ignorance
étaient dans toutes les têtes. À cela près, nous n'avons pas
fait un pas depuis l'Assemblée constituante : ses travaux
sont comme ceux du grand médecin de l'Antiquité [1], lesquels
ont à la fois reculé et posé les bornes de la science.
Parlons de quelques membres de cette Assemblée, et arrêtons-nous
à Mirabeau qui les résume et les domine tous.

12

Paris, novembre 1821.

Mirabeau [2].

Mêlé par les désordres et les hasards de sa vie aux plus
grands événements et à l'existence des repris de justice, des

---

1. Hippocrate.
2. Honoré Riquetti de Mirabeau (1749-1791) est une des principales
figures du début de la Révolution. Il est issu d'une famille d'origine italienne.
Son père, le *marquis de Mirabeau* (1715-1789) est l'un des maîtres
de l'école physiocratique ; il publie en 1757 *L'Ami des Hommes*, défendant
l'idée que la population est la première richesse, faisant l'éloge de
l'agriculture et prônant la liberté du commerce. Mari détestable, il est aussi
un père tyrannique qui fait emprisonner quatre fois son fils. Il entretient
une abondante correspondance avec son frère, le *bailli de Mirabeau*
(1717-1794). Mirabeau avait un frère, le *vicomte de Mirabeau* (1754-
1795), surnommé Mirabeau-tonneau, député de la noblesse aux États-
Généraux, fervent défenseur de la monarchie et rédacteur des *Actes des
Apôtres*, revue royaliste ; il émigre en juin 1790 et lève la légion des Hussards
de la Mort.
Avant la Révolution, Mirabeau est connu pour sa vie licencieuse qui le
mène souvent en prison (sept années au total). Évadé du fort de Joux en
1766, il enlève sa maîtresse Sophie de Monnier, à qui il a écrit les
fameuses *Lettres à Sophie*, publiées après sa mort. Il ne réussit pas à se
faire élire aux états généraux par la noblesse de la sénéchaussée d'Aix et

260 Mémoires d'Outre-Tombe

ravisseurs et des aventuriers, Mirabeau, tribun de l'aristocratie, député de la démocratie, avait du Gracchus et du don
Juan, du Catilina et du Gusman d'Alfarache, du cardinal de
Richelieu et du cardinal de Retz, du roué de la Régence et
du sauvage de la Révolution [1] ; il avait de plus du *Mirabeau*,
famille florentine exilée, qui gardait quelque chose de ces
palais armés et de ces grands factieux célébrés par Dante [2] ;
famille naturalisée française, où l'esprit républicain du
Moyen Âge de l'Italie et l'esprit féodal de notre Moyen
Âge se trouvaient réunis dans une succession d'hommes
extraordinaires.

La laideur de Mirabeau, appliquée sur le fond de beauté
particulière à sa race, produisait une sorte de puissante
figure du *Jugement dernier* de Michel-Ange, compatriote
des *Arrighetti*. Les sillons creusés par la petite vérole sur
le visage de l'orateur avaient plutôt l'air d'escarres laissées
par la flamme. La nature semblait avoir moulé sa tête pour
l'empire ou pour le gibet, taillé ses bras pour étreindre une
nation ou pour enlever une femme. Quand il secouait sa cri-

Marseille, mais sera élu par le tiers état Il est un des principaux orateurs
des États-Généraux (« Nous sommes ici par la volonté du peuple et nous
n'en sortirons que par la force des baïonnettes. ») et de la Constituante,
usant d'un extraordinaire ascendant (« Quand je secoue ma terrible hure,
dit-il dans ses *Mémoires*, il n'y a personne qui ose m'interrompre »). À
partir de 1790, il se rapproche de la Cour, qui s'en méfie, et conseille
secrètement le roi (moyennant subsides). Quand Mirabeau meurt, il a
perdu l'essentiel de son influence et de sa popularité. On découvrit aux
Tuileries, en novembre 1792, une *armoire de fer* (coffre-fort secret) où
Louis XVI avait gardé ses correspondances secrètes avec Dumouriez, La
Fayette, Mirabeau, etc. C'est alors que Mirabeau, d'abord enterré au Panthéon, en fut délogé (novembre 1793).
L'admirable portrait de Chateaubriand obéit à un schéma classique d'anti-
thèses. Mme de Staël, dans les *Considérations sur la Révolution française*
(II, 1), fait une place égale à ce personnage hors du commun.
1. Tiberius Gracchus, tribun de la plèbe en 133 av. J.-C. et auteur d'une
réforme agraire révolutionnaire. Catilina, homme de main du parti populaire, aventurier dépravé, arrêté dans sa conspiration par Cicéron (63). Ces
comparaisons étaient déjà faites par les contemporains de Mirabeau. Gusman d'Alfarache : héros d'un roman picaresque de Mateo Aleman, adapté
par Le Sage en 1732. Cardinal de Retz (1613-1679) : prélat agitateur, un
des principaux chefs de la Fronde. Roué : débauché, par analogie avec
les brigands suppliciés sur la roue.
2. Dante fut le témoin et la victime des luttes intestines des familles de
Florence, qu'il fit apparaître dans la *Divine Comédie*.

nière en regardant le peuple, il l'arrêtait ; quand il levait sa patte et montrait ses ongles, la plèbe courait furieuse. Au milieu de l'effroyable désordre d'une séance, je l'ai vu à la tribune, sombre, laid et immobile : il rappelait le chaos de Milton [1], impassible et sans forme au centre de sa confusion.

Mirabeau tenait de son père et de son oncle qui, comme Saint-Simon, écrivaient à la diable des pages immortelles [2]. On lui fournissait des discours pour la tribune : il en prenait ce que son esprit pouvait amalgamer à sa propre substance. S'il les adoptait en entier, il les débitait mal ; on s'apercevait qu'ils n'étaient pas de lui par des mots qu'il y mêlait d'aventure, et qui le révélaient. Il tirait son énergie de ses vices ; ces vices ne naissaient pas d'un tempérament frigide, ils portaient sur des passions profondes, brûlantes, orageuses. Le cynisme des mœurs ramène dans la société, en annihilant le sens moral, une sorte de barbares ; ces barbares de la civilisation, propres à détruire comme les Goths, n'ont pas la puissance de fonder comme eux : ceux-ci étaient les énormes enfants d'une nature vierge, ceux-là sont les avortons monstrueux d'une nature dépravée.

Deux fois j'ai rencontré Mirabeau à un banquet, une fois chez la nièce de Voltaire, la marquise de Villette [3], une autre fois au Palais-Royal, avec des députés de l'opposition que Chapelier [4] m'avait fait connaître : Chapelier est allé à l'échafaud, dans le même tombereau que mon frère et M. de Malesherbes.

Mirabeau parla beaucoup, et surtout beaucoup de lui. Ce fils des lions, lion lui-même à tête de chimère, cet homme si positif dans les faits, était tout roman, tout poésie, tout enthousiasme par l'imagination et le langage ; on recon-

---

1. *Le Paradis perdu*, voir p. 168, n. 1.
2. Expression utilisée dans la *Vie de Rancé*, p 125
3. Voir p. 276, n. 4.
4. Isaac Le Chapelier (1754-1794) est député du Tiers-État de Rennes et fondateur du club Breton. Il préside l'Assemblée lors de la séance du 4 août, est l'auteur de la loi Le Chapelier (14 juin 1791) qui interdit les associations professionnelles (syndicats). Modéré, il passe au club des Feuillants Rentré à Rennes à la fin de son mandat, il est guillotiné à Paris le 22 avril 1794. Autre enthousiaste débordé par la Révolution.

naissait l'amant de Sophie, exalté dans ses sentiments et capable de sacrifice. « Je la trouvai, dit-il, cette femme adorable ; … je sus ce qu'était son âme, cette âme formée des mains de la nature dans un moment de magnificence. »

Mirabeau m'enchanta de récits d'amour, de souhaits de retraite dont il bigarrait des discussions arides. Il m'intéressait encore par un autre endroit : comme moi, il avait été traité sévèrement par son père, lequel avait gardé, comme le mien, l'inflexible tradition de l'autorité paternelle absolue.

Le grand convive s'étendit sur la politique étrangère, et ne dit presque rien de la politique intérieure ; c'était pourtant ce qui l'occupait ; mais il laissa échapper quelques mots d'un souverain mépris contre ces hommes se proclamant supérieurs, en raison de l'indifférence qu'ils affectent pour les malheurs et les crimes. Mirabeau était né généreux, sensible à l'amitié, facile à pardonner les offenses. Malgré son immoralité, il n'avait pu fausser sa conscience : il n'était corrompu que pour lui, son esprit droit et ferme ne faisait pas du meurtre une sublimité de l'intelligence ; il n'avait aucune admiration pour des abattoirs et des voiries [1].

Cependant, Mirabeau ne manquait pas d'orgueil ; il se vantait outrageusement ; bien qu'il se fût constitué marchand de drap pour être élu par le tiers état (l'ordre de la noblesse ayant eu l'honorable folie de le rejeter), il était épris de sa naissance : *oiseau hagard, dont le nid fut entre quatre tourelles*, dit son père. Il n'oubliait pas qu'il avait paru à la cour, monté dans les carrosses et chassé avec le Roi [2]. Il exigeait qu'on le qualifiât du titre de comte ; il tenait à ses couleurs, et couvrit ses gens de livrée quand tout le monde la quitta. Il citait à tout propos et hors de propos *son parent*, l'amiral de Coligny. Le *Moniteur* l'ayant appelé Riquet : « Savez-vous », dit-il avec emportement au journaliste, « qu'avec votre Riquet, vous avez désorienté l'Europe pendant trois jours ? » Il répétait cette plaisanterie impudente et si connue : « Dans une autre famille, mon frère le vicomte serait l'homme d'esprit et le mauvais sujet ;

---

1 Décharges.
2 Voir *Mémoires*, IV, 9 et p 190, n. 2.

dans ma famille, c'est le sot et l'homme de bien. » Des biographes attribuent ce mot au vicomte, se comparant avec humilité aux autres membres de la famille.

Le fond des sentiments de Mirabeau était monarchique ; il a prononcé ces belles paroles : « J'ai voulu guérir les Français de la superstition de la monarchie et y substituer son culte. » Dans une lettre, destinée à être mise sous les yeux de Louis XVI, il écrivait : « Je ne voudrais pas avoir travaillé seulement à une vaste destruction. » C'est cependant ce qui lui est arrivé : le ciel, pour nous punir de nos talents mal employés, nous donne le repentir de nos succès.

Mirabeau remuait l'opinion avec deux leviers : d'un côté, il prenait son point d'appui dans les masses dont il s'était constitué le défenseur en les méprisant ; de l'autre, quoique traître à son ordre, il en soutenait la sympathie par des affinités de caste et des intérêts communs. Cela n'arriverait pas au plébéien, champion des classes privilégiées ; il serait abandonné de son parti sans gagner l'aristocratie, de sa nature ingrate et ingagnable, quand on n'est pas né dans ses rangs. L'aristocratie ne peut d'ailleurs improviser un noble, puisque la noblesse est fille du temps.

Mirabeau a fait école. En s'affranchissant des liens moraux, on a rêvé qu'on se transformait en homme d'État. Ces imitations n'ont produit que de petits pervers : tel qui se flatte d'être corrompu et voleur n'est que débauché et fripon ; tel qui se croit vicieux n'est que vil ; tel qui se vante d'être criminel n'est qu'infâme.

Trop tôt pour lui, trop tard pour elle, Mirabeau se vendit à la cour, et la cour l'acheta. Il mit en enjeu sa renommée devant une pension et une ambassade : Cromwell fut au moment de troquer son avenir contre un titre et l'ordre de la Jarretière [1]. Malgré sa superbe, Mirabeau ne s'évaluait pas assez haut. Maintenant que l'abondance du numéraire et des places a élevé le prix des consciences, il n'y a pas de sautereau [2] dont l'acquêt ne coûte des centaines de

1. Nouvelle comparaison avec un autre révolutionnaire, Cromwell. L'ordre de la Jarretière est la décoration la plus élevée du royaume d'Angleterre.
2. Voir p. 84, n. 2 ; acquêt : acquisition (juridique).

mille francs et les premiers honneurs de l'État. La tombe délia Mirabeau de ses promesses, et le mit à l'abri des périls, que vraisemblablement il n'aurait pu vaincre : sa vie eût montré sa faiblesse dans le bien ; sa mort l'a laissé en possession de sa force dans le mal.

En sortant de notre dîner, on discutait des ennemis de Mirabeau ; je me trouvais à côté de lui et n'avais pas prononcé un mot. Il me regarda en face avec ses yeux d'orgueil, de vice et de génie, et, m'appliquant sa main sur l'épaule, il me dit : « Ils ne me pardonneront jamais ma supériorité ! » Je sens encore l'impression de cette main, comme si Satan m'eût touché de sa griffe de feu [1].

Lorsque Mirabeau fixa ses regards sur un jeune muet, eut-il un pressentiment de mes futuritions [2] ? pensa-t-il qu'il comparaîtrait un jour devant mes souvenirs ? J'étais destiné à devenir l'historien de hauts personnages : ils ont défilé devant moi, sans que je me sois appendu à leur manteau pour me faire traîner avec eux à la postérité.

Mirabeau a déjà subi la métamorphose qui s'opère parmi ceux dont la mémoire doit demeurer ; porté du Panthéon à l'égout, et reporté de l'égout au Panthéon, il s'est élevé de toute la hauteur du temps qui lui sert aujourd'hui de piédestal. On ne voit plus le Mirabeau réel, mais le Mirabeau idéalisé, le Mirabeau tel que le font les peintres, pour le rendre le symbole ou le mythe de l'époque qu'il représente : il devient ainsi plus faux et plus vrai. De tant de réputations, de tant d'acteurs, de tant d'événements, de tant de ruines, il ne restera que trois hommes, chacun d'eux attaché à chacune des trois grandes époques révolutionnaires, Mirabeau pour l'aristocratie, Robespierre pour la démocratie, Bonaparte pour le despotisme ; la monarchie restaurée n'a rien : la France a payé cher trois renommées que ne peut avouer la vertu.

---

1. Chateaubriand a supprimé cette amusante note : « Mirabeau se vantait d'avoir la main très belle ; je ne m'y oppose pas ; mais j'étais fort maigre et il était fort gros, et sa main me couvrait toute l'épaule »
2. Avenir virtuel (théologique).

13

Paris, décembre 1821.

Séances de l'Assemblée nationale.
Robespierre.

Les séances de l'Assemblée nationale offraient un intérêt dont les séances de nos *chambres* sont loin d'approcher.
On se levait de bonne heure pour trouver place dans les
tribunes encombrées. Les députés arrivaient en mangeant,
causant, gesticulant ; ils se groupaient dans les diverses parties de la salle, selon leurs opinions. Lecture du procès-ver-
bal ; après cette lecture, développement du sujet convenu,
ou motion extraordinaire. Il ne s'agissait pas de quelque
article insipide de loi ; rarement une destruction manquait
d'être à l'ordre du jour. On parlait pour ou contre ; tout le
monde improvisait bien ou mal. Les débats devenaient ora-
geux ; les tribunes se mêlaient à la discussion, applaudis-
saient et glorifiaient, sifflaient et huaient les orateurs. Le
président agitait sa sonnette ; les députés s'apostrophaient
d'un banc à l'autre. Mirabeau le jeune prenait au collet son
compétiteur ; Mirabeau l'aîné criait : « Silence aux *trente
voix* [1] ! » Un jour, j'étais placé derrière l'opposition royaliste ; j'avais devant moi un gentilhomme dauphinois, noir
de visage, petit de taille, qui sautait de fureur sur son siège,
et disait à ses amis : « Tombons, l'épée à la main, sur ces
gueux-là. » Il montrait le côté de la majorité. Les dames
de la Halle, tricotant dans les tribunes, l'entendirent, se
levèrent et crièrent, toutes à la fois, leurs chausses à la main,
l'écume à la bouche : « À la lanterne [2] ! » Le vicomte de
Mirabeau, Lautrec et quelques jeunes nobles voulaient donner l'assaut aux tribunes.
Bientôt ce fracas était étouffé par un autre ; des péti-

---

1. Apostrophe célèbre aux députés d'extrême gauche (Pétion, Robespierre), lors du débat sur l'émigration que Mirabeau présidait en février
1791
2. Cri des sans-culottes et des tricoteuses : les personnes que l'on lyn-
chait étaient finalement pendues à un réverbère.

tionnaires, armés de piques, paraissaient à la barre : « Le peuple meurt de faim, disaient-ils ; il est temps de prendre des mesures contre les aristocrates et de s'élever à la hauteur des circonstances. » Le président assurait ces citoyens de son respect : « On a l'œil sur les traîtres, répondait-il, et l'Assemblée fera justice. » Là-dessus, nouveau vacarme : les députés de droite s'écriaient qu'on allait à l'anarchie ; les députés de gauche répliquaient que le peuple était libre d'exprimer sa volonté, qu'il avait le droit de se plaindre des fauteurs [1] du despotisme, assis jusque dans le sein de la représentation nationale : ils désignaient ainsi leurs collègues à ce peuple souverain, qui les attendait au réverbère.

Les séances du soir l'emportaient en scandale sur les séances du matin : on parle mieux et plus hardiment à la lumière des lustres. La salle du Manège était alors une véritable salle de spectacle, où se jouait un des plus grands drames du monde. Les premiers personnages appartenaient encore à l'ancien ordre de choses ; leurs terribles remplaçants, cachés derrière eux, parlaient peu ou point [2]. À la fin d'une discussion violente, je vis monter à la tribune un député d'un air commun, d'une figure grise et inanimée, régulièrement coiffé, proprement habillé comme le régisseur d'une bonne maison, ou comme un notaire de village soigneux de sa personne. Il fit un rapport long et ennuyeux ; on ne l'écouta pas ; je demandai son nom : c'était Robespierre. Les gens à souliers étaient prêts à sortir des salons, et déjà les sabots heurtaient à la porte.

---

1. Fauteur : qui favorise, partisan actif.
2 Quand l'*Assemblée constituante* issue des États-Généraux se sépara le 30 septembre 1791, elle décida que ses membres n'étaient pas rééligibles : erreur capitale qui renouvela complètement le personnel politique et amena à l'*Assemblée législative* des personnalités plus radicales, liées au club des Jacobins (Carnot, Couthon). Robespierre, député à la Constituante (il fut acclamé lors de sa séparation), ne faisait donc pas partie de la Législative ; il se replia alors sur le club des Jacobins et la Commune de Paris. En septembre 1792, il fut élu à la *Convention*.

14

Paris, décembre 1821.

Société. – Aspect de Paris.

Lorsque avant la Révolution, je lisais l'histoire des troubles publics chez divers peuples, je ne concevais pas comment on avait pu vivre en ces temps-là ; je m'étonnais que Montaigne écrivît si gaillardement dans un château dont il ne pouvait faire le tour sans courir le risque d'être enlevé par des bandes de ligueurs ou de protestants.

La Révolution m'a fait comprendre cette possibilité d'existence. Les moments de crise produisent un redoublement de vie chez les hommes. Dans une société qui se dissout et se recompose, la lutte des deux génies, le choc du passé et de l'avenir, le mélange des mœurs anciennes et des mœurs nouvelles, forment une combinaison transitoire qui ne laisse pas un moment d'ennui. Les passions et les caractères en liberté se montrent avec une énergie qu'ils n'ont point dans la cité bien réglée. L'infraction des lois, l'affranchissement des devoirs, des usages et des bienséances, les périls même ajoutent à l'intérêt de ce désordre. Le genre humain en vacances se promène dans la rue, débarrassé de ses pédagogues, rentré pour un moment dans l'état de nature, et ne recommençant à sentir la nécessité du frein social, que lorsqu'il porte le joug des nouveaux tyrans enfantés par la licence.

Je ne pourrais mieux peindre la société de 1789 et 1790 qu'en la comparant à l'architecture du temps de Louis XII et de François Ier, lorsque les ordres grecs se vinrent mêler au style gothique, ou plutôt en l'assimilant à la collection des ruines et des tombeaux de tous les siècles, entassés pêle-mêle après la Terreur dans les cloîtres des Petits-Augustins [1] : seulement, les débris dont je parle étaient vivants et variaient

---

1. Le Musée des Monuments français, installé dans l'ancien couvent des Petits-Augustins, fut constitué par Alexandre Lenoir (1761-1839) à partir de 1790 et ouvert en 1795. Il réunissait des objets d'art, surtout des sculptures, provenant des biens ecclésiastiques vendus ou détruits, et arra-

sans cesse. Dans tous les coins de Paris, il y avait des
réunions littéraires, des sociétés politiques et des spectacles ;
les renommées futures erraient dans la foule sans être
connues, comme les âmes au bord du Léthé [1] avant d'avoir
joui de la lumière. J'ai vu le maréchal Gouvion-Saint-Cyr [2]
remplir un rôle, sur le théâtre du Marais, dans *La Mère coupable* [3] de Beaumarchais. On se transportait du club des
Feuillants au club des Jacobins [4], des bals et des maisons de
jeu aux groupes du Palais-Royal, de la tribune de l'Assemblée nationale à la tribune en plein vent. Passaient et repassaient dans les rues des députations populaires, des piquets
de cavalerie, des patrouilles d'infanterie. Auprès d'un
homme en habit français, tête poudrée, épée au côté, chapeau
sous le bras, escarpins et bas de soie, marchait un homme,
cheveux coupés et sans poudre, portant le frac anglais et la
cravate américaine [5]. Aux théâtres, les acteurs publiaient les

chés non sans peine au vandalisme révolutionnaire. Ce bric-à-brac très
visité contribua fortement à la vogue du gothique. Les collections furent
déménagées au Louvre en 1816 et le site occupé par l'école des Beaux-
Arts, qui y est toujours.
1. Fleuve des Enfers dans la mythologie grecque (Virgile, *Énéide*, chant
VI).
2. (1764-1830) Entré à l'état-major de la garde nationale en 1789, il sera
le successeur de Hoche à la tête de l'armée de Rhin-et-Moselle en 1797.
Peu favorable à Napoléon, il n'est fait maréchal qu'à la campagne de Russie en 1812. Rallié à Louis XVIII, il sera plusieurs fois ministre de la
Guerre sous la Restauration et réorganisera l'armée (loi Gouvion-Saint-
Cyr du 12 mars 1818). Il est exact qu'il a fait du dessin, de la peinture et
du théâtre avant d'entrer à la garde nationale.
3 Dernière pièce de la trilogie de Figaro, créée le 26 juin 1792. Chateaubriand séjourna à Paris, après son retour d'Amérique, de mars à juillet 1792
4. Ces clubs politiques tiennent leurs noms des anciens couvents où se
déroulaient leurs séances. Les Jacobins dérivent du club Breton, créé à Versailles avant le transfert de l'Assemblée à Paris. Au club, progressivement
ouvert à tous, on discutait à l'avance de l'ordre du jour de la Constituante.
Après la fusillade du Champ-de-Mars, le 17 juillet 1791, les éléments
modérés firent scission et créèrent le *club des Feuillants*, club royaliste
modéré (La Fayette, le triumvirat Barnave-Duport-Lameth), qui disparut
après le 10 août. Les Jacobins devinrent un groupe de pression de plus en
plus puissant, relayé par la Commune insurrectionnelle de Paris. Après
les massacres de septembre, les Girondins abandonnèrent les Jacobins aux
Montagnards. Le club fut dès lors l'organe le plus puissant en France, dic-
tant la loi de Robespierre à la Convention. Il fut interdit après Thermidor.
5. Dans les *Considérations*, Mme de Staël décrit avec émotion la perruque
poudrée de Louis XVI au milieu des têtes nues des sans-culottes.

nouvelles ; le parterre entonnait des couplets patriotiques.
Des pièces de circonstance attiraient la foule : un abbé paraissait sur la scène ; le peuple lui criait : « Calotin ! calotin ! »
et l'abbé répondait : « Messieurs, vive la nation ! » On courait entendre chanter Mandini et sa femme, Viganoni et
Rovedino à l'*Opera-Buffa*, après avoir entendu hurler *Ça
ira* ; on allait admirer madame Dugazon, madame Saint-
Aubin, Carline, la petite Olivier, mademoiselle Contat, Molé,
Fleury, Talma débutant, après avoir vu pendre Favras [1].

Les promenades au boulevard du Temple et à celui des
Italiens, surnommé *Coblentz* [2], les allées du jardin des Tuileries, étaient inondées de femmes pimpantes : trois jeunes
filles de Grétry [3] y brillaient, blanches et roses comme leur
parure : elles moururent bientôt toutes trois. « Elle s'endormit pour jamais », dit Grétry en parlant de sa fille aînée,
« assise sur mes genoux, aussi belle que pendant sa vie. »
Une multitude de voitures sillonnaient les carrefours où
barbotaient [4] les sans-culottes, et l'on trouvait la belle
madame de Buffon [5], assise seule dans un phaéton [6] du

---

1 Énumération des chanteurs de l'Opéra italien et des acteurs de la Comédie-Française les plus en vogue. Confirmant l'impression de vitalité dégagée
par le récit de Chateaubriand (même idée chez Mme de Staël), les théâtres
foisonnent entre 1791 et 1793, libres de toute censure et de tout privilège.
Charles IX de M.-J. Chénier remporte un grand succès en 1789, qui n'est dû
qu'au talent de Talma et aux circonstances politiques. Flins des Oliviers (voir
IV, 11) se fait une spécialité de pièces à caractère anti-clérical. Le public, révolutionnaire ou royaliste suivant les théâtres, commente bruyamment les spectacles. L'Opéra et la Comédie-Française furent durement touchés par les querelles politiques (Talma était républicain). Outre ces deux grands théâtres, il
y avait à Paris deux théâtres d'opéra-comique : le théâtre Favart (encore appelé
Comédie-Italienne, car il résultat de la fusion des Italiens et de l'Opéra-
Comique de la Foire en 1762) et le théâtre Feydeau (*Théâtre de Monsieur*,
créé en 1789), de tendance politique opposée. La troupe italienne, installée à
Paris depuis janvier 1789, séjournait aussi au théâtre Feydeau ; elle quitta Paris
après le 10 août. Sur Favras, voir p 258, n. 1
2. Coblence est le quartier général des frères du roi à partir de juillet 1791
et le lieu de rassemblement des émigrés. Le boulevard des Italiens est le
centre de la vie mondaine à la fin du XVIIIᵉ siècle à Paris, lieu de rassemblement des royalistes, d'où le surnom.
3. Le musicien Grétry (1741-1813), gloire de l'opéra-comique de la fin
du siècle, écrivit aussi trois volumes de *Mémoires*, publiés en 1796-1797.
4. Marmottaient.
5. Belle-fille de Buffon, maîtresse du duc d'Orléans.
6. Petite voiture à quatre roues légère et découverte.

duc d'Orléans, stationné à la porte de quelque club.

L'élégance et le goût de la société aristocratique se retrouvaient à l'hôtel de La Rochefoucauld, aux soirées de mesdames de Poix, d'Hénin, de Simiane, de Vaudreuil [1], dans quelques salons de la haute magistrature, restés ouverts. Chez M. Necker, chez M. le comte de Montmorin, chez les divers ministres, se rencontraient (avec madame de Staël, la duchesse d'Aiguillon, mesdames de Beaumont et de Sérilly [2]) toutes les nouvelles illustrations de la France, et toutes les libertés des nouvelles mœurs. Le cordonnier en uniforme d'officier de la garde nationale prenait à genoux la mesure de votre pied ; le moine, qui le vendredi traînait sa robe noire ou blanche, portait le dimanche le chapeau rond et l'habit bourgeois ; le capucin, rasé, lisait le journal à la guinguette, et dans un cercle de femmes folles paraissait une religieuse gravement assise : c'était une tante ou une sœur mise à la porte de son monastère. La foule visitait ces couvents ouverts au monde, comme les voyageurs parcourent, à Grenade les salles abandonnées de l'Alhambra [3], ou comme ils s'arrêtent, à Tibur [4], sous les colonnes du temple de la Sibylle.

----

1. Le duc de La Rochefoucauld-Liancourt (1747-1827), grand aristocrate libéral, agronome ; il émigra après le 10 août et fut pair de France sous la Restauration. Le prince de Poix (1752-1819) représente la seconde branche des Noailles (*comtes de Noailles*) : il est fils du maréchal de Noailles, lui-même maréchal de camp et député aux États-Généraux, frère de la duchesse de Duras et beau-père de Nathalie de Noailles, futures amies de Chateaubriand. Ces aristocrates libéraux sont alors au premier rang des acteurs de la Révolution, tous membres actifs du club des Feuillants.
2. Mme de Staël, mariée en 1786 à l'ambassadeur de Suède, était le principal ornement du salon de sa mère, Mme Necker. Elle avait déjà publié en 1788 les *Lettres sur le caractère et les écrits de J.-J. Rousseau*, et s'occupait activement de politique, s'attirant déjà la vindicte de certains royalistes ; depuis 1788, elle était la maîtresse du comte de Narbonne, futur ministre de la Guerre ; en 1791, elle prit activement part à l'élaboration de la Constitution ; elle soutint les Girondins en 1792 et fuit lors des massacres de septembre auxquels elle échappa de bien peu. Mme de Beaumont, fille du comte de Montmorin, sera la maîtresse de Chateaubriand à son retour d'émigration. Mme de Sérilly, sa cousine, lui donnera asile au château de Sérilly, près de Villeneuve-sur-Yonne, après l'arrestation de toute sa famille ; elle épousera un ami de Mme de Staël, François de Pange.
3. Souvenir du voyage en Espagne, utilisé, en 1810, dans *Les Aventures du dernier Abencérage* (p. 218-223).
4. Nom antique de Tivoli.

Du reste, force duels et amours, liaisons de prison et fraternité de politique, rendez-vous mystérieux parmi les ruines, sous un ciel serein, au milieu de la paix et de la poésie de la nature ; promenades écartées, silencieuses, solitaires, mêlées de serments éternels et de tendresses infinissables [1], au sourd fracas d'un monde qui fuyait, au bruit lointain d'une société croulante, qui menaçait de sa chute ces félicités placées au pied des événements. Quand on s'était perdu de vue vingt-quatre heures, on n'était pas sûr de se retrouver jamais. Les uns s'engageaient dans les routes révolutionnaires, les autres méditaient la guerre civile ; les autres partaient pour l'Ohio, où ils se faisaient précéder de plans de châteaux à bâtir chez les Sauvages [2] ; les autres allaient rejoindre les Princes [3] : tout cela allègrement sans avoir souvent un sou dans sa poche : les royalistes affirmant que la chose finirait un de ces matins par un arrêt du parlement ; les patriotes, tout aussi légers dans leurs espérances, annonçant le règne de la paix et du bonheur avec celui de la liberté. On chantait :

> La sainte chandelle d'Arras,
> Le flambeau de la Provence [4],
> S'ils ne nous éclairent pas,
> Mettent le feu dans la France ;
> On ne peut pas les toucher,
> Mais on espère les moucher.

Et voilà comme on jugeait Robespierre et Mirabeau ! « Il est aussi peu en la puissance de toute faculté terrienne, dit l'Estoile, d'engarder [5] le peuple françois de parler, que d'enfouir le soleil en terre ou l'enfermer dedans un trou [6]. »

---

1. Archaïque.
2. Un groupe de colons aristocrates partit en 1790 pour fonder l'année suivante la ville de Gallipolis au confluent du Scioto et de l'Ohio (voir *Voyage en Amérique*, « Introduction », in *Œuvres romanesques et voyages*, p 667).
3. Le prince de Condé a son état-major à Worms et les frères du Roi à Coblence. L'armée des Princes ne s'illustrera qu'au siège de Thionville (septembre-octobre 1792). Passée sous commandement autrichien en 1793, transportée en 1797 en Russie, elle sera licenciée seulement en 1801.
4. Robespierre, natif d'Arras, et Mirabeau, député de Provence.
5. Empêcher.
6. *Mémoires et Journal de Pierre de l'Estoile*, de l'époque des guerres de religion (collection Petitot, 1825).

Le palais des Tuileries, grande geôle remplie de condamnés, s'élevait au milieu de ces fêtes de la destruction. Les sentenciés jouaient aussi en attendant la *charrette*, la *tonte*, la *chemise rouge* [1] qu'on avait mise sécher, et l'on voyait à travers les fenêtres les éblouissantes illuminations du cercle de la Reine.

Des milliers de brochures et de journaux pullulaient ; les satires et les poèmes, les chansons des *Actes des Apôtres*, répondaient à *L'Ami du peuple* [2] ou au *Modérateur* [3] du club monarchien, rédigé par Fontanes ; Mallet-Dupan, dans la partie politique du *Mercure*, était en opposition avec Laharpe et Chamfort dans la partie littéraire du même journal [4]. Champcenetz, le marquis de Bonnay [5], Rivarol [6], Boniface Mirabeau le cadet [7] (le Holbein d'épée, qui leva

---

1. Chemise revêtue par les condamnés pour leur exécution.
2. Voir p. 256, n. 3 et p. 259, n. 2.
3. *Journal de la Ville et des Provinces* ou *Le Modérateur*, fondé en octobre 1789 et dirigé par Fontanes à partir de 1790 (sur Fontanes, voir le dossier, p. 336). Le groupe monarchien ou *Société des Amis de la Constitution* (Lally-Tollendal, Clermont-Tonnerre, Malouet, Mounier, Mme de Staël) était partisan d'une monarchie parlementaire sur le modèle anglais, avec deux chambres. La Constitution de 1791 n'en instituera qu'une et le groupe se dissoudra alors de lui-même.
4. Jacques Mallet du Pan (1749-1800), journaliste suisse, rédacteur politique au *Mercure de France*, du parti des monarchiens. Il accomplit avant 1792 quelques missions diplomatiques secrètes d'apaisement. Émigré, il lutta constamment contre la Révolution. Sur La Harpe et Chamfort, tous deux très à gauche alors, voir le dossier, p. 331-337. Comme les théâtres, les journaux prolifèrent au début de la Révolution, libérés de toute censure : 250 titres créés en 1789, 350 en 1790 ! La plupart disparurent avec la Terreur.
5. Champcenetz : officier des gardes-françaises, rédacteur aux *Actes des Apôtres*, guillotiné en 1794. Bonnay (1750-1825), député aux États-Généraux, émigra en 1792 ; il fut fait pair de France à la Restauration et ambassadeur à Berlin (voir *Mémoires*, XXVI, 5).
6. Antoine Rivarol (1753-1801) est un brillant et spirituel causeur, maître de la maxime et du bon mot, rendu célèbre par son *Discours sur l'universalité de la langue française* (1784). Journaliste au *Mercure de France*, il publie, avec Champcenetz le *Petit Almanach de nos grands hommes* en 1788 ; dans la même veine satirique, c'est, en 1790, le *Petit Dictionnaire des grands hommes de la Révolution*. Collaborateur des *Actes des Apôtres*, il émigre en juin 1792.
7. Voir p. 259, n. 2. Boniface de Mirabeau mourut d'apoplexie en chargeant à la tête de ses hussards. La comparaison avec le peintre Holbein est peut-être due à son portrait d'Henri VIII, autre personnage de forte corpulence, ou à son séjour à Bâle, sur le Rhin.

sur le Rhin la légion des hussards de la Mort), Honoré
Mirabeau l'aîné, s'amusaient à faire en dînant, des carica-
tures et le *Petit Almanach des grands hommes* : Honoré
allait ensuite proposer la loi martiale ou la saisie des biens
du clergé. Il passait la nuit chez madame Jay, après avoir
déclaré qu'il ne sortirait de l'Assemblée nationale que par
la puissance des baïonnettes. *Égalité* [1] consultait le diable
dans les carrières de Montrouge, et revenait au jardin de
Monceaux présider les orgies dont Laclos était l'ordonna-
teur. Le futur régicide ne dégénérait point de sa race :
double prostitué, la débauche le livrait épuisé à l'ambition.
Lauzun, déjà fané, soupait dans sa petite maison à la barrière du Maine avec des danseuses de l'Opéra, entrecares-
sées de MM. de Noailles, de Dillon, de Choiseul, de Narbonne, de Talleyrand, et de quelques autres élégances du
jour dont il nous reste deux ou trois momies [2].

---

1. Philippe Égalité, c'est-à-dire le duc d'Orléans (1747-1793), arrière-
petit-fils du Régent. Le père de Louis-Philippe est la bête noire des royalistes – « l'infâme Orléans », dit Chateaubriand dans l'*Essai sur les Révolutions* (p. 71) – et sans doute n'est-il pas tout blanc dans les troubles
révolutionnaires. La famille d'Orléans a une tradition larvée d'opposition au roi. On le soupçonne d'avoir été l'instigateur de plusieurs émeutes
(c'était un des hommes les plus riches de France) pour déstabiliser Louis
XVI et se faire proclamer régent : pillage Réveillon, 5-6 octobre, affaire
du Champ-de-Mars. Député aux États-Généraux, il rallie tout de suite le
Tiers-État. En 1792, après l'abolition des titres de noblesse, il sollicite
de la Commune de Paris qu'on lui attribue un nouveau nom : la Commune
le baptise Philippe Égalité. Député à la Convention, il ira jusqu'à voter
la mort du roi son cousin, geste qui le déconsidérera aux yeux de tous, y
compris de Robespierre Les *carrières de Montrouge* visent son affiliation à la franc-maçonnerie et à d'autres sectes douteuses. Descendant du
Régent, Philippe Égalité hérite de sa réputation de débauche, accréditée
par ses nombreuses maîtresses et par un entourage de mauvaise réputation. Laclos, ancien ingénieur militaire, l'auteur des *Liaisons dangereuses*
(1782), comprises alors comme un livre libertin, lui est présenté par le
vicomte de Noailles et devient son secrétaire à partir de 1791. Encore
duc de Chartres (1778), il avait aménagé un parc et construit un pavillon
de plaisance dans la plaine Monceau (l'actuel parc Monceau).
2. Le vicomte de Noailles (1756-1804) est le frère du prince de Poix (voir
p. 270, n. 1), également député aux états généraux. Il se distingue par
son enthousiasme lors de la nuit du 4 août. Il servit d'abord la Révolution,
puis écœuré par l'indiscipline des troupes, il démissionna en mai 1792
pour servir en Amérique. Narbonne (1755-1813), l'amant de Mme de
Staël, devient ministre de la Guerre dans le cabinet girondin (1791-1792) ;
il émigre après le 10 août, rentre après le 18 brumaire et sert Napoléon ;

La plupart des courtisans, célèbres par leur immoralité, à la fin du règne de Louis XV et pendant le règne de Louis XVI, étaient enrôlés sous le drapeau tricolore : presque tous avaient fait la guerre d'Amérique et barbouillé leurs cordons [1] des couleurs républicaines. La Révolution les employa tant qu'elle se tint à une médiocre hauteur ; ils devinrent même les premiers généraux de ses armées. Le duc de Lauzun [2], le romanesque amoureux de la princesse Czartoriska, le coureur de femmes sur les grands chemins, le Lovelace qui *avait* celle-ci et puis qui *avait* celle-là, selon le noble et chaste jargon de la cour, le duc de Lauzun devenu duc de Biron, commandant pour la Convention dans la Vendée : quelle pitié ! Le baron de Bezenval [3], révélateur menteur et cynique des corruptions de la haute société, mouche de coche des puérilités de la vieille monarchie expirante, ce lourd baron compromis dans l'affaire de la Bastille, sauvé par M. Necker et par Mirabeau, uniquement parce qu'il était Suisse : quelle misère ! Qu'avaient à faire de pareils hommes avec de pareils événements ? Quand la Révolution eut grandi, elle abandonna avec dédain les frivoles apostats du trône : elle avait eu besoin de leurs vices, elle eut besoin de leurs

------

il passait pour être fils naturel de Louis XV. Les *momies* : le comte de Dillon, attaché au comte d'Artois, mourut en 1839 ; le duc de Choiseul, opposant à la chambre des Pairs sous la Restauration et aide de camp de Louis-Philippe après 1830, devait mourir en 1838 ; Talleyrand, pour qui Chateaubriand a toujours éprouvé le plus grand mépris (voir *Mémoires*, XLIII, 8), mourut la même année.

1. Décorations.
2. Amoureux de la princesse Czartoriska, Lauzun traversa deux fois à cheval toute l'Europe pour la rejoindre en Pologne. Il a laissé des *Mémoires*, fort spirituels, édités en 1822, qui s'arrêtent en 1784, où il conte surtout ses conquêtes : « M. le duc de Chartres, qui savait que j'*avais* lady Barrimore... » Pour le reste, voir p. 107, n. 3.
3. Pierre-Victor de Besenval (1722-1791), né à Soleure en Suisse, lieutenant-colonel des gardes suisses sous Louis XV, familier de Marie-Antoinette, est nommé à la tête des troupes massées autour de Paris en 1789. À ce poste, il ne fait rien, laisse les troubles augmenter dans la capitale et porte une lourde part de responsabilité dans la prise de la Bastille. Arrêté en même temps que le marquis de Favras, il est relâché, se cache et meurt de mort naturelle. Ses *Mémoires*, publiés par le comte de Ségur entre 1805 et 1807, réédités en 1821, sont surtout un recueil d'anecdotes scandaleuses.

têtes : elle ne méprisait aucun sang, pas même celui de la
du Barry [1].

15

Paris, décembre 1821.

Ce que je faisais au milieu de tout ce bruit.
Mes jours solitaires. – Mademoiselle Monet.
J'arrête avec M. de Malesherbes le plan de mon
voyage en Amérique.
Bonaparte et moi, sous-lieutenants ignorés.
Le marquis de La Rouërie.
Je m'embarque à Saint-Malo.
Dernières pensées en quittant la terre natale.

L'année 1790 compléta les mesures ébauchées de l'année 1789. Le bien de l'Église, mis d'abord sous la main
de la nation, fut confisqué, la constitution civile du clergé
décrétée, la noblesse abolie [2].
Je n'assistai pas à la Fédération de juillet 1790 : une
indisposition assez grave me retenait au lit ; mais je m'étais
fort amusé auparavant aux brouettes du Champ-de-Mars [3].
Madame de Staël a merveilleusement décrit cette scène.

---

1. L'ancienne maîtresse de Louis XV, cachée à Bougival, fut dénoncée
par un de ses domestiques. En échange de la révélation de la cache de
ses bijoux, elle se crut sauve et défaillit en se retrouvant sous le couperet
de la guillotine, le 8 décembre 1793.
2 La constitution civile du clergé, discutée en mai 1790, est votée article
par article jusqu'au 12 juillet : elle institue une Église fonctionnarisée, payée
par l'État sur la vente de ses biens, soumise à serment et réorganisée sur
un mode électif (élection des curés et des évêques). Le pape Pie VI la
condamnera seulement le 10 mars 1791. La noblesse héréditaire, les titres,
ordres militaires, armoiries et livrées sont supprimés par la Constituante le
19 juin 1790.
3. Pour préparer la Fête de la Fédération du 14 juillet 1790, les travaux
de terrassement nécessaires pour construire les gradins et l'autel où fut
célébrée la grand-messe présidée par Talleyrand, alors évêque d'Autun,
furent faits par des volontaires et les plus grandes dames de l'aristocratie
ne s'en privèrent pas (voir Mme de Staël, *Considérations sur la Révolution française*, II, 16).

Je regretterai toujours de n'avoir pas vu M. de Talleyrand dire la messe servie par l'abbé Louis [1], comme de ne l'avoir pas vu, le sabre au côté, donner audience à l'ambassadeur du Grand-Turc [2].

Mirabeau déchut de sa popularité dans l'année 1790 : ses liaisons avec la cour étaient évidentes. M. Necker résigna le ministère et se retira, sans que personne eût envie de le retenir. Mesdames, tantes du Roi, partirent pour Rome avec un passeport de l'Assemblée nationale. Le duc d'Orléans, revenu d'Angleterre, se déclara le très humble et très obéissant serviteur du Roi. Les sociétés des Amis de la Constitution, multipliées sur le sol, se rattachaient à Paris à la société mère, dont elles recevaient les inspirations et exécutaient les ordres [3].

La vie publique rencontrait dans mon caractère des dispositions favorables : ce qui se passait en commun m'attirait, parce que dans la foule je gardais ma solitude et n'avais point à combattre ma timidité. Cependant les salons, participant du mouvement universel, étaient un peu moins étrangers à mon allure, et j'avais, malgré moi, fait des connaissances nouvelles.

La marquise de Villette [4] s'était trouvée sur mon chemin. Son mari, d'une réputation calomniée, écrivait, avec Monsieur, frère du Roi, dans le *Journal de Paris*. Madame de Villette, charmante encore, perdit une fille de seize ans, plus charmante que sa mère, et pour laquelle le chevalier de Parny fit ces vers dignes de l'*Anthologie* :

> Au ciel elle a rendu sa vie,
> Et doucement s'est endormie,
> Sans murmurer contre ses lois :
> Ainsi le sourire s'efface,

---

1. Futur ministre des Finances de Louis XVIII (ministère Decazes).
2. Talleyrand sera ministre des Affaires étrangères de 1797 à 1799.
3. Voir p. 259, n. 2 ; p. 254, n. 2 ; p. 252, n. 2 ; p. 273, n. 1 et p. 272, n. 3.
4. (1757-1822) Chateaubriand en parle au chapitre XII comme nièce de Voltaire ; en réalité, elle fut adoptée par la nièce de Voltaire, Mme Denis, et c'est dans son hôtel, à l'angle de la rue de Beaune et du quai Voltaire, que le grand écrivain mourut. Son mari (1736-1793), ami de Voltaire, fut député de l'Oise à la Convention. Leur fille mourut en 1802.

Ainsi meurt sans laisser de trace
Le chant d'un oiseau dans les bois [1].

Mon régiment, en garnison à Rouen, conserva sa discipline assez tard. Il eut un engagement avec le peuple au
sujet de l'exécution du comédien Bordier [2], qui subit le dernier arrêt de la puissance parlementaire ; pendu la veille,
héros le lendemain, s'il eût vécu vingt-quatre heures de
plus. Mais, enfin, l'insurrection se mit parmi les soldats
de Navarre. Le marquis de Mortemart [3] émigra : les officiers le suivirent. Je n'avais ni adopté ni rejeté les nouvelles
opinions ; aussi peu disposé à les attaquer qu'à les servir,
je ne voulus ni émigrer ni continuer la carrière militaire : je
me retirai.

Dégagé de tous liens, j'avais, d'une part, des disputes
assez vives avec mon frère et le président de Rosambo ;
de l'autre, des discussions non moins aigres avec Ginguené,
Laharpe et Chamfort. Dès ma jeunesse, mon impartialité
politique ne plaisait à personne. Au surplus, je n'attachais
d'importance aux questions soulevées alors, que par des
idées générales de liberté et de dignité humaines ; la politique personnelle m'ennuyait ; ma véritable vie était dans
des régions plus hautes.

Les rues de Paris, jour et nuit encombrées de peuple, ne
me permettaient plus mes flâneries. Pour retrouver le
désert, je me réfugiai au théâtre : je m'établissais au fond
d'une loge, et laissais errer ma pensée aux vers de Racine,

---

1. Sur Parny, voir le dossier, p. 338. L'*Anthologie* est un important recueil
byzantin de poésies grecques, épigrammes, élégies, etc.
2. Meneur d'un coup de main populaire contre l'Intendance et l'hôtel de
ville de Rouen dans la nuit du 3 au 4 août 1789.
3. Le marquis de Mortemart (voir p. 183, n 2) quitta le régiment de
Navarre en 1790 à la suite d'une promotion ; il n'émigra qu'en 1792. Mais
6 000 officiers avaient déjà émigré à la fin de 1791. Chateaubriand ne
fut rayé des rôles du régiment qu'en septembre 1791 ; il était encore parti
en Amérique avec son uniforme. Les mutineries dans l'armée commencèrent à Nancy en août 1790 : les trois régiments stationnés là, Roi-infan-
terie, Mestre-de-Camp-général et Suisses de Châteauvieux, créèrent des
comités de soldats, insultèrent les officiers, refusèrent les ordres et firent
prisonnier le général Malseigne envoyé rétablir l'ordre. La répression fut
menée par le marquis de Bouillé (il y eut 43 exécutions capitales), mais
elle accrut les dissensions entre soldats et officiers. En 1792, les mutins
de Nancy furent déclarés héros et une fête en leur honneur fut instituée.

à la musique de Sacchini [1], ou aux danses de l'Opéra. Il faut que j'aie vu intrépidement vingt fois de suite, aux Italiens, *La Barbe-bleue* et *Le Sabot perdu* [2], m'ennuyant pour me désennuyer, comme un hibou dans un trou de mur ; tandis que la monarchie tombait, je n'entendais ni le craquement des voûtes séculaires, ni les miaulements du vaudeville, ni la voix tonnante de Mirabeau à la tribune, ni celle de Colin qui chantait à Babet sur le théâtre :

> Qu'il pleuve, qu'il vente ou qu'il neige,
> Quand la nuit est longue, on l'abrège.

M. Monet, directeur des mines, et sa jeune fille, envoyés par madame Ginguené, venaient quelquefois troubler ma sauvagerie : mademoiselle Monet se plaçait sur le devant de la loge ; je m'asseyais moitié content, moitié grognant, derrière elle. Je ne sais si elle me plaisait, si je l'aimais ; mais j'en avais bien peur. Quand elle était partie, je la regrettais, en étant plein de joie de ne la voir plus. Cependant j'allais quelquefois, à la sueur de mon front, la chercher chez elle, pour l'accompagner à la promenade : je lui donnais le bras, et je crois que je serrais un peu le sien.

Une idée me dominait, l'idée de passer aux États-Unis : il fallait un but utile à mon voyage ; je me proposais de découvrir (ainsi que je l'ai dit dans ces *Mémoires* et dans plusieurs de mes ouvrages [3]) le passage au nord-ouest de l'Amérique. Ce projet n'était pas dégagé de ma nature poétique [4]. Personne ne s'occupait de moi ; j'étais alors, ainsi que Bonaparte, un mince sous-lieutenant tout à fait

---

1. Ce compositeur lyrique italien (1730-1786) s'installa à Paris en 1782, prenant la succession de Gluck. Il donna à l'Opéra *Renaud*, *Dardanus* et son chef-d'œuvre *Œdipe à Colone* (1786) qui jouit d'un succès durable (Berlioz en était grand admirateur).
2. Opéras-comiques de Grétry et Sedaine pour le premier (1789), de Philidor et Piis pour le second (1781). Babet et Colin sont des personnages du vaudeville de Philidor. Dans *Le Congrès de Vérone*, Chateaubriand évoque Louis XVIII chantant un couplet du *Sabot perdu* auquel il se joignit (chap. 52).
3. IV, 13 ; *Introduction* du *Voyage en Amérique* (1827).
4. Phrase un peu mystérieuse. On l'interprète habituellement ainsi : Chateaubriand fondait sur ce voyage un projet littéraire, une épopée opposant l'homme de la civilisation à l'homme de la nature. Ce projet devait aboutir aux *Natchez*, opposant René et Chactas.

inconnu ; nous partions, l'un et l'autre, de l'obscurité à la même époque, moi pour chercher ma renommée dans la solitude, lui sa gloire parmi les hommes [1]. Or, ne m'étant attaché à aucune femme, ma sylphide obsédait encore mon imagination. Je me faisais une félicité de réaliser avec elle mes courses fantastiques dans les forêts du Nouveau-Monde. Par l'influence d'une autre nature, ma fleur d'amour, mon fantôme sans nom des bois de l'Armorique, est devenue Atala [2] sous les ombrages de la Floride.

M. de Malesherbes me montait la tête sur ce voyage. J'allais le voir le matin ; le nez collé sur des cartes, nous comparions les différents dessins de la coupole arctique ; nous supputions les distances du détroit de Behring au fond de la baie d'Hudson ; nous lisions les divers récits des navigateurs et voyageurs anglais, hollandais, espagnols, français, russes, suédois, danois [3] ; nous nous enquérions des chemins à suivre par terre pour attaquer le rivage de la mer polaire ; nous devisions des difficultés à surmonter, des précautions à prendre contre la rigueur du climat, les assauts des bêtes et le manque de vivres. Cet homme illustre me disait : « Si j'étais plus jeune, je partirais avec vous, je m'épargnerais le spectacle que m'offrent ici tant de crimes, de lâchetés et de folies. Mais à mon âge, il faut mourir où l'on est. Ne manquez pas de m'écrire par tous les vaisseaux, de me mander vos progrès et vos découvertes : je les ferai valoir auprès des ministres. C'est bien dommage que vous ne sachiez pas la botanique ! » Au sortir de ces conversations, je feuilletais Tournefort, Duhamel, Bernard de Jussieu, Grew, Jacquin, le Dictionnaire de Rousseau, les Flores élémentaires ; je courais au Jardin du Roi, et déjà je me croyais un Linné [4].

Enfin, au mois de janvier 1791, je pris sérieusement mon

---

1. Ce parallèle, dont on s'est beaucoup moqué, servira de cadre à toute la seconde partie des *Mémoires*.
2. Voir l'*Avant-Propos* : « La plupart de mes sentiments [...] ne se sont montrés dans mes ouvrages que comme appliqués à des êtres imaginaires. »
3. Abondamment repris dans la *Préface* du *Voyage en Amérique*.
4. Noms de botanistes contemporains. Rousseau s'occupa beaucoup de botanique à la fin de sa vie (il en parle déjà abondamment dans les *Confessions*) et écrivit entre 1772 et 1776 des *Lettres sur la Botanique*. Le Jardin du Roi est l'actuel Jardin des Plantes.

parti. Le chaos augmentait : il suffisait de porter un nom *aristocrate* pour être exposé aux persécutions : plus votre opinion était consciencieuse et modérée, plus elle était suspecte et poursuivie. Je résolus donc de lever mes tentes : je laissai mon frère et mes sœurs à Paris et m'acheminai vers la Bretagne.

Je rencontrai, à Fougères, le marquis de La Rouërie [1] : je lui demandai une lettre pour le général Washington. Le *Colonel Armand* (nom qu'on donnait au marquis, en Amérique) s'était distingué dans la guerre de l'Indépendance américaine. Il se rendit célèbre, en France, par la conspiration royaliste qui fit des victimes si touchantes dans la famille des Désilles. Mort en organisant cette conspiration, il fut exhumé, reconnu, et causa le malheur de ses hôtes et de ses amis. Rival de La Fayette et de Lauzun, devancier de La Rochejaquelein, le marquis de La Rouërie avait plus d'esprit qu'eux : il s'était plus souvent battu que le premier : il avait enlevé des actrices à l'Opéra, comme le second ; il serait devenu le compagnon d'armes du troisième. Il fourrageait [2] les bois, en Bretagne, avec un major américain, et accompagné d'un singe assis sur la croupe de son cheval. Les écoliers de droit de Rennes l'aimaient, à cause de sa hardiesse d'action et de sa liberté d'idées : il avait été un des douze gentilshommes bretons mis à la Bastille. Il était élégant de taille et de manières, brave de mine, charmant de visage, et ressemblait aux portraits des jeunes seigneurs de la Ligue.

Je choisis Saint-Malo pour m'embarquer, afin d'em-

---

1. Armand de La Rouërie (1756-1793) est garde du corps, mais il est contraint à la démission après un duel pour une actrice. Il part avec Rochambeau combattre en Amérique. À son retour, il participe aux États de Bretagne (voir V, 3) En 1790, il entra en rapport avec les frères du roi à Coblence et conçut le plan de la « conjuration bretonne », formant à la guérilla le futur Jean Chouan, préparant des actions qui seront reprises par les chefs vendéens comme La Rochejaquelein. Malade, il mourut le 31 janvier 1793 dans le château de La Guyomarais où il fut enterré secrètement. Un agent double, Chevetel (le Cheftel dont parle Chateaubriand en III, 15), dénonça La Guyomarais : on déterra le cadavre qu'on décapita et on arrêta La Guyomarais, la comtesse de Tronjolif (voir II, 8) et quelques autres qui furent guillotinés à Paris le 18 juin. Desilles, trésorier du groupe, réussit à s'enfuir à Jersey où il mourut l'année même.
2. Parcourait en laissant tout en désordre derrière lui.

brasser ma mère. Je vous ai dit, au troisième livre de ces *Mémoires*, comment je passai par Combourg, et quels sentiments m'oppressèrent [1]. Je demeurai deux mois à Saint-Malo, occupé des préparatifs de mon voyage, comme jadis de mon départ projeté pour les Indes [2].

Je fis marché avec un capitaine, nommé Desjardins : il devait transporter, à Baltimore, l'abbé Nagot [3], supérieur de séminaire de Saint-Sulpice, et plusieurs séminaristes, sous la conduite de leur chef. Ces compagnons de voyage m'auraient mieux convenu quatre ans plus tôt : de chrétien zélé que j'avais été, j'étais devenu un esprit fort, c'est-à-dire un esprit faible. Ce changement, dans mes opinions religieuses, s'était opéré par la lecture des livres philosophiques. Je croyais, de bonne foi, qu'un esprit religieux était paralysé d'un côté, qu'il y avait des vérités qui ne pouvaient arriver jusqu'à lui, tout supérieur qu'il pût être d'ailleurs. Ce benoît orgueil me faisait prendre le change : je supposais dans l'esprit religieux cette absence d'une faculté, qui se trouve précisément dans l'esprit philosophique : l'intelligence courte croit tout voir, parce qu'elle reste les yeux ouverts ; l'intelligence supérieure consent à fermer les yeux, parce qu'elle aperçoit tout en dedans. Enfin, une chose m'achevait : le désespoir sans cause que je portais au fond du cœur.

Une lettre de mon frère a fixé dans ma mémoire la date de mon départ : il écrivait de Paris à ma mère, en lui annonçant la mort de Mirabeau. Trois jours après l'arrivée de cette lettre, je rejoignis en rade le navire sur lequel mes bagages étaient chargés [4]. On leva l'ancre, moment solennel parmi les navigateurs. Le soleil se couchait quand le pilote côtier nous quitta, après nous avoir mis hors des passes. Le temps était sombre, la brise molle, et la houle battait lourdement les écueils à quelques encâblures du vaisseau.

---

1. Chapitre 16.
2. III, 15.
3. L'abbé Nagot (1734-1816) était envoyé à Baltimore, nouveau diocèse catholique, pour y fonder un séminaire sulpicien ; il emmenait avec lui des professeurs et des séminaristes. L'un d'eux, l'abbé de Mondésir, écrivit plus tard des *Souvenirs* qui permettent de vérifier bien des assertions de Chateaubriand.
4. 7 avril 1791. Mirabeau, « l'homme que rien ne pouvait remplacer », était mort le 2 avril.

Mes regards restaient attachés sur Saint-Malo ; je venais d'y laisser ma mère tout en larmes. J'apercevais les clochers et les dômes des églises où j'avais prié avec Lucile, les murs, les remparts, les forts, les tours, les grèves où j'avais passé mon enfance avec Gesril et mes camarades de jeux ; j'abandonnais ma patrie déchirée, lorsqu'elle perdait un homme que rien ne pouvait remplacer. Je m'éloignais également incertain des destinées de mon pays et des miennes : qui périrait de la France ou de moi ? Reverrais-je jamais cette France et ma famille ?

Le calme nous arrêta avec la nuit au débouquement [1] de la rade ; les feux de la ville et les phares s'allumèrent : ces lumières qui tremblaient sous mon toit paternel semblaient à la fois me sourire et me dire adieu, en m'éclairant parmi les rochers, les ténèbres de la nuit et l'obscurité des flots.

Je n'emportais que ma jeunesse et mes illusions ; je désertais un monde dont j'avais foulé la poussière et compté les étoiles, pour un monde de qui la terre et le ciel m'étaient inconnus. Que devait-il m'arriver si j'atteignais le but de mon voyage ? Égaré sur les rives hyperboréennes [2], les années de discorde qui ont écrasé tant de générations avec tant de bruit seraient tombées en silence sur ma tête ; la société eût renouvelé sa face, moi absent. Il est probable que je n'aurais jamais eu le malheur d'écrire ; mon nom serait demeuré ignoré, ou il ne s'y fût attaché qu'une de ces renommées paisibles au-dessous de la gloire, dédaignées de l'envie et laissées au bonheur. Qui sait si j'eusse repassé l'Atlantique, si je ne me serais point fixé dans les solitudes, à mes risques et périls explorées et découvertes, comme un conquérant au milieu de ses conquêtes !

Mais non ! je devais rentrer dans ma patrie pour y changer de misères, pour y être tout autre chose que ce que j'avais été. Cette mer, au giron de laquelle j'étais né, allait devenir le berceau de ma seconde vie ; j'étais porté par elle, dans mon premier voyage, comme dans le sein de ma nourrice, dans les bras de la confidente de mes premiers pleurs et de mes premiers plaisirs.

---

1. Débouquer : déboucher dans la haute mer au sortir d'un port.
2. Arctiques.

Le jusant [1], au défaut de la brise, nous entraîna au large, les lumières du rivage diminuèrent peu à peu et disparurent. Épuisé de réflexions, de regrets vagues, d'espérances plus vagues encore, je descendis à ma cabine : je me couchai, balancé dans mon hamac au bruit de la lame qui caressait le flanc du vaisseau. Le vent se leva ; les voiles déferlées qui coiffaient les mâts s'enflèrent, et quand je montai sur le tillac le lendemain matin, on ne voyait plus la terre de France.

Ici changent mes destinées : « Encore à la mer ! *Again to sea !* » (Byron [2]).

---

1. Courant de la marée descendante.
2. *Childe Harold*, III, 2 Certains éléments de cet admirable finale se trouvent déjà dans la fin de *René*.

DOSSIER

①──*L'autobiographie*

L'Antiquité nous lègue deux modèles d'autobiographie : César et saint Augustin. D'un côté, mémoires historiques, de l'autre, histoire d'une âme ; d'un côté narration à la troisième personne, de l'autre à la première personne. Malgré ce patronage illustre, tant s'en faut que le modèle de saint Augustin soit beaucoup adopté : Rousseau, en reprenant le titre de *Confessions*, écrivit un livre inouï, et qui l'est encore à bien des égards. Saint Augustin retraçait sa vie entière, son enfance y compris, et il avouait ses faiblesses avec un sens psychologique tout moderne auquel Chateaubriand ne sera pas insensible. César, au contraire, s'inscrivait dans la tradition des historiens grecs et romains (Thucydide, Tacite). C'est son patronage qui est le plus souvent invoqué dans les projets autobiographiques du XVIe et du XVIIe siècle et pas seulement par un Montluc qui reprend le même titre, *Commentaires* (1592). Le genre est centré sur une période de la vie de l'auteur, il produit des ouvrages de narration, mais aussi de documentation, d'analyse politique très souvent, de réflexion générale. Telle est l'histoire du président de Thou (1620), longtemps considérée comme un modèle.

MÉMOIRES-TESTAMENTS ET
RÉCITS D'UN TEMPS

Les *Mémoires du comte de Brienne* [1] adoptent certes une perspective personnelle, mais obéissent à ce projet de mémoire-testament : l'auteur lègue à un destinataire précis les *leçons* politiques, morales, spirituelles de sa vie :

Mes enfants, je crois que Dieu m'a conservé la vie jusqu'à présent et m'a donné du repos, afin que je puisse vous mettre par écrit les choses que j'ai vues et auxquelles j'ai eu part, et les adversités que j'ai ressenties. Je ne présume point que ma vie soit de celles qu'on propose pour modèle ; mais elle se trouve entremêlée de tant d'accidents, qu'elle pourra contribuer en quelque façon à votre instruction, et vous porter peut-être à rendre à d'autres le même service. Je souhaite que vous y imitiez ce que vous approuverez, et que vous y joigniez ce que vous jugerez à propos.
Je vous dirai d'abord qu'il faut que vous soyez persuadés qu'il n'est jamais permis de faire une chose mauvaise, quelque avantage qu'on en puisse tirer ; et que le service de Dieu doit être préféré à tous les honneurs et à toute la gloire du monde.
Je commence ces *Mémoires* par des actions de grâces que je dois à la bonté divine de ce que, quoique mon père professât la religion prétendue réformée [2], je fus néanmoins baptisé et élevé dans la catholique, apostolique et romaine, dans laquelle j'espère, avec le secours de la grâce, vivre et mourir [3].

La confession de foi est un trait usuel des testaments anciens qui commencent tous de cette façon.

Tels sont les mémoires nombreux aux XVIIe et XVIIIe siècles en France : cardinal de Retz, La Rochefoucauld. Le mémoire n'est pas spécifiquement un genre autobiogra-

---

1. Brienne (1595-1666) fut ministre de Louis XIII et Louis XIV.
2. Le protestantisme.
3. Brienne, *Mémoires*, éd Michaud et Poujoulat, 3e série, t. III, 1838, p. 1.

phique : c'est d'abord le récit d'un temps plutôt que d'une destinée individuelle. Les *Mémoires* du cardinal de Retz [1] sont à cet égard exemplaires.

Madame, quelque répugnance que je puisse avoir à vous donner l'histoire de ma vie, qui a été agitée de tant d'aventures différentes, néanmoins, comme vous me l'avez commandé, je vous obéis, même aux dépens de ma réputation. Le caprice de la fortune m'a fait honneur de beaucoup de fautes ; et je doute qu'il soit judicieux de lever le voile qui en cache une partie. Je vais cependant vous instruire nuement et sans détour des plus petites particularités, depuis le moment que j'ai commencé à connaître mon état ; et je ne vous cèlerai aucune des démarches que j'ai faites dans tout le temps de ma vie.

Je vous supplie très humblement de ne pas être surprise de trouver si peu d'art et au contraire tant de désordre en toute ma narration, et de considérer que si, en récitant les diverses parties qui la composent, j'interromps quelquefois le fil de l'histoire, néanmoins je ne vous dirai rien qu'avec toute la sincérité que demande l'estime que je sens pour vous. Je mets mon nom à la tête de cet ouvrage, pour m'obliger davantage moi-même à ne diminuer et à ne grossir en rien la vérité. La fausse gloire et la fausse modestie sont les deux écueils que la plupart de ceux qui ont écrit leur propre vie n'ont pu éviter. Le président de Thou l'a fait avec succès dans le dernier siècle, et dans l'Antiquité, César n'y a pas échoué. Vous me faites, sans doute, la justice d'être persuadé que je n'alléguerais pas ces grands noms sur un sujet qui me regarde, si la sincérité n'était une vertu dans laquelle il est permis et même commandé de s'égaler aux héros [2].

En réponse à la curiosité d'une amie, Retz pratique dans ses Mémoires *un examen de conscience placé sous le signe de la sincérité.*

La place du moi y est cependant sujette à évolution. Les *Mémoires* de La Rochefou-

1. Retz (1613-1679), l'un des principaux chefs de la Fronde, fut contraint par Louis XIV de se démettre de l'archevêché de Paris.
2. Retz, *Mémoires*, éd. P. Bertière, Garnier, 1987, t. I, p. 219-220.

cauld (1662) sont ainsi représentatifs d'un moment charnière : rédigées en premier, les quatre dernières parties sont écrites à la troisième personne, les deux premières, rédigées plus tard, à la première personne. Le cardinal de Retz ou Bassompierre [1] n'hésitent pas, quant à eux, à adopter le *je*. Les *Mémoires* de Bassompierre en témoignent :

Je souhaiterais, pour mon contentement particulier, d'avoir reçu, au commencement de ma jeunesse, le conseil que vous me donnez, après qu'elle est presque terminée, de faire un papier journal de ma vie. Il m'eût servi d'une mémoire artificielle, non seulement des lieux où j'ai passé lorsque j'ai été aux voyages, aux ambassades ou à la guerre, mais aussi des personnes que j'y ai pratiquées, de mes actions privées et publiques, et des choses plus notables que j'y ai vues et ouïes, dont la connaissance me serait maintenant très utile et le souvenir doux et agréable.

Mais puisque, faute d'avertissement ou de considération, j'ai été privé de cet avantage, j'aurai recours à celui que me donne l'excellente mémoire que la nature m'a départie, pour rassembler les débris de ce naufrage et rétablir cette perte autant que je pourrai, continuant à l'avenir de suivre votre salutaire conseil, duquel toutefois je n'userai point pour l'effet que vous me proposez, de laisser à celui qui voudra décrire ma vie la matière de son œuvre ; car elle n'a pas été assez illustre pour mériter d'être donnée à la postérité, et pour servir d'exemple à ceux qui nous survivront, mais seulement pour remarquer le temps de mes accidents, et juger quelles années m'ont été sinistres ou heureuses, et afin aussi que si Dieu me fait la grâce de parvenir jusqu'à cette vieillesse qui affaiblit les facultés de l'âme et de l'esprit, et par conséquent celles de la mémoire, de trouver dans ces journaux de ma vie ce que j'aurai perdu dans mon souve-

---

1. Bassompierre (1579-1646), maréchal de France, favori de Marie de Médicis, célèbre pour ses conquêtes féminines, fut embastillé par Richelieu.

Chez Bassompierre, nulle ambition, mais une utilité privée, (encore qu'ambiguë puisqu'il s'adresse à un destinataire), un exercice de mémoire.

nir ; lesquels étant nécessaires de remplir pour la plupart de choses basses ou inutiles aux autres, ne seront jamais vus que de moi, quand j'y voudrai chercher quelqu'une de mes actions passées, et de vous qui êtes un second moi-même, et pour qui je n'ai rien de secret ou caché, quand vous voudrez apprendre ou connaître quelque chose de mon extraction, de mes ancêtres, des biens qu'eux et moi ont possédés, de ma personne et de ma vie [1].

Sans doute faut-il voir là l'influence de Montaigne, qui obéit à la même attitude égotiste. Dans les *Mémoires* du cardinal de Retz, l'influence du jansénisme augustinien, qui met l'accent sur l'examen de conscience, est également sensible.

Chateaubriand a donc à se situer par rapport à des modèles différents et à choisir une attitude. Or, loin d'être obnubilé par le modèle des *Confessions* de Rousseau, son époque est friande de mémoires anciens. Chateaubriand lui-même cite abondamment des mémoires du XVIIe siècle : Bassompierre, Montluc, Pierre de l'Estoile, Mme de Motteville, le président de Lamoignon, l'abbé de Marolles. Il les a connus dans une collection éditée par Petitot en 1824, mais il existe aussi d'autres collections : citons la *Nouvelle collection des Mémoires pour servir à l'histoire de France depuis le XIIIe siècle jusqu'à la fin du XVIIIe*, éditée par Michaud et Poujoulat de 1836 à 1839. L'époque révolutionnaire elle-même avait suscité bien des mémoires : Mme Roland, Montlosier, Mme de Genlis, Louvet, pour ne citer que les plus célèbres. Chateaubriand cite aussi Grétry, Bezenval, Lauzun, etc. Le genre est encore

---

1. *Journal de ma vie*, éd. Michaud et Poujoulat, 2e série, t. VI, 1837, p. 7.

stimulé par le goût du XIXᵉ siècle pour
l'histoire. C'est donc à une multitude de
modèles que Chateaubriand se trouve
confronté, comme on a pu le constater à
travers les quelques pactes autobiographiques [1] que l'on a cités ici et auxquels
on pourra comparer le projet des *Mémoires
d'Outre-Tombe*.

L'INFLUENCE DU ROMAN

Il ne faut pas oublier non plus que l'immense majorité des romans du XVIIIᵉ siècle
adopte la forme de mémoires fictifs
(*Mémoires d'un homme de qualité* de
Prévost, *Vie de Marianne* de Marivaux).
Ce choix s'explique en grande partie par
un souci de vérité du récit et de vraisem-
blance de la psychologie. L'écriture narrative et psychologique des mémoires
s'apparente à celle du roman, dont elle se
distingue peu au départ (les premiers
romans grecs ou latins ont sans doute une
forte part d'autobiographie). Mais ce
parallèle va engager davantage le genre
dans la problématique de la vérité : l'auteur fait-il du roman ou dit-il la vérité ?
L'influence s'exerce à double sens : en
voulant se distinguer du roman, le genre
dépasse aussi la problématique limitée de
la vérité historique. Malgré les protesta-
tions de véracité faites par les narrateurs
de ce genre de romans, malgré leur prétention à l'Histoire, un grand effet du
roman-mémoires fut sans doute de
détacher définitivement les Mémoires de
l'Histoire pour les faire entrer dans la
Littérature.

*Le pacte
autobiographique
est un contrat
proposé par l'auteur
au lecteur, contrat
qui détermine
le mode de lecture
du texte et
le définit comme
autobiographie.*

1. Cette expression est empruntée à Philippe Lejeune,
L'Autobiographie en France, A. Colin, 1971.

L'influence du roman engage aussi l'autobiographie dans la problématique des
garants de cette vérité : la différence entre
une biographie fictive et l'autobiographie
n'est justement que dans le préfixe ; rien ne
peut garantir la vérité des faits rapportés par
l'auteur que lui-même et l'autobiographie
du modèle de la confession pose le dangereux problème de la sincérité et de l'authenticité. Le roman-mémoires, en mettant
l'accent sur la voix narrative, pose déjà
cette question.

L'avant-propos du troisième grand roman
de l'abbé Prévost, *Le Doyen de Killerine*
(1735), pose admirablement cette problématique que l'on va retrouver dans les
Confessions de Rousseau.

*On fera attention
que c'est ici le doyen
lui-même qui parle
et non l'auteur,
qui souligne souvent
la naïveté de
son personnage.*

Ceux qui entreprennent d'écrire l'Histoire générale, ou particulière, prennent communément la
plume par l'un de ces trois motifs : ou pour se faire
un nom, en offrant au public un récit digne de son
attention, et capable par conséquent de faire estimer l'Auteur aussi longtemps qu'on aura quelque
estime pour l'Ouvrage ; ou par quelque vue d'intérêt propre, qui leur fait souhaiter que certains
faits obscurs ou équivoques auxquels ils ont eu
part, soient expliqués dans un sens honorable pour
eux-mêmes, et pour leur parti ; ou bien enfin pour
satisfaire quelque ressentiment de haine, s'ils ont
de fortes raisons de haïr quelqu'un ; d'envie, s'ils
voient la fortune et la réputation d'autrui d'un œil
jaloux ; de malignité naturelle, s'ils ont ce malheureux caractère qui fait trouver du plaisir à
médire, et qui porte certaines gens à répandre
continuellement le poison de leur cœur par les
deux organes dangereux de la langue et de la
plume.

Il est clair que de ces trois sources, il y en a deux
dont il ne faut attendre ni la fidélité ni le désinté-
ressement qui conviennent à l'Histoire ; car la
vérité n'a point d'ennemis plus à craindre que les
passions déréglées et les intérêts personnels. Pour

la première, quoiqu'elle paraisse moins suspecte, parce qu'il est vrai en général que l'amour de la gloire est un aiguillon noble, qui peut agir sur l'âme d'un Écrivain, comme sur celle d'un Héros, et les exciter chacun dans leur carrière à ne rien faire qui déshonore un si beau motif ; je ne sais néanmoins si cette ardeur même de mériter les suffrages du Public, ne doit pas faire craindre qu'un Historien qui ne se propose point d'autre but, ne s'écarte encore du chemin droit de la vérité. Comme la vérité simple ne plaît pas toujours, il n'est pas aisé, quand on veut toujours plaire, de se contenir dans des bornes aussi étroites que les siennes. On la déguise du moins, si l'on n'est pas capable de l'altérer ; on l'orne trop ; on lui prête de l'agrément ; et ce qui n'est que plus pernicieux pour elle, ce déguisement se fait avec d'autant plus d'art, que pour le dessein qu'on a de plaire, on sait qu'il faut lui conserver certaines apparences de *sincérité* sans lesquelles ce serait bientôt fait de son crédit. Ainsi cette manière de la détruire, qui est la plus subtile, est dans le fond la plus dangereuse.

Il suit de là que nous aurions peu d'Histoires fidèles, s'il n'y avait absolument que ces trois motifs qui pussent faire prendre la plume aux Historiens. Mais je n'en ai pas nommé un, qui est infiniment plus relevé que le plus noble des trois autres, et qui est sans doute le seul capable d'élever un Historien à ce degré de perfection qui le ferait regarder comme un modèle. C'est l'*envie de se rendre utile*. Tout est si bien renfermé dans ces trois mots, qu'ils n'ont pas besoin d'autre explication pour ceux qui les comprennent.

Oserai-je dire après cela que ce motif est ici le mien ; et ne m'accusera-t-on pas dès mon exorde d'aspirer à une perfection qui surpasse mes forces ? Je réponds qu'en attribuant tant de vertu à l'envie de se rendre utile, je lui suppose pour fondement toutes les qualités naturelles et acquises, qui sont nécessaires d'ailleurs pour former un bon Écrivain ; et malheureusement ce ne sont pas celles dont je suis le mieux partagé. Il est donc vrai qu'avec des idées assez justes de ce qui serait nécessaire pour la perfection de l'Ouvrage que j'entreprends, mes talents sont au-dessous de mon projet. Mais le motif qui me le fait entreprendre est tel du moins que je l'ai dit ; et je suis si persuadé qu'il est propre à former de bons Historiens, lorsqu'il se trouve soutenu des qualités qui me manquent, que je le crois même capable de suppléer à la médiocrité des miennes. S'il ne me communique point la beauté de l'imagination, qui est un présent de la nature, et les grâces du style, qui sont ordinairement des effets de l'art, il me rendra *sincère* dans mon récit, modeste dans mes expressions, et non seulement sage et raisonnable, mais solidement Chrétien dans les principes de ma morale ; il m'empêchera d'approuver ou de flatter le vice, dans les personnes même qui m'ont été les plus chères ; et il me fera tourner les événements les plus profanes, à l'instruction de la jeunesse, à l'édification de tous les âges et de toutes les conditions, et par conséquent à l'honneur du Ciel et à l'avantage de la société humaine [1].

La problématique évoquée est bien celle de la vérité, mais non pas envisagée dans ses vérifications objectives, mais dans une logique subjective de sincérité. L'autobiographie obéit aussi à une visée d'utilité philosophique, comme les mémoires-testaments, comme les ouvrages d'histoire. Ces deux caractéristiques vont se retrouver dans le projet de Rousseau.

LES CONFESSIONS DE ROUSSEAU

Rousseau, très sensible aux romans de l'abbé Prévost, représente l'aboutissement extrême d'une évolution du genre vers l'expression du moi intime et vers la logique de la sincérité. On cite ici de préférence le prologue dit *de Neuchâtel*, daté de 1764, parce

1. Prévost, *Le Doyen de Killerine*, in *Œuvres de Prévost*, Presses Universitaires de Grenoble, 1978, t. III, p. 13-14.

qu'il développe davantage que la version définitive la problématique suivie par Rousseau dans son ouvrage [1]. On a souligné les passages qui se rapprochent des propos de Chateaubriand. Là encore, l'examen du style adopté est un passage obligé du pacte autobiographique.

J'ai remarqué souvent que, même parmi ceux qui se piquent le plus de connaître les hommes, chacun ne connaît guère que soi, s'il est vrai même que quelqu'un se connaisse ; car comment bien déterminer un être par les seuls rapports qui sont en lui-même, et sans le comparer avec rien ? Cependant cette connaissance imparfaite qu'on a de soi est le seul moyen qu'on emploie à connaître les autres. On se fait la règle de tout, et voilà précisément où nous attend la double illusion de l'amour-propre ; soit en prêtant faussement à ceux que nous jugeons les motifs qui nous auraient fait agir comme eux à leur place ; soit dans cette supposition même, en nous abusant sur nos propres motifs, faute de savoir nous transporter assez dans une autre situation que celle où nous sommes. [...] Sur ces remarques j'ai résolu de faire faire à mes lecteurs un pas de plus dans la connaissance des hommes, en les tirant s'il est possible de cette règle unique et fautive de juger toujours du cœur d'autrui par le sien ; tandis qu'au contraire il faudrait souvent pour connaître le sien même, commencer par lire dans celui d'autrui. Je veux tâcher que pour apprendre à s'apprécier, on puisse avoir du moins une pièce de comparaison ; que chacun puisse connaître soi et un autre, et cet autre ce sera moi. Oui, moi, moi seul, car je ne connais jusqu'ici nul autre homme qui ait osé faire ce que je me propose. Des histoires, des vies, des portraits, des caractères ! Qu'est-ce que tout cela ? des romans ingénieux bâtis sur quelques actes extérieurs, sur quelques discours qui s'y rapportent, sur de sub-

---

1. Le texte intégral peut se retrouver dans le tome I de l'édition des *Œuvres complètes* de Rousseau dans la collection de la Pléiade, p. 1148-1155.

tiles conjectures où l'Auteur cherche bien plus à briller lui-même qu'à trouver la vérité. On saisit les traits saillants d'un caractère, on les lie par des traits d'invention, et pourvu que le tout fasse une physionomie, qu'importe qu'elle ressemble ? Nul ne peut juger de cela. […]

Nul ne peut écrire la vie d'un homme que lui-même. Sa manière d'être intérieure, sa véritable vie n'est connue que de lui ; mais en l'écrivant il la déguise ; sous le nom de sa vie, il fait son apologie ; il se montre comme il veut être vu, mais point du tout comme il est. Les plus sincères sont vrais tout au plus dans ce qu'ils disent, mais ils mentent par leurs réticences, et ce qu'ils taisent change tellement ce qu'ils feignent d'avouer, qu'en ne disant qu'une partie de la vérité ils ne disent rien. Je mets Montaigne à la tête de ces faux sincères qui veulent tromper en disant vrai. Il se montre avec des défauts, mais il ne s'en donne que d'aimables ; il n'y a point d'hommes qui n'en ait d'odieux. Montaigne se peint ressemblant mais de profil. Qui sait si quelque balafre à la joue ou un œil crevé du côté qu'il nous a caché n'eût pas totalement changé sa physionomie. […]

Il est donc sûr que si je remplis bien mes engagements j'aurai fait une chose unique et utile. Et qu'on n'objecte pas qu'étant un homme du peuple, je n'ai rien à dire qui mérite l'attention des lecteurs. Cela peut être vrai des événements de ma vie : mais *j'écris moins l'histoire de ces événements en eux-mêmes que celle des états de mon âme, à mesure qu'ils sont arrivés.* Or les âmes ne sont plus ou moins illustres que selon qu'elles ont des sentiments plus ou moins grands et nobles, des idées plus ou moins vives et nombreuses. Les faits ne sont ici que des causes occasionnelles. Dans quelque obscurité que j'aie pu vivre, si j'ai pensé plus et mieux que les Rois, l'histoire de mon âme est plus intéressante que celle des leurs. […]

Voilà non seulement les motifs qui m'ont fait faire cette entreprise, mais les garants de ma fidélité à l'exécuter. Puisque mon nom doit durer parmi les hommes, je ne veux point qu'il y porte une réputation mensongère ; je ne veux point qu'on me donne

« J'entreprends d'ailleurs l'histoire de mes idées et de mes sentiments plutôt que l'histoire de ma vie » (Chateaubriand, Prologue des Mémoires de ma vie, p. 8).

des vertus ou des vices que je n'avais pas, ni qu'on me peigne sous des traits qui ne furent pas les miens. Si j'ai quelque plaisir à penser que je vivrai dans la postérité, c'est par des choses qui me tiennent de plus près que les lettres de mon nom ; j'aime mieux qu'on me connaisse avec tous mes défauts et que ce soit moi-même, qu'avec des qualités controuvées, sous un personnage qui m'est étranger.

Peu d'hommes ont fait pis que je n'ai fait, et jamais homme n'a dit de lui-même ce que j'ai à dire de moi. Il n'y a point de vice de caractère dont l'aveu ne soit plus facile à faire que celui d'une action noire ou basse, et l'on peut être assuré que celui qui ose avouer de telles actions avouera tout. Voilà la dure mais sûre preuve de ma *sincérité*. Je serai vrai ; je le serai sans réserve ; je dirai tout ; le bien, le mal, tout enfin. Je remplirai rigoureusement mon titre, et jamais la dévote la plus craintive ne fit un meilleur examen de conscience que celui auquel je me prépare ; jamais elle ne déploya plus scrupuleusement à son confesseur tous les replis de son âme que je vais déployer tous ceux de la mienne au public. Qu'on commence seulement à me lire sur ma parole ; on n'ira pas loin sans voir que je veux la tenir. [...]

« Je suis résolu à dire toute la vérité » (Ibid)

Si je veux faire un ouvrage écrit avec soin comme les autres, je ne me peindrai pas, je me farderai. C'est ici de mon portrait qu'il s'agit et non pas d'un livre. Je vais travailler pour ainsi dire dans la chambre obscure ; il n'y faut point d'autre art que de suivre exactement les traits que je vois marqués. Je prends donc mon parti sur le style comme sur les choses. Je ne m'attacherai point à le rendre uniforme ; j'aurai toujours celui qui me viendra ; j'en changerai selon mon humeur sans scrupules, je dirai chaque chose comme je la sens, comme je la vois, sans recherche, sans gêne, sans m'embarrasser de la bigarrure. *En me livrant à la fois au souvenir de l'impression reçue et au sentiment présent je peindrai doublement l'état de mon âme, savoir au moment où l'événement m'est arrivé et au moment où je l'ai décrit ; mon style inégal et naturel, tantôt rapide et tantôt diffus, tantôt sage et tantôt fou, tantôt grave et tantôt gai fera lui-même par-*

« Les formes changeantes de ma vie sont ainsi entrées les unes dans les autres » (Avant-propos, p. 44).

tie de mon histoire. Enfin quoi qu'il en soit de la manière dont cet ouvrage peut être écrit, ce sera toujours par son objet un livre précieux pour les philosophes : c'est je le répète, une pièce de comparaison pour l'étude du cœur humain, et c'est la seule qui existe.

Voilà ce que j'avais à dire sur l'esprit dans lequel j'écris ma vie, sur celui dans lequel on la doit lire, et sur l'usage qu'on en peut tirer. Les liaisons que j'ai eues avec plusieurs personnes me forcent d'en parler aussi librement que de moi. Je ne puis me bien faire connaître que je ne les fasse connaître aussi, et l'on ne doit pas s'attendre que dissimulant dans cette occasion ce qui ne peut être tu sans nuire aux vérités que je dois dire, j'aurai pour d'autres des ménagements que je n'ai pas pour moi-même. Je serais pourtant bien fâché de compromettre qui que ce fût et la résolution que j'ai prise de *ne point laisser paraître de mon vivant ces mémoires* est un reflet des égards que je veux avoir pour mes ennemis en tout ce qui n'intéresse pas l'exécution de mon dessein. [...] Pour moi je serais peu puni qu'il parût de mon vivant même, et je ne regretterais guère l'estime de quiconque pourrait me mépriser après l'avoir lu. J'y dis de moi des choses très odieuses et dont j'aurais horreur de vouloir m'excuser ; mais aussi c'est l'histoire la plus secrète de mon âme, ce sont mes confessions à toute rigueur. Il est juste que ma réputation expie le mal que le désir de la conserver m'a fait faire. Je m'attends aux discours publics, à la sévérité des jugements prononcés tout haut, et je m'y soumets. Mais que chaque lecteur m'imite, qu'il rentre en lui-même comme j'ai fait, et qu'au fond de sa conscience il se dise, s'il l'ose : *je suis meilleur que ne fut cet homme-là*.

Chez Rousseau cohabitent ambition philosophique et utilité : il s'agit d'aller plus avant dans la connaissance de l'homme.
Les Confessions *dépassent le genre des mémoires, déployant la problématique de la vérité entière et de la sincérité – d'où l'obsession de la justification, du jugement vrai sur soi et de la transparence.*

CHATEAUBRIAND, PROLOGUE
DES *MÉMOIRES DE MA VIE* (1826)

On cite ici ce texte-étape dans l'élaboration des *Mémoires d'Outre-Tombe*. Il est assez différent de l'*Avant-Propos* définitif.

Je me suis souvent dit : « Je n'écrirai point les mémoires de ma vie ; je ne veux point imiter ces hommes qui, conduits par la vanité et le plaisir qu'on trouve naturellement à parler de soi, révèlent au monde des secrets inutiles, des faiblesses qui ne sont pas les leurs et compromettent la paix des familles. » Après ces belles réflexions, me voilà écrivant les premières lignes de mes mémoires. Pour ne pas rougir à mes propres yeux, et pour me faire illusion, voici comment je pallie mon inconséquence.

D'abord je n'entreprends ces mémoires qu'avec le dessein formel de ne disposer d'aucun nom que du mien propre dans tout ce qui concernera ma vie privée. J'écris principalement pour rendre compte de moi à moi-même. Je n'ai jamais été heureux. Je n'ai jamais atteint le bonheur que j'ai poursuivi avec la persévérance qui tient à l'ardeur naturelle de mon âme. Personne ne sait quel était le bonheur que je cherchais ; personne n'a connu entièrement le fond de mon cœur. La plupart des sentiments y sont restés ensevelis ou ne se sont montrés dans mes ouvrages que comme appliqués à des êtres imaginaires. Aujourd'hui que je regrette encore mes chimères sans les poursuivre, que parvenu au sommet de la vie je descends vers la tombe, je veux avant de mourir, remonter vers mes belles années, expliquer mon inexplicable cœur, voir enfin ce que je pourrai dire lorsque ma plume sans contrainte s'abandonnera à tous mes souvenirs. En rentrant au sein de ma famille qui n'est plus ; en rappelant des illusions passées, des amitiés évanouies, j'oublierai le monde au milieu duquel je vis et auquel je suis si parfaitement étranger ; ce sera de plus un moyen agréable pour moi d'interrompre des études pénibles ; et quand je me sentirai las de tracer les tristes vérités de l'histoire des hommes, je me reposerai en écrivant l'histoire de mes songes.

Je considère ensuite que ma vie appartenant au public par un côté, je n'aurais pas échappé à tous ces faiseurs de mémoires, à tous ces biographes marchands qui couchent le soir sur le papier ce qu'ils ont entendu dire le matin dans les antichambres. J'ai eu des succès littéraires ; j'ai attaqué toutes les erreurs de mon temps, j'ai démasqué les hommes, blessé une multitude d'intérêts ; je dois donc avoir réuni contre moi la double phalange des ennemis littéraires et politiques ; ils ne manqueront pas de me peindre à leur manière ; et ne l'ont-ils pas déjà fait ? Dans un siècle où les plus grands crimes commis ont dû faire naître les haines les plus violentes, dans un siècle corrompu où les bourreaux ont un intérêt à noircir les victimes, où les plus grossières calomnies sont celles que l'on répand avec le plus de légèreté, tout homme qui a joué un rôle dans la société doit, pour la défense de sa mémoire, laisser un monument par lequel on puisse le juger. Mais avec cette idée je vais me montrer meilleur que je ne suis ? J'en serai peut-être tenté : à présent je ne le crois pas. Je suis résolu à dire toute la vérité. Comme j'entreprends d'ailleurs l'histoire de mes idées et de mes sentiments plutôt que l'histoire de ma vie, je n'aurai pas autant de raisons de mentir. Au reste si je me fais illusion sur moi, ce sera de bonne foi, et par cela même on verra encore la vérité au fond de mes préventions personnelles[1].

Aspects personnels : refus de l'indiscrétion (contre Rousseau) ; révélation de l'original des créations fictives ; divertissement du souvenir et d'une « plume sans contrainte » : les Mémoires *sont un nouveau pari littéraire. Aspects publics : testament politique, défense de sa mémoire, histoire de son temps.*

Le texte est clairement articulé en deux parties : aspects personnels, aspects publics (politiques et littéraires). Chateaubriand réalise donc une synthèse entre plusieurs projets autobiographiques différents (voir la présentation). Il dépasse également le désir impossible de transparence dans lequel le genre s'était engagé avec Rousseau. Prétendre faire « l'histoire de mes idées et de mes sentiments plutôt que l'histoire de ma vie » est un moyen habile de dépasser la problématique de la vérité : l'important n'est pas de dire *toute la vérité*, mais d'être *résolu* à dire toute la vérité, la *bonne foi* suffit.

---

1. *Mémoires d'Outre-Tombe*, éd. J.-C. Berchet, Garnier, 1989, t. I, p. 7-8.

C'est seulement dans le dixième chapitre de la troisième partie des *Mémoires d'Outre-Tombe* que Chateaubriand donne un nom à ce personnage inventé par René et qui parcourt sa jeunesse. À noter que le mot n'apparaît dans la rédaction des *Mémoires* qu'à la révision de 1832-1833. Ce n'est pas un petit événement : nommer le personnage fantasmatique ne peut se faire qu'avec la distance de la vieillesse : c'est le mettre à distance, le fixer, le définir. La sylphide innommée de *René* correspond sans doute bien davantage à la réalité de la jeunesse de l'auteur que le déguisement mythologique choisi en 1832. Elle garde un flou bien propre à remplir le vague des passions. Le nom choisi permet de préciser les contours affectifs et moraux de ce flot bouillonnant de passions dans le cœur du jeune homme. Car la sylphide a une histoire littéraire assez précise et Chateaubriand n'en est nullement l'auteur.

ENTRE FÉERIE ET FANTASME

Une sylphide est un esprit de l'air. Sylphes et sylphides, comme les elfes, les gnomes et les lutins appartiennent à un folklore fantastique qu'on trouve dans la littérature cabalistique, mais aussi dans les contes de fées. Ces petits personnages sont nombreux dans les féeries de Shakespeare, *Le Songe* d'une nuit d'été ou *La Tempête*. Le romantisme nous a habitués à un grand mythe d'amour. Au moment où Chateaubriand choisit ce personnage, la Taglioni triomphe dans un ballet qui en porte le nom, créé le 12 mars 1832. La musique en est de Jean Schneitzhoffer (1785-1852), né à Toulouse et élève de Catel. Le livret est du chanteur Adolphe Nourrit :

L'histoire se déroule en Écosse. Une sylphide, voulant s'amuser d'un homme nommé James, en tombe amoureuse. Cette passion étant inconciliable avec sa nature aérienne, elle perd ses pouvoirs de sylphe et meurt, perdant symboliquement ses ailes.

Un conte de Nodier, *Trilby ou le lutin d'Argail, nouvelle écossaise*, paru en 1822, narrait aussi les amours tragiques d'un sylphe et d'une mortelle. Victor Hugo s'en souvient dans sa deuxième ballade, *Le Sylphe* (1823). Béranger écrit aussi une chanson, insipide, *La Sylphide*. Le motif est donc incontestablement à la mode, comme l'est l'ensemble du monde féerique. Mme de Staël emploie le terme au sens premier :

Lucile enfin mit sur cette main un pied charmant et s'élança si légèrement à cheval que tous ses mouvements donnaient l'idée d'une de ces sylphides que l'imagination nous peint avec des couleurs si délicates [1].

Le mot est souvent employé, au XVIIIᵉ siècle, pour *être imaginaire*, témoin Rousseau :

Sans quelques réminiscences de jeunesse et Mme d'Houdetot, les amours que j'ai sentis et décrits n'auraient été qu'avec des sylphides [2].

_____

1. Mme de Staël, *Corinne ou l'Italie*, Folio-Gallimard, 1985, p. 490.
2. Rousseau, *Les Confessions*, XI, GF-Flammarion, 1968, t. II, p. 316.

Il n'en faut pas beaucoup pour que cet être
imaginaire devienne ce que la psychanalyse
moderne appellerait un pur fantasme. Le
sylphe ou la sylphide, suivant les sexes, ne
sont pas autre chose que la projection des
désirs érotiques à demi conscients. Cette
analyse physiologique de l'imaginaire n'est
d'ailleurs pas incongrue pour le XVIIIᵉ siècle
et elle est clairement suggérée par ce que
Georges Gusdorf appelle le « monisme
psycho-physiologique » des Lumières[1].
Marmontel, dans un de ses *Contes moraux*
(1776), imagine une gentille psychotique
qui croit aux sylphes et que son mari guérit en se faisant passer pour tel.

Il faut que la sensibilité de l'âme s'exerce ; et si elle
n'a pas un objet véritable, elle s'en fait un fantastique. Il était décidé dans l'opinion d'Élise, qu'il
n'y avait rien dans la nature qui fût digne de l'attacher. Mais elle avait trouvé dans la fiction de quoi
l'occuper, l'émouvoir, l'attendrir. La fable des
Sylphes était à la mode. Il lui était tombé sous la
main quelques-uns de ces romans où l'on a peint
le commerce délicieux de ces esprits avec les mortelles ; et pour elle ces brillantes chimères avaient
tout le charme de la vérité.
Élise croyait donc aux Sylphes, et brûlait d'envie
d'en avoir un. Il faut pouvoir au moins se peindre
ce que l'on désire ; et il n'est pas facile de se
peindre un esprit. Élise avait été obligée d'attribuer
tous les traits d'un homme au Sylphe qu'elle désirait. Mais pour loger une âme céleste, elle avait
composé un corps fait à plaisir : une taille élégante
et noble, une figure animée, intéressante, ingé-
nieuse, un teint d'un éclat et d'une fraîcheur digne
d'un Sylphe qui préside à l'étoile du matin ; de
beaux yeux bleus et languissants, et je ne sais quoi
d'aérien dans toutes les grâces de la personne. Elle
y avait ajouté la parure la plus légère, des fleurs,

1. Voir *Naissance de la conscience romantique au siècle des
Lumières*, Payot, 1976.

des rubans des couleurs les plus tendres, un tissu de soie à demi transparent et dont se jouaient les zéphyrs, deux ailes semblables à celles de l'Amour, dont ce beau Sylphe était l'image : telle était la chimère d'Élise ; et son cœur séduit par son imagination, soupirait pour ce qu'elle avait feint [1].

Il est naturel que nos idées les plus familières et les plus vives se retracent pendant le sommeil : bientôt les songes d'Élise lui firent croire que sa chimère avait quelque réalité [2].

Marmontel s'inspire peut-être d'un conte, nettement plus libertin, de Crébillon fils, *Le Sylphe* (1729). Premier roman publié par Crébillon, il avait connu un regain d'intérêt avec la publication de ses œuvres complètes, à partir de 1772 [3]. Dans ce conte subtil, une comtesse fait le récit d'une conversation piquante avec un sylphe présumé. Le récit s'interrompt au moment où la comtesse découvre que le sylphe a un corps : « Est-il bien vrai que... Ah !... vous êtes palpable ! »

À chaque fois, tout est tendu vers le moment de la rencontre charnelle, moment où les masques éventuels tombent, moment attendu par le lecteur frivole, mais où l'auteur, dans le cas de Crébillon, joue avec cette attente, en faisant disparaître le sylphe, ou, dans le cas de Marmontel, introduit un *happy end* moralisant, en révélant la mystification.

Être imaginaire et gracieux, la sylphide oscille entre une texture aérienne et diaphane (dans le récit merveilleux) et un corps sensuel, désirable, dans le fantasme des libertins.

SYLPHIDES ET DÉMONS

Un tournant est pris avec *Le Diable amoureux* de Cazotte (1772). Dans cette char-

---

1. Imaginé.
2 Marmontel, *Le Mari sylphe*, in *Trois contes moraux*, Gallimard, coll. « Le Promeneur », 1994, p. 89-91.
3. Ce conte a été réédité à part dans la jolie collection « Le Promeneur » en 1992.

mante nouvelle, un jeune ambitieux, Alvare, prétend jouer avec le Diable. Il l'évoque dans une grotte obscure. À la première apparition, horrible, succède bientôt une incarnation charmante : un jeune page qui se révèle être une femme : Biondetta, follement éprise d'Alvare, et qui use de toutes les ressources de la féminité pour le séduire. Biondetta est charmante, tout au long du roman, Alvare, comme le lecteur, est tenté de succomber à ses charmes et d'oublier son origine diabolique. La grande réussite de Cazotte est d'avoir su maintenir cette délicieuse ambivalence du personnage jusqu'au bout.

« Je suis Sylphide d'origine, et une des plus considérables d'entre elles. Je parus sous la forme de la petite chienne ; je reçus vos ordres, et nous nous empressâmes tous à l'envi de les accomplir. Plus vous mettiez de hauteur, de résolution, d'aisance, d'intelligence à régler nos mouvements, plus nous redoublions d'admiration pour vous et de zèle.
« Vous m'ordonnâtes de vous servir de page, de vous amuser en cantatrice. Je me soumis avec joie, et goûtai de tels charmes dans mon obéissance, que je résolus de vous la vouer pour toujours.
« Décidons, me disais-je, mon état et mon bonheur. Abandonnée dans le vague de l'air à une incertitude nécessaire, sans sensations, sans jouissances, esclave des évocations des cabalistes, jouet de leurs fantaisies, nécessairement bornée dans mes prérogatives comme dans mes connaissances, balancerais-je davantage sur le choix des moyens par lesquels je puis ennoblir mon essence ?
« Il m'est permis de prendre un corps pour m'associer à un sage : le voilà. Si je me réduis au simple état de femme, si je perds par ce changement volontaire le droit naturel des Sylphides et l'assistance de mes compagnes, je jouirai du bonheur d'aimer et d'être aimée. Je servirai mon vainqueur ; je l'instruirai de la sublimité de son être dont il ignore les prérogatives : il nous soumettra, avec les

éléments dont j'aurai abandonné l'empire, les esprits de toutes les sphères. Il est fait pour être le roi du monde, et j'en serai la reine, et la reine adorée de lui.

« Ces réflexions, plus subites que vous ne pouvez le croire dans une substance débarrassée d'organes, me décidèrent sur-le-champ. En conservant ma figure, je prends un corps de femme pour ne le quitter qu'avec la vie.

« Quand j'eus pris un corps, Alvare, je m'aperçus que j'avais un cœur. Je vous admirais, je vous aimais ; mais que devins-je, lorsque je ne vis en vous que de la répugnance, de la haine ! Je ne pouvais ni changer, ni même me repentir ; soumise à tous les revers auxquels sont sujettes les créatures de votre espèce, m'étant attiré le courroux des esprits, la haine implacable des nécromanciens, je devenais, sans votre protection, l'être le plus malheureux qui fût sous le ciel : que dis-je ? je le serais encore sans votre amour. »

Mille grâces répandues dans la figure, l'action, le son de la voix, ajoutaient au prestige de ce récit intéressant [1] Je ne concevais rien de ce que j'entendais. Mais qu'y avait-il de concevable dans mon aventure ?

Tout ceci me paraît un songe, me disais-je ; mais la vie humaine est-elle autre chose ? je rêve plus extraordinairement qu'un autre, et voilà tout.

Je l'ai vue de mes yeux, attendant tout secours de l'art [2], arriver jusqu'aux portes de la mort, en passant par tous les termes de l'épuisement et de la douleur. L'homme fut un assemblage d'un peu de boue et d'eau. Pourquoi une femme ne serait-elle pas faite de rosée, de vapeurs terrestres et de rayons de lumière, des débris d'un arc-en-ciel condensés ? Où est le possible ?... Où est l'impossible [3] ?

Le Sylphe bénéficie de l'ambivalence de tout ce qui est *démon* : esprit des airs dans la tradition païenne, incarnation du mal, le

---

1. C'est Alvare qui parle.
2. La médecine.
3. Cazotte, *Le Diable amoureux*, GF-Flammarion, 1979, p. 92-94.

Diable, dans la tradition chrétienne – Biondetta, chez Cazotte, est clairement du côté
du Diable. On a affaire, de nouveau, dans
son discours à une mystification : Biondetta
n'est pas une sylphide, elle est le Diable,
comme elle le rappelle à la fin du roman.
Ici, elle ment, sans doute. Mais la séduction
qu'elle met en œuvre s'apparente à celle
des Sylphes : à la fois dans la tradition du
XVIIIᵉ siècle, tout en annonçant le mythe
romantique. Elle joue avec le désir, la
curiosité et la vanité d'Alvare, comme le
Sylphe de Crébillon ; mais elle joue aussi
avec sa mauvaise conscience en faisant
croire qu'elle a renoncé à sa dignité de
sylphe par amour pour lui, tels Trilby de
Nodier ou la Sylphide du ballet[1]. La Biondetta de Cazotte réussit ainsi à brouiller les
limites de la réalité, du possible et de l'impossible, et à imposer une conception purement idéaliste et mythique de la femme. Il
n'empêche que la Sylphide en retire une
bonne composante *satanique*•. Cette ambiguïté transparaît d'ailleurs chez Hugo, qui
donne à la conclusion de sa ballade une
malignité où transparaît l'équivoque première de ce petit démon des airs. On le voit,
le délire du jeune Chateaubriand puise à
une tradition vivace.

• *Il semble bien que Chateaubriand n'ignore pas cette ambiguïté du personnage, puisqu'il appelle sa sylphide « mon élégante démone »* (III, 12).

LA SYLPHIDE DE CHATEAUBRIAND

Chateaubriand se fait pleinement l'héritier
de cette histoire équivoque de la Sylphide,
bien plus proche des hommes du XVIIIᵉ
siècle que des Romantiques, à cela près que
la victime n'est plus une femme mais un
homme : le phénomène *sylphe* n'est plus

1. Tels aussi les innombrables motifs romantiques d'anges déchus
ou de démons rachetés par l'amour.

l'apanage de la psychologie féminine que le XVIIIe siècle voyait beaucoup plus soumise au corps que celle de l'homme. Être imaginaire, elle vient combler le vague des passions, en renforçant l'artifice pervers, comme dans Marmontel. *Élégante démone*, elle exerce également une tentation séductrice : sensualité ? pulsion de mort ? complaisance dans le désespoir ? Chateaubriand ne le dit jamais ; le père Souël, dans *René*, accuse implicitement la sylphide de détourner le jeune homme tourmenté de ses devoirs réels d'homme, comme Biondetta essaie de détourner Alvare des devoirs qu'il a envers la société, sa mère, son honneur ; celui-ci demeurant persuadé qu'un « acte de [sa] volonté » suffirait à la faire disparaître [1]. Il y a déjà, avec un tout autre ton, toute la problématique du mal du siècle romantique dans ce défaut de volonté et cette complaisance morbide dans le désir. *René* analyse ce phénomène psychologique comme *vague des passions* : désir qui n'arrive pas à se fixer dans la réalité et invente des objets imaginaires pour se satisfaire. Dans *René*, comme dans le *Génie du christianisme primitif* (Fragment « Amour »), cette pulsion est clairement érotique et s'analyse en termes physiologiques :

La solitude absolue, le spectacle de la nature, me plongèrent bientôt dans un état presque impossible à décrire. Sans parents, sans amis, pour ainsi dire seul sur la terre, n'ayant point encore aimé, j'étais accablé d'une surabondance de vie. Quelquefois je rougissais subitement, et je sentais couler dans mon cœur comme des ruisseaux d'une lave ardente ; quelquefois je poussais des cris involontaires, et la nuit était également troublée de mes songes et de mes veilles. Il me manquait quelque chose pour remplir

---

1. *Le Diable amoureux*, p. 77.

l'abîme de mon existence : je descendais dans la vallée, je m'élevais sur la montagne, appelant de toute la force de mes désirs l'idéal objet d'une flamme future ; je l'embrassais dans les vents ; je croyais l'entendre dans les gémissements du fleuve : tout était ce fantôme imaginaire, et les astres dans les cieux, et le principe même de vie dans l'univers [1].

Cependant, la permanence de la Sylphide invite peut-être à la considérer aussi comme le vis-à-vis imaginaire d'un homme solitaire et non seulement comme un objet de fantasme. Elle reviendra régulièrement dans les *Mémoires* [2] ; tantôt modèle idéal auquel Chateaubriand compare les femmes qu'il a connues, tantôt acteur véritable de ses tentations ou de ses revirements psychologiques, incarnation, enfin, du souvenir de sa jeunesse. Chateaubriand ne cesse de créer de ces vis-à-vis : la sylphide, mais aussi Cynthie, les oiseaux, la nature parfois, reste de mauvaise poésie préromantique. Ce n'est pas là qu'artifice rhétorique : le plus curieux, c'est cette sorte de narcissisme du vague des passions qui conduit Chateaubriand à hypostasier• ses propres sentiments.

• *C'est-à-dire à donner figure à ce qui n'a pas d'être distinct en soi.*

Car la sylphide est un *personnage*, et cela dès *René*, quoiqu'elle ne reçoive pas alors de nom. Ne l'oublions pas, Chateaubriand hérite des romanciers libertins pour qui sylphe ou sylphide n'ont d'intérêt que par la consistance de personnage que leur donne la projection du désir.

La sylphide garde un contour surtout sentimental, au sens du XVIIIᵉ siècle. L'apparition de la sylphide est un sommet émotionnel et

1. *René*, in *Atala. René. Les Aventures du dernier Abencérage*, p. 179.
2. Apparitions de la Sylphide : I, 6 ; III, 11 ; VI, 6 ; VIII, 5 ; X, 5 ; X, 10 ; X, 11 ; XIII, 6 ; XVII, 3 ; XXVI, 6 ; XXXI, 7 ; XXXVI, 7 ; XXXVI, 11 ; XXXVII, 12 ; XXXIX, 5.

donc un émoi physique : le sang monte à la tête, la respiration s'accélère. L'interpréter exclusivement comme pulsion érotique serait sans doute mal comprendre. De façon très significative, elle apparaît, dans les *Mémoires*, lors du coucher de soleil sur le pont du bateau en route pour l'Amérique (VI, 6), alors que le *Génie du christianisme*, qui contient une page presque identique, mettait à la place une émotion religieuse. Il n'y a pas que déguisement et hypocrisie dans cette première version : Dieu comme la sylphide sont des *pleins* affectifs, l'émotion s'interprète également comme sentiment amoureux et comme sentiment religieux et René, en parlant de communion panthéiste avec *le principe même de vie dans l'univers* procède lui-même à cet élargissement de l'interprétation.

On l'a dit en introduction, les *Mémoires* sont une tentative d'unification de la production romanesque de Chateaubriand : « mes sentiments ne se sont montrés que comme appliqués à des êtres imaginaires » (I, 1). Les pages des *Mémoires* révélaient au lecteur l'original de *René*, découvrant du même coup toute la part d'autobiographie du roman de 1802. Elles en sont aussi une tentative de justification ou de crédibilisation ; le récit des *Mémoires*, culminant sur la tentative de suicide, est en effet beaucoup plus long que celui de *René*. Les limites du roman et de la vie semblent plus floues, que la vie entre dans le roman ou que le roman entre dans la vie.

Pygmalion fut moins amoureux de sa statue : mon embarras était de plaire à la mienne. Ne me reconnaissant rien de ce qu'il fallait pour être aimé, je me prodiguais ce qui me manquait. Je montais à cheval comme Castor et Pollux, je jouais de la lyre comme Apollon ; Mars maniait ses armes avec moins de

force et d'adresse : *héros de roman ou d'histoire,
que d'aventures fictives j'entassais sur des fictions* !
Les ombres des filles de Morven, les sultanes de
Bagdad et de Grenade, les châtelaines des vieux
manoirs ; bains, parfums, danses, délices de l'Asie,
tout m'était approprié par une baguette magique.
Voici venir une jeune reine, ornée de diamants et
de fleurs (c'était toujours ma sylphide) ; elle me
cherche à minuit, au travers des jardins d'oranger,
dans les galeries d'un palais baigné des flots de la
mer, au rivage embaumé de Naples ou de Messine,
sous un ciel d'amour que l'astre d'Endymion
pénètre de sa lumière ; elle s'avance, statue animée
de Praxitèle, au milieu des statues immobiles, des
pâles tableaux et des fresques silencieusement
blanchies par les rayons de la lune : le bruit léger
de sa course sur les mosaïques des marbres se mêle
au murmure insensible de la vague. La jalousie
royale nous environne. Je tombe aux genoux de la
souveraine des campagnes d'Enna ; les ondes de
soie de son diadème dénoué viennent caresser mon
front, lorsqu'elle penche sur mon visage sa tête de
seize années, et que ses mains s'appuient sur mon
sein palpitant de respect et de volupté.

Il y a dans ces souvenirs une part d'élaboration romanesque manifeste : on trouve un
embryon d'intrigue : *... elle me cherche...
la jalousie royale nous environne... je
tombe aux genoux... sa tête de seize ans...* ;
le personnage est en grande partie une création littéraire, faite de souvenirs historiques, mythologiques, picturaux et colorée
d'exotisme : Grèce, Angleterre et Écosse,
Italie et Sicile ; elle s'appuie aussi et surtout sur nombre de pages et de personnages
des ouvrages de Chateaubriand. Le René
fictif voyage lui aussi dans ces mêmes
pays, il monte au sommet de l'Etna, point
central de la Sicile, comme l'est Enna, d'où
il domine toute l'île. Mais ce sont surtout
les souvenirs de ses créatures féminines qui
s'accumulent ici : Blanca dans *Les Aven-*

tures du dernier Abencérage, qui se déroulent à Grenade, Cymodocée et Velléda dans *Les Martyrs*. La description de palais éclairé par la lune à Naples se retrouve au livre V des *Martyrs*. C'est sans doute l'extraordinaire personnage de Velléda, aux livres IX et X, qui correspond le mieux au fantôme de la jeunesse de Chateaubriand. Fantôme, elle l'est par ses apparitions inopinées et l'obsession qu'elle met à poursuivre Eudore, comme une tentation à laquelle il succombe finalement.

Tout à coup, à l'une des extrémités de la galerie, un pâle crépuscule blanchit les ombres. La clarté augmente par degrés, et bientôt je vois paraître Velléda. Elle tenait à la main une de ces lampes romaines qui pendent au bout d'une chaîne d'or. Ses cheveux blonds, relevés à la grecque sur le sommet de sa tête, étaient ornés d'une couronne de verveine, plante sacrée parmi les Druides. Elle portait pour tout vêtement une tunique blanche : fille de roi a moins de beauté, de noblesse et de grandeur. […] Un soir, je rêvais dans ce lieu. L'aquilon mugissait au loin, et arrachait du tronc des arbres des touffes de lierre et de mousse. Velléda parut tout à coup.

Sylphide, elle l'est par ses pouvoirs magiques de druidesse qui parle dans le vent et dans le bruit de l'eau, qui communique avec les éléments :

« Dis-moi, as-tu entendu la dernière nuit le gémissement d'une fontaine dans les bois, et la plainte de la brise dans l'herbe qui croît sous ta fenêtre ? Eh bien ! c'était moi qui soupirais dans cette fontaine et dans cette brise ! Je me suis aperçue que tu aimais le murmure des eaux et des vents. […] Je me glisserai chez toi sur les rayons de la lune ; je prendrai la forme d'un ramier, et je volerai sur le haut de la tour que tu habites [1]. »

1. *Les Martyrs*, in *Œuvres romanesques et voyages*, éd. M. Regard, Gallimard, Bibliothèque de la Pléiade, 1969, t. II, p. 261-266.

Démone enfin, parce qu'elle est païenne,
enracinée dans le mystère de la forêt armoricaine, et qu'elle éloigne Eudore de la
chasteté chrétienne.

Il n'est pas difficile de renverser les rôles
et de constater que Chateaubriand n'a
jamais fait que donner différentes incarnations du même idéal féminin et que la sylphide est véritablement à l'origine de ses
créations, qu'elle s'en déduise *a posteriori*
ou qu'elle en soit le modèle et l'origine –
c'est en tout cas ce qu'il laisse entendre
dans le texte des *Mémoires*. On notera,
malgré tout, la légère ironie de Chateaubriand non seulement face aux *péchés de sa
jeunesse*, mais aussi face à cette vision
romanesque de sa propre vie. Elle est particulièrement sensible dans le contraste
humoristique du paragraphe suivant :

> Au sortir de ces rêves, quand je me retrouvais un
> pauvre petit Breton obscur, sans gloire, sans
> beauté, sans talents, qui n'attirerait les regards de
> personne, qui passerait ignoré, qu'aucune femme
> n'aimerait jamais, le désespoir s'emparait de moi :
> je n'osais plus lever les yeux sur l'image brillante
> que j'avais attachée à mes pas.

Ce mouvement de distanciation, déjà sensible dans le fait de donner un nom à son
fantôme d'amour jusque-là innommé –
nom connoté par une littérature que Chateaubriand n'ose pas tout à fait avouer –,
sensible aussi, plus généralement, dans la
réminiscence tour à tour douloureuse et
tendre, est typique du dernier Chateaubriand.

③ La réécriture

Chateaubriand pratique beaucoup la réécriture : un même motif revient dans plusieurs ouvrages différents, dans des genres littéraires différents, comme s'il en cherchait le meilleur traitement possible. Cette pratique va même plus loin. Sainte-Beuve signalait déjà, dans *Chateaubriand et son groupe littéraire sous l'Empire* (6ᵉ leçon), que Chateaubriand n'écrit pas des livres mais des collections de pages. Le jugement peut paraître excessif, mais il est indéniable que certaines pages se retrouvent, dans plusieurs ouvrages différents, dans des genres littéraires différents, comme si Chateaubriand les retravaillait sans cesse. Certes, il y a les premières versions, *Fragments du Génie du christianisme primitif*, *Mémoires de ma vie*, et les textes définitivement mis au point pour la publication ; et l'étude comparative de différents états du texte est souvent instructive du travail stylistique qu'accomplit Chateaubriand. Mais entre des textes d'essai comme le *Génie*, des textes de fiction comme *René*, *Atala* ou *Les Martyrs*, et des textes autobiographiques comme les *Mémoires*, on retrouve non seulement certains motifs, mais aussi certaines pages entières, avec la même organisation, la même rhétorique, le même vocabulaire, les mêmes images, etc. • Nous prendrons comme exemple et comme point de départ pour illustrer ce propos le chapitre 12 du

• *À l'instar de Proust ou de Saint-Simon, Chateaubriand s'inscrit dans la tradition de ces écrivains « classiques » qui ne fuient pas la répétition, l'exploitation de mots, d'images ou de motifs identiques, mais y recourent au contraire volontiers, par dédain de la convention ou par goût.*

livre III des *Mémoires d'Outre-Tombe*,
« Mes joies de l'automne ».

L'étude à laquelle nous convions le lecteur
à présent est donc multiple : étude d'un travail d'élaboration stylistique, étude d'une
certaine permanence thématique, mais
aussi d'une certaine permanence de l'imaginaire profond de Chateaubriand lui-
même, imaginaire magnifiquement étudié
par Jean-Pierre Richard dans son ouvrage
Paysage de Chateaubriand.

LA BRETAGNE DE CHATEAUBRIAND

Combourg, jusqu'à la rédaction des
Mémoires d'Outre-Tombe, apparaît en fili-
grane dans bien des textes de Chateaubriand. La Bretagne de l'épisode gaulois des
Martyrs (livres IX et X, 1809), quoique placée dans l'Antiquité tardive, évoque puissamment celle des jeunes années de Chateaubriand : paysage herbeux, de landes, de
bruyères et de forêts, battu par les vents,
sillonné de vols d'oiseaux, bordé par la mer.

J'arrivai enfin chez les Rhédons. L'Armorique ne
m'offrit que des bruyères, des bois, des vallées
étroites et profondes traversées de petites rivières
que ne remonte point le navigateur, et qui portent
à la mer des eaux inconnues ; région solitaire, triste,
orageuse, enveloppée de brouillards, retentissante
du bruit des vents, et dont les côtes hérissées de
rochers sont battues d'un océan sauvage.

Le château où je commandais, situé à quelques
milles de la mer, était une ancienne forteresse des
Gaulois, agrandie par Jules César lorsqu'il porta
la guerre chez les Vénètes et les Curiosolites. Il
était bâti sur un roc, appuyé contre une forêt, et baigné par un lac.

Là, séparé du reste du monde, je vécus plusieurs
mois dans la solitude [1].

---

1. *Les Martyrs*, p. 251.

Dossier

La Bretagne de Chateaubriand, c'est surtout un paysage d'automne, vision neuve de la nature, mélancolique, brumeuse, froide, alors que la nature peinte par les auteurs du siècle des Lumières est une nature riante et lumineuse. Chateaubriand, influencé par Ossian, fixe pour longtemps les traits du paysage romantique dans les pages célèbres de *René* :

L'automne me surprit au milieu de ces incertitudes : j'entrai avec ravissement dans les mois des tempêtes. Tantôt j'aurais voulu être un de ces guerriers errant au milieu des vents, des nuages et des fantômes ; tantôt j'enviais jusqu'au sort du pâtre que je voyais réchauffer ses mains à l'humble feu de broussailles qu'il avait allumé au coin d'un bois. J'écoutais ses chants mélancoliques, qui me rappelaient que dans tout pays, le chant naturel de l'homme est triste, lors même qu'il exprime le bonheur. Notre cœur est un instrument incomplet, une lyre où il manque des cordes, et où nous sommes forcés de rendre les accents de la joie sur le ton consacré aux soupirs.
Le jour je m'égarais sur de grandes bruyères terminées par des forêts. Qu'il fallait peu de choses à ma rêverie : une feuille séchée que le vent chassait devant moi, une cabane dont la fumée s'élevait dans la cime dépouillée des arbres, la mousse qui tremblait au souffle du nord sur le tronc d'un chêne, une roche écartée, un étang désert où le jonc flétri murmurait ! Le clocher du hameau, s'élevant au loin dans la vallée, a souvent attiré mes regards ; souvent j'ai suivi des yeux les oiseaux de passage qui volaient au-dessus de ma tête. Je me figurais les bords ignorés, les climats lointains où ils se rendent ; j'aurais voulu être sur leurs ailes. Un secret instinct me tourmentait ; je sentais que je n'étais moi-même qu'un voyageur ; mais une voix du ciel semblait me dire : « Homme, la saison de ta migration n'est pas encore venue ; attends que le vent de la mort se lève, alors tu déploieras ton vol vers ces régions inconnues que ton cœur demande. »

Levez-vous vite, orages désirés, qui devez emporter René dans les espaces d'une autre vie ! Ainsi disant, je marchais à grands pas, le visage enflammé, le vent sifflant dans ma chevelure, ne sentant ni pluie ni frimas, enchanté, tourmenté, et comme possédé par le démon de mon cœur [1].

On jugera diversement cette page où le plus réussi, au-delà de quelques discours déclamatoires et de quelques scories idéologiques, est la description envoûtante des paysages et des attitudes, la permanence thématique des paysages de Bretagne, des « joies de l'automne », de quelques souvenirs précis et datés qui vont revenir sous différentes formes dans plusieurs écrits de Chateaubriand.

LA PAGE ET SON TRAVAIL

Avec le *Génie du christianisme* (1802)[2], les « joies de l'automne » passent du discours du moi au discours impersonnel de la description, mais il n'est pas difficile d'identifier la permanence de Combourg :

À peine a-t-elle disparu [l'hirondelle], qu'on voit s'avancer sur les vents du nord, une colonie qui vient remplacer les voyageurs du midi, afin qu'il ne reste aucun vide dans nos campagnes. Par un temps grisâtre d'automne, lorsque la bise souffle sur les champs, que les bois perdent leurs dernières feuilles, une troupe de canards sauvages, tous rangés à la file, traverse en silence un ciel mélancolique. S'ils aperçoivent du haut des airs quelque manoir gothique environné d'étangs et de forêts, c'est là qu'ils se préparent à descendre : ils attendent la nuit, et font des évolutions au-dessus des bois. Aussitôt que la vapeur du soir enveloppe la vallée, le cou tendu et l'aile sifflante, ils s'abattent tout à coup sur les eaux qui retentissent. Un cri

---

1. *René*, p. 179-180.
2. Rappelons que la première édition du *Génie* inclut l'épisode de *René*.

général, suivi d'un profond silence, s'élève dans les marais. Guidés par une petite lumière, qui peut-être brille à l'étroite fenêtre d'une tour, les voyageurs s'approchent des murs, à la faveur des roseaux et des ombres. Là, battant des ailes et poussant des cris par intervalles, au milieu du murmure des vents et des pluies, ils saluent l'habitation de l'homme.

Un des plus jolis habitants de ces retraites, mais dont les pèlerinages sont moins lointains, c'est la poule d'eau. Elle se montre au bord des joncs, s'enfonce dans leur labyrinthe, reparaît et disparaît encore, en poussant un petit cri sauvage ; elle se promène dans les fossés du château ; elle aime à se percher sur les armoiries sculptées dans les murs. Quand elle s'y tient immobile, on la prendrait avec son plumage noir et le cachet blanc de sa tête, pour un oiseau en blason, tombé de l'écu d'un ancien chevalier. Aux approches du printemps, elle se retire à des sources écartées. Une racine de saule minée par les eaux lui offre un asile, elle s'y dérobe à tous les yeux. Les convulvulus, les mousses, les capillaires d'eau, suspendent devant son nid des draperies de verdure, afin de ne donner que des idées riantes à sa maternité ; le cresson et la lentille lui fournissent une nourriture délicate ; l'eau murmure doucement à son oreille ; de beaux insectes occupent ses yeux, et les Naïades du ruisseau, pour mieux cacher cette jeune mère, plantent autour d'elle leurs quenouilles de roseaux, chargées d'une laine empourprée.

Parmi ces passagers de l'aquilon, il s'en trouve qui s'habituent à nos mœurs, et refusent de retourner dans leur patrie : les uns, comme les compagnons d'Ulysse, sont captivés par la douceur de quelques fruits ; les autres, comme les déserteurs du vaisseau de Cook, sont séduits par des enchanteresses, qui les retiennent dans leurs îles. Mais la plupart nous quittent après un séjour de quelques mois : ils s'attachent aux vents et aux tempêtes qui ternissent l'éclat des flots, et leur livrent la proie qui leur échapperait dans des eaux transparentes ; ils n'aiment que les retraites ignorées, et font le tour de la terre par un cercle de solitudes.

Ce n'est pas toujours en troupes que ces oiseaux visitent nos demeures. Quelquefois deux beaux étrangers, aussi blancs que la neige, arrivent avec les frimas : ils descendent, au milieu des bruyères, dans un lieu découvert, et dont on ne peut approcher sans être aperçu ; après quelques heures de repos, ils remontent sur les nuages. Vous courez à l'endroit d'où ils sont partis, et vous n'y trouvez que quelques plumes, seules marques de leur passage, que le vent a déjà dispersées : heureux le favori des Muses qui, comme le cygne, a quitté la terre sans y laisser d'autres débris et d'autres souvenirs que quelques plumes de ses ailes ¹ !

Cette page est connue par une autre version antérieure (1800 ?). Chateaubriand avait en effet rédigé le *Génie* à Londres avant de rentrer en France, où il le récrivit entièrement. Certains *Fragments du Génie du christianisme primitif* furent cependant sauvegardés et publiés dans l'édition des *Œuvres complètes* chez Pourrat en 1838.

De vrai, la nature dans une ménagerie est une triste chose ; pour nous, nous nous travaillerions longtemps avant de pouvoir rien dire de deux ou trois canards qui barbotent dans une cour. Mais si tandis que ces milliers d'hirondelles, retirées aux roseaux de ce lac, font les préparatifs de leur départ, si tandis qu'elles remplissent l'air de leurs cris et de leurs jeux, on voit s'avancer sur les vents du nord une colonie qui vient remplacer ces filles du Midi, afin de ne laisser aucun vide dans nos campagnes ; certes, notre imagination s'éveille, et nous nous demandons comment ces habitants du pôle ont trouvé le chemin de nos climats. Nous sommes encore bien plus surpris, si nous observons les mœurs et les usages de ces étrangers. Par un temps grisâtre d'automne, lorsque la bise souffle sur les champs, que les bois perdent leurs dernières feuilles, une troupe nombreuse de canards sau-

---

1. *Génie du christianisme*, V, 7, « Migration des oiseaux »,
GF-Flammarion, 1966, t. I, p. 165-167

vages, tous rangés à la file, traversent en silence un
ciel mélancolique. S'ils aperçoivent du haut
quelque manoir gothique environné d'étangs et de
forêts, c'est là qu'ils se préparent à descendre, ils
attendent la nuit et font de longues évolutions au-
dessus des bois. Aussitôt que les vapeurs du soir
commencent à envelopper les vallées, le cou tendu
et les ailes sifflantes, ils s'abattent tout à coup sur
les eaux qui retentissent. Un cri général, suivi d'un
profond silence, s'élève dans les marais d'alentour.
Guidés par une petite lumière qui brille peut-être
isolée à l'étroite fenêtre d'une tour, les voyageurs
s'approchent des murs à la faveur des roseaux et
des ombres ; là, battant des ailes et poussant des cris
par intervalles, au milieu du murmure des vents et
des pluies, ils saluent l'habitation de l'homme.
Leur séjour est plus ou moins long sur ces ondes ;
quelquefois ils partent dès le lendemain, à peu près
à l'heure où ils sont arrivés la veille ; ils vont chercher d'autres retraites ignorées, et font le tour de la
terre par un cercle de solitudes. Ils s'attachent aux
vents et aux tempêtes qui ternissent l'éclat des flots
et leur livrent la proie qui leur échapperait dans des
eaux calmes et transparentes. Le pâtre qui a allumé
un feu de broussailles à l'orée d'un bois, entre deux
rochers, voit passer ces deux oiseaux sur sa tête ;
il les suit des yeux avec un vague désir ; il se figure
les lieux inconnus, les climats lointains où ils se
rendent ; il voudrait être sur leurs ailes, un secret
instinct le tourmente, il sent qu'il n'est lui-même
qu'un voyageur. Homme ! la saison de ta migration
n'est pas encore venue. Attends que le vent de ta
mort se lève ; alors tu déploieras ton vol vers ces
régions inconnues que ton cœur demande.
Mais voici deux beaux étrangers qui arrivent avec
les frimas et qui sont aussi blancs que la neige ; ils
descendent au milieu des landes sur les bruyères,
dans un lieu découvert et dont on ne peut approcher sans être aperçu. Après quelques heures de
repos, ils remontent sur les nuages. Vous courez à
l'endroit d'où ils sont partis, et vous n'y trouvez
que quelques plumes, seules marques de leur passage, que le vent a déjà dispersées. Heureux les
hommes qui, comme le cygne, ont quitté la terre

sans y laisser d'autres débris ni d'autres souvenirs que quelques plumes de leurs ailes !

C'est vers le mois de novembre que nos champs, en prenant un nouvel aspect, reçoivent aussi de nouveaux hôtes. Nos bois ont perdu leurs grâces riantes ; une vapeur bleuâtre, en s'élevant dans leurs percées, cache une partie du terrain et sert à lui donner des dimensions vagues et infinies. Par ce jeu de la nature, le paysage prend l'immensité et la tristesse du ciel ; le vent apporte de toutes parts l'odeur de la feuille séchée que le bûcheron solitaire traîne sous ses pas et qui rougit au loin les fonds de la forêt. Les arbres qui balancent tristement leurs cimes dépouillées ne portent que de noires légions qui se sont associées pour passer l'hiver ; elles ont leurs sentinelles et leurs gardes avancées ; quelquefois une corneille centenaire, antique sibylle des déserts, qui vit passer plusieurs générations d'hommes, se tient seule perchée sur un chêne avec lequel elle a vieilli. Là tandis que toutes ses sœurs font silence, immobile, et comme pleine de pensées, elle abandonne de temps en temps au vent des monosyllabes prophétiques.

C'est alors que le ramier et la bécasse arrivent. Ils ne viennent point pour se faire entendre, mais pour écouter ; il y a dans le sourd mugissement des bois agités par la tempête quelque chose qui charme leurs oreilles. Le premier, avec ses compagnons, s'établit sur les branches séchées d'un poirier sauvage ; la seconde choisit une petite gorge de vallée où murmure faiblement un ruisseau, entre ses rives flétries. C'est là qu'elle prend ses ébats ; le soir elle part avec de grands claquements d'ailes, parcourant d'un vol agité les carrefours de la forêt, jusqu'à ce qu'elle ne soit plus aperçue de l'homme. [...]

Parmi ces voyageurs de l'aquilon, il s'en trouve qui s'habituent à nos mœurs, et refusent de retourner dans leur patrie ; les uns, comme les compagnons d'Ulysse, sont captivés par la douceur de quelques fruits ; les autres, comme les déserteurs du vaisseau de Cook, sont séduits par des enchanteresses qui les cachent dans les grottes de leurs îles. Des marais impraticables, à la tête de quelque grand amas d'eau, servent de retraite à ces fugitifs et de berceaux à leurs colonies étrangères.

Les marais qui nous semblent si nuisibles ont cependant de grandes utilités. Ce sont les urnes des fleuves dans les pays de plaine, et les réservoirs des pluies dans les contrées éloignées de la mer. Leur limon et les cendres de leurs herbes fournissent des engrais au laboureur. Leurs roseaux donnent le feu et le toit à de pauvres familles ; frêle couverture en harmonie avec la vie de l'homme, et qui ne dure pas plus que ses jours. Ce sont aussi des lieux de refuge, que la Providence a ménagés à certaines races d'animaux. Frontière de la terre et de l'eau, ce sol, à demi noyé, a des végétaux, des sites et des habitants particuliers ; tout y participe du mélange des deux éléments : les glaïeuls tiennent le milieu entre l'herbe et l'arbuste, entre le poireau des mers et la plante terrestre ; quelques-uns des insectes fluviatiles ressemblent à de petits oiseaux ; quand la demoiselle va errant, avec son corsage bleu et ses quatre ailes brillantes autour de la fleur du nénuphar blanc, vous croiriez voir l'oiseau-mouche des Florides, sur une rose de magnolia. La classe des amphibies, tant oiseaux que reptiles et quadrupèdes, appartient essentiellement aux marais. Ici le loir montre en nageant son dos brun ; là, des lézards verts, collés au tronc rougeâtre d'un cyprès, ressemblent à des insectes hiéroglyphiques sur un obélisque égyptien ; le martin-pêcheur rase l'onde de son ventre de pourpre ou, suspendu dans l'air, fait rouler rapidement ses ailes bleues ; la cane nage à la tête de ses petits, dont les pieds armés d'un triangle d'or, repoussent avec grâce les flots d'azur ; tantôt ces jeunes navigateurs se baignent au clair de la lune, en formant mille guillochis brillants sur les ondes ; tantôt, glissant leur sein et leur cou bronzé entre deux couches de cristal, ils ne montrent plus au-dessus de l'eau que le petit pavillon de leur queue. Quelquefois tous ces marais sont plantés de joncs desséchés, qui donnent à la stérilité même l'apparence des plus opulentes moissons ; quelquefois ils présentent des forêts de glaives verdoyants, que fait courber sous son poids la paisible bergeronnette : un bouleau, un saule

Comparer ce passage au Génie du christianisme, *t. I, V, 10 : « Amphibies et reptiles ».*

isolé ou la brise aura suspendu quelques flocons de
plumes, dominent ces mobiles campagnes. Le vent
tire les sons les plus doux de toutes ces tiges. Il ser-
pente entre les cimes roulantes, abaisse l'une tandis que l'autre se relève ; puis soudain inclinant
toute la forêt à la fois, il fait découvrir, ou le butor
doré, ou quelque héron blanc, qui se tient immobile sur une longue patte, comme sur un épieu.

Un des plus jolis habitants de ces retraites, c'est la
poule d'eau ; elle se montre au bord des joncs, s'enfonce dans leurs labyrinthes, reparaît, disparaît
encore en poussant un petit cri sauvage ; elle passe
de la simplicité aux grandeurs, de la hutte d'un
pauvre Pélage aux douves du château voisin ; là
elle se plaît à pénétrer dans les lucarnes et les meur-
trières, d'où sortent les branches de glaïeul ; elle
aime à se percher sur les armoiries, sculptées en
bosse dans les vieux murs ; quand elle s'y tient
immobile, vous la prendriez elle-même, avec son
plumage noir et le cachet blanc de sa tête, pour un
oiseau en blason, tombé de l'écu d'un ancien chevalier. Aux approches du printemps, elle se retire
à quelque source écartée, et va chercher dans les
roseaux une retraite mystérieuse et fragile. Si elle
rencontre un saule, de qui le vieux tronc, semblable
à un pot de fleurs, laisse échapper les ruelles d'or
et les pieds d'alouette, dont le vent lui apporta les
graines, si l'onde a creusé sous les racines de ce
saule un antre plein de mousse et de fraîcheur, c'est
là qu'elle se dérobe à tous les regards pour accomplir la grande loi de la nature. Les convulvulus, les
mauves, les capillaires d'eau, suspendent devant
son nid des draperies de verdure, afin de ne donner que des idées riantes à sa maternité ; le cresson et la lentille lui fournissent une nourriture délicate ; l'eau murmure doucement à son oreille ; de
beaux papillons occupent ses yeux, et les naïades
du ruisseau, pour mieux cacher cette jeune mère,
plantent autour d'elle leurs quenouilles de roseaux
chargées d'une laine empourprée [1].

---

1. *Fragments du Génie du christianisme primitif*, « Histoire naturelle »,
in *Génie du christianisme*, t. II, p. 420-424.

On voit parfaitement comment s'est répartie la matière de cette page entre le *Génie* et *René*, comment, également, le texte a été réorganisé dans la version définitive du *Génie*, perdant une partie de sa logique. De toutes les pages citées ici, c'est peut-être celle-là, la première, qui est la plus réussie. En tout cas, on va retrouver partout les mêmes oiseaux : hirondelles, canards, cygnes, corneilles, ramiers, poule d'eau, dans un ordre variable ; la même présence de l'étang et du château gothique, la même végétation : roseaux, glaïeuls, nénuphar, grands chênes, décrits avec les mêmes métaphores : glaives et quenouilles ; même présence d'un paysan solitaire, comme dans un tableau de Poussin ou de Friedrich, même importance du vent. Tout ce matériau est cependant systématisé dans le *Génie*, inséré dans un discours théorique et démonstratif. La version définitive dissociera l'évocation des migrations et celle des paysages marécageux (chapitre 10, non cité ici), hormis le paragraphe sur la poule d'eau, interpolé peut-être à cause de la mention du château gothique qui réunit la poule d'eau aux canards. La permanence de ce catalogue d'oiseaux est d'autant plus frappante que le propos du *Génie* dépasse largement la saison de l'automne, alors que ceux de *René* ou des *Mémoires* se concentrent sur l'évocation de l'automne, mais sans oublier aucun de ces éléments.

On remarquera aussi l'évolution de certaines images : un motif d'architecture égyptienne est déjà présent dans cette première version, l'obélisque, qui deviendra pyramide dans les *Mémoires*. On remarquera surtout l'évolution dans la présentation des métaphores et des comparaisons, dont la nouveauté est ici souvent atténuée

De René *aux* Mémoires d'Outre-Tombe *en passant par* Les Martyrs, *on retrouve les motifs qui organisent le paysage breton évoqué par Chateaubriand : le paysan solitaire, le vol des oiseaux, l'étang, etc.*

Dossier

par des formules comme : *vous croiriez voir...*, *vous la prendriez...*, *pour ainsi dire...* Le style de Chateaubriand s'orientant vers une sobriété de plus en plus grande, il y a dans le texte des *Mémoires* comme un effet de résumé, et les métaphores y sont présentées dans toute leur brutalité poétique.

Lors de la rédaction des *Mémoires d'Outre-Tombe*, ces souvenirs et ces pages préparatoires sont reprises dans un chapitre également très célèbre. Le lecteur voudra bien se reporter au chapitre 12, « Mes joies de l'automne », ainsi qu'au début du chapitre 13 du livre III (p. 159-160).
Ce texte ne reprend pas exactement celui du *Génie*, mais il est étonnant d'y retrouver certains traits de descriptions, certaines métaphores (la *caravane* des oiseaux), et comme un condensé de tous les oiseaux évoqués dans le premier texte. Le paragraphe consacré à la poule d'eau, dont Chateaubriand avait toujours été le plus embarrassé, est entièrement supprimé, l'oiseau n'étant plus que mentionné parmi d'autres. Ce sont ici les hirondelles qui se taillent la part du lion. Chateaubriand revient avec prédilection sur cet oiseau dans le cours des *Mémoires d'Outre-Tombe* (XXXIX, 7). La méditation sur la mort se fait plus large, celle sur les traces laissées par les hommes passe des cygnes aux pyramides égyptiennes, elles-mêmes dérivées de l'obélisque qui apparaissait dans le fragment du *Génie*.
On connaît une première rédaction de ce chapitre dans les *Mémoires de ma vie* (manuscrit de 1826). Le lecteur aura intérêt à comparer phrase à phrase les deux versions. Elles ne diffèrent souvent que par

d'infimes détails : d'une forêt/des forêts, tombe/tombeau, la charrue/sa charrue. Le style se fait un peu plus fleuri dans la dernière version : les hirondelles sont prêtes à *partir* en 1826 et à *quitter nos climats* en 1848. La ponctuation change radicalement. Ici, la Sylphide n'intervient pas, ce qui change profondément la signification des pyramides égyptiennes. Les traces des hommes sont à la fois représentées par les pyramides du désert et par les oiseaux migrateurs.

La confrontation de ces pages révèle la volonté de Chateaubriand de garder certains thèmes, certaines images, certaines phrases, pratiquant beaucoup le montage de textes, voire de phrases, isolés. On voit ainsi s'accomplir le travail d'écriture, alors que le texte donne une impression de poli et d'homogénéité.

Plus la saison était triste, plus j'étais heureux. J'ai toujours aimé l'automne ; la pluie, les vents, les frimas, en rendant les communications moins faciles, isolent les habitants des campagnes ; on se sent mieux à l'abri des hommes. Je voyais avec un plaisir toujours nouveau s'approcher la saison des tempêtes, les corneilles se rassembler dans la prairie de l'étang en innombrables bataillons, et venir se percher à l'entrée de la nuit sur les plus hauts chênes du grand bois ; lorsque le soir élevait une vapeur bleuâtre au carrefour d'une forêt et que j'entendais tomber les feuilles, j'étais alors dans la disposition la plus naturelle à mon cœur. Si en regagnant le château je rencontrais quelque laboureur à l'orée d'un champ, je m'arrêtais pour contempler cet homme né parmi les gerbes où il devait être moissonné et qui pour ainsi dire retournant la terre de son tombeau avec le soc de sa charrue, mêlait ses sueurs brûlantes aux pluies glacées de l'automne. Ce sillon qu'il venait de creuser était le monument destiné à lui survivre ; j'ai vu les pyramides du désert, et ces sillons abandonnés sous mes bruyères ; les uns comme les autres n'attestent que les travaux et la rapidité des jours de l'homme. Mais une de mes grandes joies en automne était de m'embarquer sur l'étang, et d'aller seul me placer au milieu des joncs où se rassemblaient les hirondelles prêtes à partir ; je les voyais se jouer dans l'eau au coucher du soleil, poursuivre les insectes en poussant de petits cris, s'élancer toutes

ensemble dans les airs, comme pour éprouver leur
force, puis se rabattre à la surface du lac, et venir
enfin se percher sur les roseaux que leur poids léger
courbait à peine, et qu'elles remplissaient de leur
ramage confus.

Pendant ce temps, des poules d'eau, des plongeons,
des sarcelles nageaient autour de mon bateau ; on
eût dit que ces roseaux étaient le rendez-vous d'une
caravane emplumée qui faisait les préparatifs de
son départ ; j'écoutais le gazouillement de l'hirondelle comme Tavernier enfant aurait prêté l'oreille
au récit d'un vieux voyageur ; j'enviais le sort de
ces oiseaux qui ne sèment ni ne labourent, et qui
bien différents des hommes sur la terre traversent
les plaines du ciel sans y laisser de tristes marques
de leur passage.

La nuit descendait, les roseaux s'agitaient. Le lac
battait ses bords, les grandes voix de l'automne sortaient des marais et des bois. J'échouais mon
bateau au rivage, je retournais au château [1]...

---

1. *Mémoires de ma vie*, éd. J.-C. Berchet, Garnier, t. I, p. 94-95.

4 — *Paysage littéraire des années 1780*

Ce dernier chapitre du dossier est le développement de l'annotation des chapitres 11 et 12 du livre IV. On trouvera ici des notices explicatives sur les auteurs cités par Chateaubriand, classés par ordre alphabétique. Beaucoup de ces auteurs sont peu connus de nos jours, certains même ne s'étant jamais relevés de l'exécution capitale infligée par les *Mémoires d'Outre-Tombe*, tel Delisle de Sales. À cet égard, il faut comparer avec certains passages de l'*Essai sur les Révolutions*, où le point de vue de Chateaubriand, notamment sur Chamfort, qui l'a beaucoup influencé, est très positif (première partie, chap. 24) ; il faut aussi relire les pages que Sainte-Beuve consacre aux rapports de Chateaubriand avec cette génération littéraire[1].

Pour les textes, l'étudiant curieux se reportera aux éditions indiquées, ainsi qu'à l'excellente *Anthologie poétique française*, *XVIIIᵉ siècle*, établie par Maurice Allem, GF-Flammarion, 1966.

CHAMFORT

Nicolas Chamfort (1740-1794), maître de la maxime après La Rochefoucauld est fils naturel, mais, à force de volonté et d'ambition, il réussit de bonnes études et se fait connaître par quelques ouvrages littéraires

---

1. Voir *Chateaubriand et son groupe littéraire*, 3ᵉ leçon, p. 88-91.

qui lui ouvrent des charges brillantes : secrétaire des commandements du prince de Condé, puis lecteur de Mme Élisabeth, la sœur de Louis XVI, secrétaire du comte de Vaudreuil, membre de l'Académie. Chamfort est un tissu mélancolique de contradictions qu'il expose lui-même dans ce portrait :

Ma vie entière est un tissu de contrastes apparents avec mes principes. Je n'aime point les princes, et je suis attaché à une princesse et à un prince. On me connaît des maximes républicaines, et plusieurs de mes amis sont revêtus de décorations monarchiques. J'aime la pauvreté volontaire, et je vis avec des gens riches. Je fuis les honneurs, et quelques-uns sont venus à moi. Les lettres sont presque ma seule consolation, et je ne vois point de beaux esprits et ne vais point à l'Académie. Ajoutez que je crois les illusions nécessaires à l'homme, et je vis sans illusions ; que je crois les passions plus utiles que la raison, et je ne sais plus ce que c'est que les passions, etc. [1]

Il avait critiqué l'Ancien Régime, il critique la Révolution, refusant tout esprit de système. Ami de Sieyès et de Mirabeau, il fustige Robespierre qui le fait mettre en prison. Chamfort tente alors de se suicider, sans y parvenir immédiatement (il mourra des suites de sa tentative). Son œuvre maîtresse, les *Maximes, pensées, caractères et anecdotes*, paraît en 1803. Ces maximes, écrites au jour le jour, de 1780 à sa mort, furent rassemblées par son ami Ginguené. Chamfort pensait en faire un ouvrage sous le titre *Produits de la civilisation perfectionnée*. Elles dénoncent les faux-semblants, avec un pessimisme quelque peu nihiliste, telle cette belle maxime dont Chateaubriand se souviendra dans l'*Essai* :

1. *Maximes, Pensées, Caractères*, GF-Flammarion, 1968, p 126.

En voyant quelquefois les friponneries des petits et les brigandages des hommes en place, on est tenté de regarder la société comme un bois rempli de voleurs, dont les plus dangereux sont les archers, préposés pour arrêter les autres [1].

Nietzsche en était grand admirateur.
Consulter : Claude Arnaud, *Chamfort*, Robert Laffont, 1988.

CHÉNIER

Le Chénier dont il est question dans le texte des *Mémoires d'Outre-Tombe* n'est pas André – connu avant 1819 seulement par deux pièces posthumes –, mais son frère Marie-Joseph (1764-1811), beaucoup plus célèbre en son temps. Il connut un succès fracassant en 1789 avec la tragédie *Charles IX*, relatant la Saint-Barthélemy, qui attaque violemment l'Église et la monarchie. Il sera le poète officiel de la Révolution. Adversaire de Napoléon, il s'oppose aussi au romantisme naissant et critique vivement le *Génie du christianisme* lors de la querelle des prix décennaux et dans son *Tableau historique de l'état et du progrès de la littérature française depuis 1789*, testament du néo-classicisme.

Quel intérêt, écrit-il à propos d'*Atala*, peut résulter d'une fable incohérente, où des événements, qui restent vulgaires en dépit des formes les plus bizarres, ne sont ni amenés, ni motivés, ni liés entre eux, ni suspendus par aucun obstacle. Quant aux détails, on y sent l'affectation marquée d'imiter l'auteur de *Paul et Virginie* ; mais, pour lui ressembler, il faudrait, comme lui, décrire et peindre. Des noms accumulés de fleuves, d'animaux, d'arbres, de plantes, ne sont pas des descriptions ; des couleurs jetées pêle-mêle ne forment pas des

_____
1. *Ibid.*, p. 93.

tableaux. M. de Chateaubriand suit la poétique extraordinaire qu'il a développée dans son *Génie du christianisme*. Un jour, sans doute, on pourra juger ses compositions et son style d'après les principes de cette poétique nouvelle, qui ne saurait manquer d'être adoptée en France du moment qu'on y sera convenu d'oublier complètement la langue et les ouvrages des classiques.

Successeur de Chénier à l'Académie en 1811, Chateaubriand ne prononcera pas son discours de réception, très critique envers Chénier, mais aussi envers Napoléon.

DELILLE

Jacques Delille (1738-1813), universitaire et académicien, se rendit célèbre par une traduction des *Géorgiques* publiée en 1770, puis par le grand poème descriptif, *Les Jardins* (1782). Il émigra en 1795 à Londres où Chateaubriand le rencontra (*Mémoires*, XI, 2). Chateaubriand cite dans le *Génie du christianisme* des extraits de son poème contre la Terreur, intitulé *La Pitié*.
Consulter : Édouard Guitton, *J. Delille (1738-1813) et le poème de la nature en France de 1750 à 1820*, Klincksieck, 1974.

DELISLE DE SALES

Delisle de Sales (1741-1816) réalise une synthèse de la pensée des Lumières, alliant rationalisme et sentimentalisme dans une philosophie de la nature. À ce titre, il est sans doute le meilleur représentant de la pensée de la fin du siècle. Son œuvre la plus connue, la *Philosophie de la Nature*, est condamnée en 1776. Cette persécution lui acquiert la sympathie des Philosophes et la gloire auprès du grand public. Delisle de Sales est un penseur modéré, d'un style élégant. Son œuvre est abondante ; mentionnons en particulier : *Histoire des hommes*, en 52 volumes (1780-1785), *Philosophie du bonheur* (1796), *Sylvain Bailly, maire de Paris* (1809), *Essai sur le journalisme* (1811). En 1802, peu avant le Concordat et au même moment que le *Génie du christianisme*, Delisle de Sales fait paraître un *Mémoire en faveur de Dieu* qui lui aliène les athées comme les catholiques.

C'est avec Delisle de Sales que Chateaubriand est le plus cruel et le plus injuste. On sait l'influence qu'il exerça sur lui, mais elle n'a pas été étudiée en détail. Sa *Philosophie de la Nature* a été lue et relue par Chateaubriand qui y a puisé certaines idées : l'illustration d'un propos philosophique, par de petits romans – *Atala* et *René* font initialement partie du *Génie* –, l'idée d'une préface *outre-tombe*, etc. Une grande partie de l'érudition souvent un peu fantaisiste de Chateaubriand provient des immenses compilations de Delisle de Sales. Consulter P. Malandain, *Delisles de Sales, philosophe de la nature, 1741-1816*, Oxford, 1982.

FLINS DES OLIVIERS

Le portrait de Claude Carbon de Flins des Oliviers (1757-1806) est beaucoup moins virulent. Par respect pour Fontanes peut-être, son grand ami, avec qui Flins collabora en 1789 au *Journal de la ville et des provinces*. Flins écrivit des élégies pour l'*Almanach des Muses*. Un projet de publication de trois livres d'*Amours* en 1782 n'aboutit pas et seules furent publiées quelques pièces dans un recueil collectif en

1810. Le plus grand succès de Flins fut une pièce de théâtre, *Le Réveil d'Épiménide*, en 1790. Carbon de Flins écrivit encore après la Révolution un poème biblique : *Ismaël*. Fontanes lui trouva une charge de commissaire sous l'Empire.

FONTANES

Louis de Fontanes (1757-1821) commença sa carrière littéraire avant la Révolution en publiant des élégies dans l'*Almanach des Muses* (*La Chartreuse de Paris, Jour des Morts dans la campagne*, cités dans le *Génie du christianisme*). C'est pendant l'émigration (1797) que Chateaubriand sympathisera avec lui et que la plus fidèle amitié de sa vie se nouera. Rentré en France, il s'attachera tout de suite à Napoléon, siégera au corps législatif, puis le présidera, sera nommé sénateur, puis grand maître de l'Université, charge qu'il gardera sous la Restauration. Fontanes écrira encore après la Révolution un vaste poème épique inachevé, *La Grèce sauvée*. Chateaubriand contribuera à la publication de ses *Œuvres* en 1839.

Consulter : Norbert Alcer, *Louis de Fontanes (1757-1821) homme de lettres et administrateur*, Publications universitaires européennes, Francfort, Peter Lang, 1994.

GINGUENÉ

Pierre Ginguené (1748-1816) fait partie des *Idéologues*, groupe d'intellectuels issus du milieu des Philosophes, de tendance politique républicaine mais modérée et partisans de la laïcité. Ayant commencé par des pièces en vers proches de Parny – la fameuse *Confession de Zulmé* parue dans l'*Almanach des Muses* en 1779 –, il publie au début de la Révolution quelques brochures, est incarcéré pendant la Terreur, puis devient directeur de l'instruction publique, ambassadeur à Turin, membre du Tribunat. En 1794, il fonde *La Décade philosophique*, revue qui s'opposera au Concordat, à Napoléon et critiquera souvent Chateaubriand. Celui-ci ne lui pardonnera jamais les trois grands articles d'une critique précise et sans pitié qu'il consacra au *Génie du christianisme* en 1802. De 1802 à 1806, Ginguené professa un cours sur la littérature italienne qu'il édita en 1811. Musicien, il contribua à l'*Encyclopédie méthodique* de Panckoucke.

LA HARPE

Jean-François La Harpe (1739-1803) est surtout connu comme auteur du *Lycée ou Cours de littérature ancienne et moderne* (1799) qui sera utilisé dans les collèges et universités jusqu'à la fin du XIXᵉ siècle. Il débuta comme protégé de Voltaire, écrivant des pièces de théâtre et des articles. Mais, mis en prison sous la Terreur, il se convertit et se mit à traduire les psaumes et à composer une épopée *Le Triomphe de la Religion ou le Roi Martyr* (1814). Chateaubriand le fréquenta à son retour en France (*Mémoires*, XIV, 3).

LEBRUN

Ponce-Denis Écouchard-Lebrun (1729-1807) a gardé une place dans nos anthologies modernes pour ses odes imitées de l'antique (la plus connue est celle sur le naufrage du vaisseau *Le Vengeur*). Ancien pensionné de Louis XVI, maître d'André

Chénier, Lebrun est un partisan ardent de la Révolution dont il se fit le chantre passionné mais un peu raide. Les épigrammes satiriques de Lebrun sont aussi imitées de l'antique. Il en consacra plusieurs à stigmatiser les prétentions critiques de La Harpe, en particulier celle-ci, que rappelle Chateaubriand dans les *Mémoires* :

Le genre lyrique hérité de l'antique est surtout représenté, au XVIIIe siècle, par Jean-Baptiste Rousseau (1671-1741).

> Ce petit homme, à son petit compas,
> Veut sans pudeur asservir le génie ;
> Au bas du Pinde, il trotte à petits pas,
> Et croit franchir les sommets d'Aonie.
> Au grand Corneille, il a fait avanie ;
> Mais, à vrai dire, on riait aux éclats
> De voir ce nain mesurer un Atlas ;
> Et redoublant ses efforts de Pygmée,
> Burlesquement roidir ses petits bras
> Pour étouffer si haute renommée.

PARNY

Évariste de Parny (1753-1814), né à l'île Bourbon (La Réunion), est le grand poète élégiaque du XVIIIe siècle, « le seul poète élégiaque que la France ait encore produit », écrit Chateaubriand dans l'*Essai sur les Révolutions*, le comparant à la poétesse grecque Sapho (Ire partie, chap. 22). Il chante, dans ses *Poésies érotiques* (1781) une femme nommée Éléonore, dans un style néo-classique qui n'exclut ni le raffinement, ni la sensualité, comme on peut le voir dans le poème *Délire*, cité partiellement par Chateaubriand dans l'*Essai* :

> Mon corps frissonne en s'approchant du tien.
> Plus près encore, je sens avec délice
> Ton sein brûlant palpiter sous le mien.
> Ah ! laisse-moi, dans mes transports avides,
> Boire l'amour sur tes lèvres humides.
> Oui, ton haleine a coulé dans mon cœur ;
> Des voluptés elle y porte la flamme :

> Objet charmant de ma tendre fureur,
> Dans ce baiser reçois toute mon âme.

Chateaubriand cite encore (*Mémoires*, V, 15) les délicieux *Vers sur la Mort d'une jeune fille*. En 1799, Parny écrit *La Guerre des Dieux*, épopée satirique à visée anti-chrétienne qui narre l'affrontement des dieux de l'Olympe, de la Trinité et des saints chrétiens. Le sujet est prétexte à plaisanteries salaces et à quelques coucheries. Chateaubriand, sincèrement choqué, présente le *Génie du christianisme* comme une réponse à ce pamphlet blasphématoire.

Consulter : Catriona Seth, *Parny*, thèse de doctorat, Paris IV, 1995 (à paraître).

B I B L I O G R A P H I E

Le texte des *Mémoires d'Outre-Tombe*

Le texte des *Mémoires d'Outre-Tombe* parut pour la première fois en feuilleton dans le quotidien *La Presse*, dirigé par Émile de Girardin, du 21 octobre 1848 au 3 juillet 1850. Conformément à l'accord passé entre Émile de Girardin et la société propriétaire, les volumes ne furent mis en vente qu'après que le texte eut d'abord paru en feuilleton. Les deux premiers ne parurent donc que le 9 janvier 1849 et le dernier en octobre 1850. Pour cette publication, on procéda à quelques retouches du texte et, dommage considérable, on supprima la division en livres et chapitres.

La grande difficulté d'édition des *Mémoires d'Outre-Tombe* tient à ce que le texte, achevé en 1841, a été maintes fois remanié par son auteur, et parfois à contre-cœur, jusqu'à sa mort. Nous disposons ainsi de plusieurs états successifs du texte et les éditeurs choisissent parfois de manière arbitraire celui qu'ils pensent avoir été le plus cher à Chateaubriand. D'où l'extraordinaire confusion des éditions. Les sources disponibles sont les suivantes ; elles conditionnent l'établissement du détail du texte comme de ses grandes divisions (chapitres, livres, parties) :

- Copie de 1826 : texte des *Mémoires de ma vie* (première version des trois premiers livres des *Mémoires d'Outre-Tombe*) (coll. H. Champion).
- Dossier Pilorge, découvert en 1938 : 600 pages de brouillons parfois autographes écrites entre 1835 et 1839 (vie de Napoléon, récit des Cent Jours, chapitres de la 4e partie). Ce dossier a depuis été vendu et dispersé.
- Dossier Bricon : pages de la copie de 1841 volées en 1845 par un secrétaire de Chateaubriand et déposées à la Bibliothèque nationale (contient entre autres le fragment *Amour et Vieillesse*).
- Dossier Combourg : pages de la copie de 1841 retranchées en 1845 et conservées dans la famille de l'auteur.
- Copie de 1845 : 4e partie (texte de 1841) (coll. H. Champion).

- Dossier Récamier : livre sur Mme Récamier retranché en 1846 (copie de 1841 revue en 1845) et offert à Mme Récamier, finalement publié dès la première édition (coll. H. Champion).
- Copie de 1847 : seul manuscrit intégral existant (42 livres), déposé chez le notaire de Chateaubriand et retrouvé seulement au lendemain de la dernière guerre.
- Copie de 1848 : livres I, II, VII, XX, XXI, XXXIX, XL. C'est cette copie définitive qui a servi pour la première édition.

Le seul état du texte complet est celui de 1847-1848. Cet état exclut des chapitres et des livres entiers connus par ailleurs, mais il reste préférable, par son homogénéité, pour toute édition.

Il existe actuellement quatre éditions disponibles des *Mémoires d'Outre-Tombe*.
- L'édition du Livre de Poche reproduisant la première édition, avec quelques améliorations (chapitres), est à proscrire.
- Maurice Levaillant, pour le centenaire de la mort de Chateaubriand, mit au point deux éditions différentes.

La première de ces deux éditions, publiée en 1946-1948, est celle de la Pléiade. Elle reproduit les sommaires des chapitres et la division en livres, et rétablit celle en quatre parties. Elle s'appuie sur les manuscrits de 1847 et 1848. Cependant, Levaillant ajoute un livre sur Mme Récamier (le livre XXIX) et compte comme dernier livre la conclusion sur *l'avenir du monde*. Il aboutit ainsi à un total de quarante-quatre livres. Cette édition est longtemps restée la meilleure et c'est elle qu'on a suivie, pour le texte, la division des chapitres et des livres.

La seconde édition, l'édition *du Centenaire*, publiée en 1948, est un monstre philologique. Elle a été reprise il y a quelques années dans la collection GF-Flammarion, en grand format. Levaillant a voulu y reconstituer l'état du manuscrit de 1841, c'est-à-dire le texte des *Mémoires* au moment de sa plus grande extension, avant les suppressions que Chateaubriand lui fit subir à partir de 1845. Cette édition contient donc, outre le livre sur Mme Récamier, celui sur Venise, et deux livres extraits du *Congrès de Vérone*. Pour ce faire, Levaillant utilise des textes d'époques différentes : 1841, 1845, 1847 et 1848 et le *Congrès de Vérone* publié en 1838.
- Jean-Claude Berchet, enfin, a entrepris une nouvelle édition complète pour la collection des Classiques Garnier. Le

volume I a paru en 1989, et les autres, à l'exception du quatrième, ont suivi régulièrement. Cette édition, la plus raisonnable, s'appuie sur les manuscrits définitifs de 1847-1848. Elle propose aussi, dans son premier tome, le texte intégral des *Mémoires de ma vie* (1826) et propose en notes et appendices, les compléments intégrés dans le texte dans les éditions de Levaillant. Cette édition est certainement la meilleure disponible, mais, toute récente, elle n'est pas encore très pratiquée.

- À signaler une édition des *Mémoires de ma vie* par M. Bercot (Le Livre de Poche).

En résumé de cette longue histoire : deux éditions sont recommandables, celle de la Pléiade et celle de J.-C. Berchet. Les différences entre les deux sont minimes pour les livres qui nous intéressent ici : on remarquera seulement que notre texte, fidèle au parti choisi par Levaillant pour l'édition de la Pléiade, et conformément au texte des *Mémoires de ma vie* (1826), fait débuter le livre III avec le chapitre sur la grive de Montboissier. Il y a donc un décalage de deux chapitres, dans tout le cours du livre III, entre notre texte et celui de l'édition Berchet. Le chapitre III, 3 (*Vie à Combourg – Journées et soirées*) de notre édition est le chapitre III, 1 dans l'édition Berchet, le III, 4 devient un III, 2 et ainsi de suite.

AUTRES ŒUVRES DE CHATEAUBRIAND

Essai sur les Révolutions, éd. M. Regard, Gallimard, Bibliothèque de la Pléiade, 1978.
Pour les mordus. Il s'agit de la première œuvre de Chateaubriand. Intéressant parallèle avec le *Génie*.
Atala, René, Les Aventures du dernier Abencérage, éd. J.-C. Berchet, GF-Flammarion, 1996.
Indispensable : les trois courts romans de Chateaubriand.
Génie du christianisme, éd. P. Reboul, GF-Flammarion, 1966, 2 vol.
Ouvrage inégal qui connut une célébrité immense. Quelques-unes des plus belles pages de Chateaubriand. À lire en sélectionnant.
Les Martyrs, in *Œuvres romanesques et voyages*, t. II, éd. M. Regard, Gallimard, Bibliothèque de la Pléiade, 1969.
Cette épopée en prose est en fait un roman à redécouvrir. Inégal, mais parfois captivant.

Itinéraire de Paris à Jérusalem, éd. J. Mourot, GF-Flammarion, 1968.
  Récit de voyage qui contient des pages célèbres. Complément des *Mémoires*.
Vie de Rancé, éd. G. Condominas, GF-Flammarion, 1991.
  Le chef-d'œuvre de la vieillesse. Dernière œuvre de Chateaubriand, d'un style sec et dépouillé.

ASPECTS BIOGRAPHIQUES

On consultera les notes des éditions existantes, en particulier le très précieux index de l'édition de la Pléiade. Mentionnons pour mémoire :
Comte de Marcellus, *Chateaubriand et son temps*, Lévy, 1859.
  Témoignage d'un secrétaire d'ambassade de Chateaubriand.
G. Collas, *Une famille noble pendant la Révolution. La vieillesse douloureuse de Mme de Chateaubriand*, Minard, 1961, 2 vol.
  Enquête minutieuse sur l'enfance de Chateaubriand et sa famille.
G. D. Painter, *Chateaubriand. Une biographie*, t. I (1768-1793), Gallimard, 1979.
  La grande biographie universitaire (en cours).

ASPECTS HISTORIQUES ET LITTÉRAIRES

P. Bénichou, *Le Temps des Prophètes*, Gallimard, 1977.
J. Cabanis, *Charles X roi ultra*, Gallimard, coll. « Leurs figures », 1973.
A. Fierro, A. Palluel-Guillard, J. Tulard, *Histoire et Dictionnaire du Consulat et de l'Empire,* Robert Laffont, coll. « Bouquins », 1995.
P. Lejeune, *L'Autobiographie en France*, A. Colin, 1971.
J. Mourot, *Le Génie d'un style. Chateaubriand. Rythme et sonorité dans les* Mémoires d'Outre-Tombe, A. Colin, 1960.
J.-P. Richard, *Paysage de Chateaubriand*, Seuil, 1967.
Sainte-Beuve, *Chateaubriand et son groupe littéraire sous l'Empire*, cours professé à Liège en 1848-1849, Paris, 1861 ; rééd. M. Allem, Classiques Garnier, 1948.
J. Tulard, J.-F. Fayard, A. Fierro, *Histoire et Dictionnaire de la Révolution française 1789-1799*, Robert Laffont, coll. « Bouquins », 1987.
A. Vial, *Chateaubriand et le Temps Perdu, Devenir et conscience individuelle dans les* Mémoires d'Outre-Tombe, Julliard, 1963.

J. Vidalenc, *La Restauration*, PUF, coll. « Que sais-je ? », 1973.

J. de Viguerie, *Histoire et Dictionnaire du Temps des Lumières 1715-1789*, Robert Laffont, coll. « Bouquins », 1995.

Strasbourg, La Relaxation ... PUF coll. «Que sais-je»,
...

L ... (Vincent Morelli), Instaurateur du Temps ...
... (1935-...) Robert Laffont coll. «Collection ...»
1998.

DERNIÈRES PARUTIONS

ARISTOTE
Petits Traités d'histoire naturelle (979)
Physique (887)

AVERROÈS
L'Intelligence et la pensée (974)
L'Islam et la raison (1132)

BERKELEY
Trois Dialogues entre Hylas et Philonous (990)

CHÉNIER (Marie-Joseph)
Théâtre (1128)

COMMYNES
Mémoires sur Charles VIII et l'Italie, livres VII et VIII (bilingue) (1093)

DÉMOSTHÈNE
Philippiques, suivi de **ESCHINE**, Contre Ctésiphon (1061)

DESCARTES
Discours de la méthode (1091)

DIDEROT
Le Rêve de d'Alembert (1134)

DUJARDIN
Les lauriers sont coupés (1092)

ESCHYLE
L'Orestie (1125)

GOLDONI
Le Café. Les Amoureux (bilingue) (1109)

HEGEL
Principes de la philosophie du droit (664)

HÉRACLITE
Fragments (1097)

HIPPOCRATE
L'Art de la médecine (838)

HOFMANNSTHAL
Électre. Le Chevalier à la rose. Ariane à Naxos (bilingue) (868)

HUME
Essais esthétiques (1096)

IDRÎSÎ
La Première Géographie de l'Occident (1069)

JAMES
Daisy Miller (bilingue) (1146)
Les Papiers d'Aspern (bilingue) (1159)

KANT
Critique de la faculté de juger (1088)
Critique de la raison pure (1142)

LEIBNIZ
Discours de métaphysique (1028)

LONG & SEDLEY
Les Philosophes hellénistiques (641 à 643), 3 vol. sous coffret (1147)

LORRIS
Le Roman de la Rose (bilingue) (1003)

MEYRINK
Le Golem (1098)

NIETZSCHE
Par-delà bien et mal (1057)

L'ORIENT AU TEMPS DES CROISADES (1121)

PLATON
Alcibiade (988)
Apologie de Socrate. Criton (848)
Le Banquet (987)
Philèbe (705)
Politique (1156)
La République (653)

PLINE LE JEUNE
Lettres, livres I à X (1129)

PLOTIN
Traités I à VI (1155)
Traités VII à XXI (1164)

POUCHKINE
Boris Godounov. Théâtre complet (1055)

RAZI
La Médecine spirituelle (1136)

RIVAS
Don Alvaro ou la Force du destin (bilingue) (1130)

RODENBACH
Bruges-la-Morte (1011)

ROUSSEAU
Les Confessions (1019 et 1020)
Dialogues. Le Lévite d'Éphraïm (1021)
Du contrat social (1058)

SAND
Histoire de ma vie (1139 et 1140)

SENANCOUR
Oberman (1137)

SÉNÈQUE
De la providence (1089)

MME DE STAËL
Delphine (1099 et 1100)

THOMAS D'AQUIN
Somme contre les Gentils (1045 à 1048), 4 vol. sous coffret (1049)

TRAKL
Poèmes I et II (bilingue) (1104 et 1105)

WILDE
Le Portrait de Mr. W.H. (1007)